Tous Continents

Collection dirigée par
Isabelle Longpré

L'Apprentissage de Victor Frankenstein

TOME 2 – UN VIL DESSEIN

Catalogage avant publication de Bibliothèque et Archives nationales du Québec et Bibliothèque et Archives Canada

Oppel, Kenneth
[Such wicked intent. Français]
Un vil dessein
(L'apprentissage de Victor Frankenstein; t. 2)
(Tous continents)
Traduction de: Such wicked intent.
Pour les jeunes de 14 ans et plus.
ISBN 978-2-7644-2218-2 (Version imprimée)
ISBN 978-2-7644-2443-8 (PDF)
ISBN 978-2-7644-2444-5 (EPUB)
I. Saint-Martin, Lori. II. Gagné, Paul. III. Titre. IV. Titre: Such wicked intent. Français. V. Collection: Oppel, Kenneth. Apprentissage de Victor Frankenstein; t. 2. VI. Collection: Tous continents.
PS8579.P64S9314 2013   jC813'.54   C2012-942498-6
PS9579.P64S9314 2013

Conseil des Arts du Canada **Canada Council for the Arts** **SODEC** Québec

Nous reconnaissons l'aide financière du gouvernement du Canada par l'entremise du Fonds du livre du Canada pour nos activités d'édition.

Gouvernement du Québec – Programme de crédit d'impôt pour l'édition de livres – Gestion SODEC.

Les Éditions Québec Amérique bénéficient du programme de subvention globale du Conseil des Arts du Canada. Elles tiennent également à remercier la SODEC pour son appui financier.

Nous remercions le gouvernement du Canada de son soutien financier pour nos activités de traduction dans le cadre du Programme national de traduction pour l'édition du livre.

Québec Amérique
329, rue de la Commune Ouest, 3e étage
Montréal (Québec) Canada H2Y 2E1
Téléphone: 514 499-3000, télécopieur: 514 499-3010

Dépôt légal: 1er trimestre 2013
Bibliothèque nationale du Québec
Bibliothèque nationale du Canada

Projet dirigé par Stéphanie Durand
Révision linguistique: Diane-Monique Daviau et Chantale Landry
Conception graphique: Nathalie Caron
    avec la collaboration de Julie Villemaire
Montage: Andréa Joseph [pagexpress@videotron.ca]
En couverture: Photomontage réalisé à partir de photographies
    de © Michael Frost et de © Allkindza / istockphoto.com

Original title: This Dark Endeavor
Copyright © 2012 by Firewing Productions Inc.

©2013 Éditions Québec Amérique inc.
www.quebec-amerique.com

Imprimé au Canada

KENNETH OPPEL

TRADUCTION DE LORI SAINT-MARTIN ET PAUL GAGNÉ

L'APPRENTISSAGE DE VICTOR FRANKENSTEIN

TOME 2 – UN VIL DESSEIN

Québec Amérique

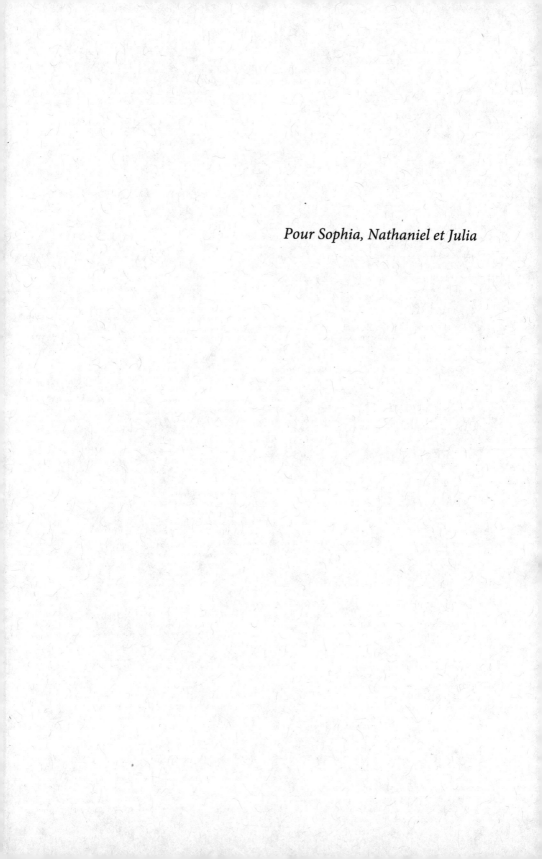

Pour Sophia, Nathaniel et Julia

Chapitre 1

CONSUMÉS

Les livres s'envolaient en ouvrant leurs ailes comme des oiseaux effarouchés fuyant les flammes. Un à un, je les jetais dans la partie la plus dévorante du brasier et les regardais s'embraser avant même de toucher terre.

Nous avions vidé la Bibliothèque obscure des traités d'alchimie, des grimoires, des ampoules en verre et des mortiers en terre cuite qu'elle renfermait, du premier jusqu'au dernier. Père, qui avait ordonné que tout soit détruit, n'avait fait appel qu'à nos domestiques les plus fidèles. Même avec leur aide, nous avions mis de longues heures à tout transporter dans la cour.

Minuit avait sonné depuis longtemps. Il n'y avait plus un seul livre à jeter au feu, mais j'éprouvais toujours dans ma chair un désir ardent de déchirer, de lancer des objets. Armé d'une pelle, je rôdais au bord du feu, repoussais des débris à moitié consumés au centre de la fournaise. Affamé de destruction, j'observais mon père, les domestiques, leurs visages livides et terribles dans la danse des ombres et des embrasements.

Les moignons de mes doigts amputés m'élançaient. La chaleur marquait mon visage au fer rouge, faisait pleurer mes yeux. Le feu n'avait rien de remarquable : pas de lumières spectrales ni de diaboliques odeurs de soufre. Que du verre qui éclatait, du papier et de l'encre qui se consumaient, du cuir qui empestait. La fumée s'élevait dans le sombre ciel d'automne, emportant avec elle les fausses promesses et les mensonges que j'avais naïvement crus capables de sauver mon frère.

Le lendemain matin, je fus réveillé par le concert matinal des oiseaux et je connus le bref instant de bonheur suprême, toujours fugace, qui précédait le retour du souvenir.

Il est parti, parti pour de bon.

Derrière mes rideaux, seule filtrait une faible lueur, mais je savais que le sommeil m'avait abandonné et je m'assis, courbaturé après les efforts de la veille. Mes cheveux avaient retenu l'odeur de la fumée. Je posai mes pieds nus sur le sol frais et fixai mes orteils sans rien voir. Seuls les sourds élancements dans ma main droite marquaient le passage du temps.

Depuis que mon frère jumeau était mort, trois semaines plus tôt, je vivais dans un état mitoyen, ni endormi ni pleinement éveillé. Des événements se produisaient autour de moi, mais ils ne me touchaient pas. Konrad avait si longtemps partagé mon existence que, sans lui comme confident, plus rien ne me semblait réel. Mon chagrin s'était replié sur lui-même, telle une feuille géante, avait épaissi, durci sans fin, et il avait à présent envahi mon corps tout entier. J'avais fui mes semblables et recherché la solitude.

Vêtus de nos habits de deuil, nous formions une famille de corbeaux.

Je fermai les paupières pendant un moment, puis je me levai et je m'habillai en vitesse. J'avais envie de respirer de l'air frais. Pendant que la maison dormait toujours, je descendis le grand escalier et ouvris la porte qui donnait sur la cour. Au-dessus des montagnes, le ciel commençait à peine à s'éclaircir. L'air était cristallin, immobile. Le feu avait pratiquement fini de se consumer. Seuls persistaient, çà et là, quelques amas de cendres et des éclats de poterie fumants.

— Toi non plus, tu n'arrives plus à dormir ? demanda une voix.

Surpris, je me tournai vers Elizabeth. Je secouai la tête.

— Tous les matins, je me réveille à l'aube, dit-elle, et pendant une fraction de seconde, je…

— Moi aussi, dis-je.

D'un geste bref, elle inclina la tête. Dans sa robe noire aux lignes sévères, elle paraissait amaigrie et plus pâle que de coutume, mais sa beauté restait intacte. Parente très éloignée et orpheline, elle était encore toute petite lorsque nous l'avions accueillie sous notre toit. Bien vite, elle était devenue un membre de la famille et, pour mon frère et moi, une amie précieuse. Mais, l'été dernier, j'avais conçu pour elle des sentiments plus qu'amicaux. Je me forçai à détourner les yeux. Son cœur avait toujours appartenu à Konrad.

— C'est donc terminé, dit-elle en considérant les restes fumants de la Bibliothèque obscure. Je vous ai vus, hier soir. Ça t'a fait du bien?

— Brièvement. Non, même pas. Ça m'a occupé, c'est tout. Tu n'as pas eu envie de lancer quelques livres dans les flammes?

Elle soupira.

— J'en ai été incapable. À la pensée des espoirs que nous avions fondés sur eux, j'avais le cœur brisé.

Cette époque nous semblait lointaine, mais, en réalité, trois mois à peine s'étaient écoulés depuis le jour où Konrad, Elizabeth et moi avions découvert le passage secret qui conduisait à la Bibliothèque obscure. C'était un lieu secret où notre ancêtre, Wilhelm Frankenstein, entreposait sa collection d'ouvrages ésotériques. Père nous avait interdit d'y remettre les pieds en affirmant que les livres en question n'étaient qu'un tissu d'absurdités, dangereuses de surcroît. Mais lorsque Konrad avait contracté un mal que les médecins se montraient impuissants à guérir, j'avais pris sur moi de chercher un remède. Dans l'un des livres de la bibliothèque figurait la recette du légendaire Élixir de Vie. Avec l'aide de notre plus cher ami, Henry Clerval, et sous la gouverne d'un alchimiste du nom de Julius Polidori, nous avions réuni les trois ingrédients de la potion, au moyen d'aventures toutes plus périlleuses les unes que les autres. Mon regard se posa sur ma main droite, où deux doigts manquaient. Et dire que tous ces dangers, nous les avions courus en vain!

Devant les tristes vestiges du brasier de la veille, j'éprou-vai, pour la première fois, un pincement de regret. Tant d'ardentes théories et recettes…

— Je ne peux pas m'empêcher de penser, murmurai-je, que si j'avais été plus rapide ou plus futé… si j'avais décou-vert un ouvrage plus savant…

— Victor… fit-elle doucement.

— À d'autres moments, je me demande…

Je fus incapable de terminer.

Pendant un moment, Elizabeth garda le silence. Puis elle s'approcha et prit mes mains entre les siennes. Sa peau était douce et fraîche.

— Ce n'est pas toi qui as tué Konrad. Regarde-moi. Nous ignorons la cause de sa mort. L'élixir que nous lui avons fait prendre, la maladie ou carrément autre chose… Tu n'y es pour rien.

— Le monde est sans couleur, sans saveur… dis-je. Plus rien ne sera comme avant… C'est sans espoir.

Elle inspira avec détermination.

— Il est mort et nos regrets ne le feront pas revenir. C'est difficile, mais je m'y suis résignée. Et tu dois en faire autant.

— Tu crois que son âme vit ailleurs, lançai-je, sachant qu'elle s'était souvent rendue à l'église pour allumer des lampions et prier. Je n'ai pas de telles consolations.

Elle s'avança et me serra dans ses bras. Avec gratitude, je refermai les miens sur elle. Je sentais son cœur battre contre ma poitrine.

— Rien ne sera plus comme avant, dit-elle. Sur ce point, tu as raison. Nous sommes sous l'emprise du chagrin. Mais nous sommes aussi faits pour le bonheur. J'en suis sincèrement persuadée. Nous allons le retrouver. Et pour ce faire, nous devons nous entraider.

Elle leva les yeux sur moi. Le soleil venait de s'élever au-dessus des cimes et dans sa pure lumière je distinguai les trois infimes cicatrices que le lynx diabolique de Polidori avait laissées sur la joue d'Elizabeth. L'envie de l'embrasser me donna le vertige et, pendant un bref instant, je me demandai si elle *voulait* que je l'embrasse.

Je fixai le sol.

— Et comment comptes-tu le retrouver, ce fameux bonheur? lui demandai-je d'une voix rauque.

— Quand tout sera un peu rentré dans l'ordre ici, au printemps, peut-être, je compte entrer au couvent.

Parfaitement incrédule, je replongeai mes yeux dans les siens.

— Au couvent?

— Oui.

Je n'avais pas ri depuis si longtemps que le son qui s'échappa de ma gorge ressemblait sans doute au croassement d'une corneille détraquée. Mais c'était plus fort que moi.

Elizabeth relâcha son étreinte et, en titubant, je reculai de quelques pas. Elle croisa les bras, les sourcils noués.

— Ça t'amuse ? fit-elle.

Je m'essuyai les yeux en essayant tant bien que mal de recouvrer l'usage de la parole.

— Au couvent, *toi* ?

Je ne pus que secouer la tête.

— Baisse le ton, grogna-t-elle. Je n'en ai encore parlé à personne.

— Je… ne vois pas… pourquoi, haletai-je.

— J'y ai bien réfléchi, tu sais, dit-elle sur un ton excédé. Et je suis résolue à accepter les événements récents et à confier ma vie à Dieu…

— Désolé… désolé, dis-je en parvenant enfin à me maîtriser.

J'expirai bruyamment. Rire m'avait fait du bien. Je regardai Elizabeth dans les yeux.

— C'est juste que… J'ai du mal à t'imaginer en bonne sœur.

— Tu doutes de ma passion pour ma foi ?

— Non, non. Tu es *très* passionnée. C'est là, je pense, que le bât blesse.

Elle fit mine de dire quelque chose, s'interrompit et me foudroya du regard.

— Pauvre imbécile, dit-elle.

Et, sur ces mots, elle s'en fut d'un air digne.

Je la vis s'engouffrer dans la maison et, avec un soupir, je jetai un dernier coup d'œil aux vestiges calcinés de la Bibliothèque obscure. Au milieu des débris grisâtres, un objet rouge étincela soudain sous le soleil. Je plissai les yeux. Un éclat de verre, sûrement. En m'approchant, je constatai qu'il s'agissait plutôt du dos d'un livre rouge, tout à fait intact.

Au prix d'un grand effort de volonté, je mis le cap sur le château. Mais, à mi-chemin, je sentis ma résolution fléchir.

Aucun papier n'aurait pu résister à la chaleur cuisante des flammes. Comment expliquer alors qu'un livre ait survécu?

J'avalai ma salive dans l'espoir d'apaiser mon cœur emballé. Des oiseaux traversèrent le ciel en piaillant. La cour était encore déserte, mais des domestiques enlèveraient bientôt les débris.

Je m'emparai d'une pelle et, debout au milieu des cendres, glissai avec précaution la plaque sous l'objet rouge. Je le soulevai et le déposai sur les pavés. Je me mis à genoux pour examiner sa couverture, délicieusement ornée de volutes, mais dépourvue de titre et de nom. Un livre à l'épreuve du feu.

Éloigne-toi.

Cependant, je ne pus me retenir. Je tendis la main et, à l'instant où je touchai la couverture, je sentis une douleur cuisante au bout de mes doigts. Haletant, j'eus un mouvement de recul. Quelle était donc cette sorcellerie ? Puis, avec le sentiment d'être ridicule, je me rendis compte que ce livre, fait de métal, était encore brûlant.

Les doigts dans la bouche, je penchai la tête. L'illusion était extrêmement fine. Sur les côtés, on avait méticuleusement creusé des sillons pour donner l'impression qu'il s'agissait de pages. Et, en plissant les yeux, je distinguai une unique ligne droite qui encerclait le livre et deux minuscules charnières ingénieusement enchâssées dans le dos. Il s'agissait en réalité d'un mince étui en métal conçu pour avoir l'apparence d'un livre et s'ouvrir de la même manière.

Un livre étrange issu d'une pièce remplie de livres étranges, en somme.

Avec dédain, je le retournai du bout de ma chaussure. Pourquoi se serait-on donné la peine de fabriquer un livre en métal, sinon pour mettre son précieux contenu à l'épreuve du feu ?

Ne va pas plus loin.

Vite, je saisis un seau plein d'eau et en versai sur le livre en métal. Il grésilla brièvement. Puis j'enveloppai le mince ouvrage dans mon mouchoir et le glissai dans ma poche.

Dans l'intimité de ma chambre à coucher, j'ouvris le livre en métal, qui renfermait deux compartiments peu profonds.

Dans celui de droite se trouvaient quelques bouts de tissu chiffonné. Vite, je déballai le premier et découvris ce qui avait l'apparence d'un pendentif: une boucle de métal fine, mais solide, terminée par un ornement en forme d'étoile.

Dans les autres paquets, je découvris quelques objets en métal, manifestement conçus à des fins très particulières, car ils étaient d'une grande complexité. L'un d'eux était une sorte de pivot articulé, l'autre faisait penser au mors d'un harnais pour cheval miniature. Ils étaient entravés par la rouille, mais je n'eus qu'à tirer un peu pour les dégager. Tout ce dont ils avaient besoin, c'était de quelques gouttes d'huile. Mais à quoi servaient-ils? Je n'aurais su le dire.

Dans le compartiment de gauche, je trouvai une mince liasse de feuilles. Il s'agissait de toute évidence de pages arrachées à un livre ancien. Sur la première figuraient de vigoureux caractères gothiques. Dans le haut de la page, je lus:

Fonctionnement de la planche de spiritisme

Qu'était donc une « planche de spiritisme », pour l'amour du ciel? En tournant les pages, je découvris les plans détaillés d'une sorte d'appareil utilisant les objets aux formes bizarres que j'avais vus plus tôt. Au centre de la machine se dressait un pendule, dont l'ornement en forme d'étoile était la masse. Avec impatience, je passai les pages en revue jusqu'à tomber sur une section intitulée « Converser avec les morts ».

Une boule se forma dans ma gorge. Combien de fois avais-je souhaité pouvoir faire une chose pareille, ne fût-ce qu'un instant ? Soudain, je me mis à lire avec avidité. Puis, au bout de quelques lignes seulement, je détournai les yeux, dégoûté de moi-même.

Pourquoi avais-je tiré ce livre du brasier ? Il s'agissait sans doute d'un autre tissu d'absurdités sorties tout droit du Moyen Âge ; contrairement aux connaissances alchimiques auxquelles j'avais attaché tant de foi, ce machin-ci était dépourvu de tout fondement factuel ou scientifique.

Avec une grande détermination, je repliai les pages froissées et je les remis dans leur compartiment. Puis je remballai en vitesse les pièces en métal. Il ne restait que le pendule en forme d'étoile. Dans ma hâte, je me piquai le doigt à l'un de ses bouts pointus. Une goutte de sang tomba sur l'ornement qui, aussitôt, sembla prendre vie dans ma main. À peine un frisson, mais je le laissai tomber, effrayé.

Aussitôt, il redevint un objet inanimé qui reposait dans son coffret en métal.

Un objet qui, à n'en pas douter, renfermait une sorte d'étrange pouvoir contenu.

— Maintenant, occupe-toi de celui-ci, dis-je à Ernest, mon frère âgé de neuf ans.

Je le regardai taper sur le clou avec un soin méticuleux.

— Là, c'est bien !

J'avais fait monter tout le matériel dans le salon de l'aile ouest et, après le dîner du dimanche, j'avais entrepris de construire un pendule en bois en suivant le mode d'emploi du livre en métal. Évidemment, nul n'avait besoin de savoir d'où ce mode d'emploi venait ni à quoi l'objet servait vraiment. C'était une activité amusante et éducative, que ma mère, occupée à sa correspondance, vit d'un bon œil.

— Je suis heureuse de te voir te passionner pour quelque chose, Victor, dit-elle en s'approchant pour poser une main affectueuse sur ma tête.

Je remarquai que ses yeux étaient humides.

Depuis la mort de Konrad, je haïssais tout. Incapable de me concentrer, je ne pouvais pas lire. Ne tenant pas en place, je ne pouvais pas écouter de la musique. L'équitation et la navigation me laissaient indifférent. Ailleurs, la vie suivait son cours sans moi. J'étais enfermé en moi-même.

Mais à présent... Depuis que j'avais ouvert le livre en métal, je m'étais remis à désirer quelque chose.

Au bout du couloir, j'entendais le va-et-vient des domestiques à qui père avait donné l'ordre de sceller à tout jamais la Bibliothèque obscure. Ils allaient combler le puits du fond de la cheminée pour empêcher les rats d'entrer et d'apporter la peste. Ensuite, des maçons couvriraient de briques l'entrée de la bibliothèque, puis l'escalier en colimaçon serait détruit et, enfin, le passage secret, qui s'ouvrait sur notre propre bibliothèque, serait muré et enduit de plâtre. Malgré tout ce qui s'était passé, cette idée me déplaisait:

quelque chose serait perdu à tout jamais, un peu comme quand on avait posé le couvercle sur le sarcophage de Konrad.

Le trépied du pendule était pratiquement terminé. Sur ses pieds en bois, il s'élevait à une verge du sol. J'étais fier de moi, car les mesures devaient être exactes. Je l'examinai sous tous les angles et il me sembla parfaitement d'équerre. À son sommet était fixé l'étrange pivot en métal qui permettait au pendule de bouger dans tous les sens. Il ne me restait qu'à attacher la dernière partie du pivot, une deuxième articulation, mais Ernest se montrait de plus en plus impatient.

— Faisons-le marcher, proposa-t-il avec enthousiasme.

Avec un pincement au cœur, je me rendis compte que c'était l'une des premières fois que je le voyais heureux depuis les funérailles. Konrad avait toujours été son préféré. Honteux, je m'aperçus que, obnubilé par mon propre malheur, j'avais oublié celui des autres. Il faudrait que je sois un meilleur frère pour Ernest.

— D'accord, dis-je. Mais rappelle-toi qu'il n'est pas encore terminé. Pour le moment, ce n'est qu'un pendule comme un autre.

Sans perdre un instant, je nouai un bout de ficelle au pivot principal et y accrochai le pendentif en forme d'étoile. L'une des branches de l'étoile, plus longue que les autres, pointait vers le sol.

— Drôle de masse, dit Elizabeth.

Pendant que nous travaillions, elle lisait dans un fauteuil, mais elle s'était avancée pour mieux voir notre travail.

— Où l'as-tu trouvée ?

— Elle traînait quelque part, répondis-je avec insouciance.

Elle fronça les sourcils.

— J'ai l'impression d'avoir déjà vu cet objet.

— Tu nous donnes un coup de main ? demandai-je dans l'espoir de la distraire.

— Non, merci, répondit-elle. Je suis captivée par mon livre.

— Ah ! Le calme contemplatif… fis-je. On n'en a jamais trop. La paix… La solitude…

Elle haussa les sourcils d'un air satirique et retourna s'asseoir.

— On y va ? demanda Ernest avec impatience.

Je tirai sur la masse et la laissai effectuer un arc prononcé, d'avant en arrière.

— C'est tout ? dit Ernest au bout d'un moment. Elle va toujours dans le même sens.

— Oui, confirmai-je.

— Mais ça finira par changer, dit père.

En me retournant, je le vis en train de nous regarder. Je ne l'avais pas entendu entrer. Il sourit à Ernest.

— Si tu l'observes assez longtemps, tu verras la masse changer de trajectoire. En raison de la révolution de la Terre.

Ernest fronça les sourcils.

— Comment?

— Si tu te souviens bien, la Terre est comme un gros ballon qui effectue une rotation complète toutes les vingt-quatre heures.

— C'est elle qui va faire tourner le pendule? demanda Ernest en plissant son petit front.

— Non, le pendule va rester exactement tel qu'il est. C'est la Terre qui va se déplacer sous lui et donner l'impression qu'il change de direction.

Je regardai le visage d'Ernest et me demandai ce qu'il avait compris. Je n'étais moi-même pas certain d'avoir tout saisi.

— Ça prend combien de temps? demanda mon frère.

— Tu ne remarqueras rien avant des heures.

— Ah bon.

Ernest tourna les yeux vers la fenêtre, songeant à des jeux plus amusants.

Mon père posa brièvement les yeux sur moi.

— Excellente activité, Victor. Bravo.

Sur ces mots, il quitta la pièce en déclarant avoir à faire dans son cabinet. Je me demandai s'il m'évitait, de la même façon que, jusque-là, j'avais évité la compagnie de tous les occupants du château.

Je me tournai de nouveau vers Ernest, pressé de raviver son intérêt.

— Regarde ce qui arrive quand on fixe la double articulation, lui dis-je. Là, j'ai besoin de ton aide. C'est un peu délicat…

Il nous fallut pas mal de temps pour attacher la double articulation au pivot principal, mais Ernest se révéla un apprenti très appliqué, à condition que je le laisse tenir un outil et, de loin en loin, serrer une vis. Après, nous attachâmes de nouveau la masse en forme d'étoile du pendule.

— Regarde bien, dis-je. Il y a deux pivots, à un angle de quatre-vingt-dix degrés l'un par rapport à l'autre.

Je tirai sur la masse et la laissai aller. À chaque oscillation, elle prenait une nouvelle direction, totalement imprévisible, comme si elle exécutait quelque danse étrange.

Ravi, Ernest rit.

— On dirait que le pendule sait !

Je le regardai, saisi.

— Qu'est-ce que tu veux dire ?

— Eh bien, on dirait qu'il sait ce qu'il veut faire, dit-il.

Je souris. Les mouvements de l'appareil semblaient en effet bizarrement vivants.

Elizabeth s'approcha de nouveau et observa avec intérêt les oscillations du pendule.

— Il ne s'arrête pas, constata Ernest.

— Il va finir par ralentir, répondis-je.

Je regardai mon petit frère, heureux de le voir si emballé.

— Alors qu'en dis-tu, Ernest? C'est un bon jouet, n'est-ce pas?

— Oui, dit-il en immobilisant le pendule avant de l'orienter autrement.

— Il a une qualité étrangement hypnotique, ce pendule, dit mère. C'est comme contempler les flammes dans l'âtre, toujours différentes.

Je regrettai que père soit si vite sorti. J'aurais aimé sentir sa main me taper sur l'épaule.

Je craignais qu'il me croie coupable de ce qui était arrivé. Il n'avait rien dit, mais je sentais entre lui et moi une barrière invisible. Pendant la quête de l'élixir, je l'avais trompé et je lui avais caché des choses, car il nous avait intimé l'ordre de renoncer au projet. Toutefois, je n'en avais pas tenu compte.

Je voulais rétablir les ponts entre nous. La mort de Konrad avait laissé une grande fissure au plus profond de mon être et un autre contrecoup me ferait carrément voler en éclats.

Et pourtant, je m'apprêtais à tromper père de nouveau.

À la fin du souper, Justine, notre bonne d'enfants, vint me dire que William, mon plus jeune frère, me réclamait de son berceau.

Vite, je terminai mon gâteau et me levai de table. Je vis que William, à plat ventre dans son petit lit, ne dormait pas. Il serrait dans ses bras ses deux jouets favoris : un éléphant en tricot et un cheval en flanelle douce. Il n'avait pas encore un an. À ma vue, il agita ses jambes, tout excité, et me gratifia d'un large sourire. Je n'avais encore jamais vu de visage plus heureux.

— Tor, dit-il.

Sa façon à lui de prononcer mon prénom.

— Qu'est-ce que tu fais encore debout ? demandai-je.

Je mis ma main sur son dos, sa tête tiède. Il se releva et je me penchai pour l'embrasser.

— Je t'aime, Willy. On se voit demain matin.

— Ouais, dit-il.

Il se laissa retomber en serrant ses animaux contre son visage.

Pendant un moment, je sentis ma résolution s'évanouir. Dans ma chambre, l'appareil, terminé, n'attendait plus que moi et mon entreprise de minuit. Je pouvais le démonter. Je pouvais le ranger. Je pouvais jeter le livre en métal au fond du lac. Je savais pourtant que je n'en ferais rien. Lorsque j'avais une idée en tête et un objectif à l'horizon, je ne m'en laissais détourner pour rien au monde.

Je serrai une nouvelle fois William dans mes bras. Comme je l'enviais ! Le monde était pour lui un lieu simple et empreint de bonté. Tout ce qu'il lui fallait, c'était un lit douillet, deux jouets et un baiser sur la tête.

Après minuit, à la lueur des chandelles, j'étendis par terre la planche de spiritisme que j'avais fabriquée. C'était un grand morceau de cuir sur lequel j'avais écrit, bien espacées sur les bords, les lettres de l'alphabet, selon le mode d'emploi du livre. Au milieu s'élevait le trépied en bois auquel le pendule était suspendu.

Pour mieux voir, je disposai d'autres chandelles autour de la planche. Je m'étais muni d'une pile de feuilles et de deux encriers. Par mesure de précaution, j'avais posé non loin une plume supplémentaire.

Une fois de plus, je parcourus le mode d'emploi. La pluie martelait ma vitre et je levai les yeux avec la sensation fugitive d'être épié. J'allai tirer les rideaux avant de retourner auprès de la planche de spiritisme. Je m'accroupis près du pendule et, conformément au mode d'emploi, je me piquai le doigt à l'une des pointes de la masse. J'éprouvai sa vibration résolue et me levai prestement. Je pris une feuille de papier, trempai ma plume dans l'encrier et m'éclaircis la gorge.

— Je t'invite à parler, dis-je à l'intention de la pièce vide.

Ni brusques courants d'air propres à glacer les sangs ni chandelles vacillantes.

— Je t'invite à venir, murmurai-je.

Ma porte s'ouvrit et une ombre pénétra dans la pièce. Sur ma nuque, tous les poils se dressèrent. Presque aussitôt, la lueur dansante des chandelles révéla le visage d'Elizabeth et, en moi, la terreur céda la place à l'indignation.

— Qu'est-ce que tu viens faire ici ? m'écriai-je.

— C'est plutôt à moi de te demander ce que tu manigances, répliqua-t-elle en fixant la planche d'abord et le pendule ensuite. Je savais bien que cet appareil n'était pas un simple jouet.

Je ne répondis rien.

— À quoi sert-il ? insista-t-elle.

— Je n'en sais encore rien.

— À quoi est-il *censé* servir ?

— À me permettre d'entrer en communication avec Konrad.

Elizabeth avait le teint cireux.

— Encore une de tes inventions ?

Je secouai la tête.

— Un livre a survécu aux flammes. En fait, c'était un étui en métal dans lequel j'ai trouvé un mode d'emploi, un moyen de converser avec les morts. Il paraît que, à notre insu, ils s'attardent un moment sur terre, faibles et impuissants à parler avec nous, à moins que nous leur donnions un coup de main.

— Et qui est l'auteur de ce livre?

Je haussai les épaules.

— Un magicien ou un nécromancien quelconque. Quelle importance?

— Mais tu ne crois même pas à de tels phénomènes!

Je laissai entendre un petit rire sans joie.

— Je ne sais plus très bien où j'en suis. Toutes mes croyances ont été ébranlées. La science moderne m'a déçu. L'alchimie m'a déçu. Je ne crois plus en rien, mais je suis prêt à tout.

Elle semblait horrifiée.

— L'occulte? Moi, je crois en l'au-delà, Victor. Sans en avoir jamais vu, je pense qu'il existe peut-être des fantômes et des démons et il m'apparaît très peu avisé de les convoquer.

— Tout ce que je sais, c'est que je veux parler à Konrad.

Du coin de l'œil, je vis le pendule remuer.

— Regarde! chuchotai-je en le montrant du doigt.

— Un courant d'air, souffla-t-elle.

— Je n'ai rien senti.

La masse du pendule eut un autre soubresaut, puis elle frissonna légèrement, comme en attente.

— Comment t'y prends-tu pour la faire bouger ? demanda Elizabeth d'une voix empreinte de colère et de frayeur.

— Je n'ai touché à rien !

Je brandis quelques feuilles de papier, ma plume et mon encrier supplémentaires.

— Curieuse ? Assieds-toi en face de moi et note les lettres désignées par le pendule.

— Je n'aime pas ça, Victor !

— Va-t'en, dans ce cas ! Va t'enfermer dans un couvent !

Elle me dévisagea, hésita une fraction de seconde, puis prit le papier et la plume. Je ne pus m'empêcher de sourire. Elizabeth n'avait jamais été du genre à reculer devant un défi.

— J'écarte le voile qui sépare nos mondes, proclamai-je. J'invite l'esprit de mon frère Konrad à se joindre à nous. Je t'invite à parler, Konrad.

Le pendule frissonna de nouveau.

— Parle, je t'en supplie.

Elizabeth tressaillit lorsque la masse s'ébranla. Des yeux, je suivais sa pointe allongée, observais les lettres que ses mouvements désignaient. Vite, je me mis à les noter.

— Écris, dis-je, le souffle court.

Soudain, j'eus l'impression que mon corps était couvert de glace. La masse en forme d'étoile était secouée d'avant en arrière, de gauche à droite.

— Les lettres ne forment pas de mots ! dit Elizabeth.

— Chaque chose en son temps ! répondis-je.

Les oscillations du pendule se faisaient encore plus rapides. Il battait l'air au-dessus de la planche et j'avais peine à suivre ses mouvements convulsifs. Je notais fébrilement et, dans ma hâte, faisais des pâtés d'encre.

La frénésie du pendule m'enfiévrait et m'effrayait tout à la fois : on aurait dit un oiseau emprisonné dans une pièce. Seulement conscient de noircir des pages et des pages, je perdis la notion du temps jusqu'à ce que, avec un violent spasme final, le pendule en forme d'étoile se détache, traverse la pièce et heurte le mur. Je me rendis compte que j'avais retenu mon souffle, comme si c'était *mon corps*, et non le pendule, qui avait été secoué de toutes parts.

Je regardai Elizabeth, puis mes feuilles recouvertes de lettres désespérées.

— Ce n'est pas un tour que tu me joues, Victor ?

— Tu l'as vu bouger, ce pendule !

Elle fit le tour de la planche et s'approcha de moi. Pendant un moment, je crus qu'elle allait m'étreindre, mais ses bras remuaient l'air devant elle et ses mains allaient d'avant en arrière.

— Qu'est-ce que tu fais?

— Je cherche des ficelles. C'est peut-être toi qui animais le pendule.

— Pourquoi aurais-je fait une chose pareille? demandai-je, furieux.

Elle tremblait et je me rendis compte qu'elle était terrifiée. J'avais moi-même les articulations en coton. Vite, je pris une couverture sur mon lit et la drapai sur les épaules d'Elizabeth.

— Le pendule était animé par une force, dis-je doucement.

— Et tu crois vraiment que c'était Konrad?

— Il y a peut-être là un message.

J'avais presque peur d'examiner les pages que je tenais à la main, mais je m'y forçai.

lksjdflkjlskdjflkjvienslsjdflks jmekfjlksdchercherioureyjnmn soeriytozskldfqweqwemlksjdflk jlskdjflkjvienslsjdflksjldkmelks dchercherioureyjnmnsoeriytozskl dfmnkjjkhoiulksjdflkjlskdjflk jvienslsjdflksjmekfjlksdcher chriToureyjnmnsoeriytozskldfiu cvzxsjkhklksjdflkjlskdjflk jviensljdflksjmekfjlkercherche

rjoureyjnmnsoeriytozskldfioub
vwtygflksjdflkjlskdjflkjviensls
jdflmejldkfjlksdchercheriourey
jnmnsoeriytozskldf

— Du charabia, dit Elizabeth en levant les yeux de ses propres feuilles. Rien.

Consterné, je secouai la tête.

— Je me dégoûte, dit-elle avec véhémence.

Puis elle s'en prit à moi.

— Tu ne trouves pas qu'il y a déjà assez de malheur ici ? Faut-il vraiment que tu coures après les ennuis ?

Je laissai les feuilles tomber de mes mains tachées d'encre et m'écroulai par terre.

— Tu n'as pas le monopole de la souffrance, Victor, dit-elle. Dans cette famille, nous souffrons tous. Mon avenir a été bouleversé.

— J'ai perdu mon jumeau, grommelai-je.

— Et moi, mon futur mari.

Je ne dis rien. Le mot « mari » résonnait douloureusement dans mon esprit.

— Mais si c'était Konrad ? demandai-je. Et qu'il *essayait* de communiquer avec nous ?

Elle ferma les yeux pendant un instant.

— J'aurais dû sortir de cette chambre. Tu te tortures. Et tu me tortures, moi, par la même occasion.

Mes yeux se posèrent sur le pendule.

— Il possède indéniablement une force, insistai-je. Je l'ai sentie.

— Dans ce cas, répliqua-t-elle, c'en est une qu'il ne convient pas d'exploiter.

— Où est-ce écrit ? demandai-je sur un ton de défi. Qui a formulé cette loi ?

— Rien ne t'obligeait à construire cet appareil, Victor, dit-elle. Tu avais le choix. Mais je vois bien que tu es décidé à te consacrer aux forces les plus sinistres.

Je vis la porte se refermer sur elle et, en soupirant, je me penchai pour ramasser les feuilles. En clignant pour reposer mes yeux fatigués, j'aperçus soudain, au milieu du fouillis de lettres, un mot.

Je le fixai, puis, m'emparant de ma plume, je l'encerclai. Je parcourus les lignes, encerclai un mot, puis un autre et encore un autre. Les trois mêmes mots revenaient sans cesse.

Je sentis la chaleur et la glace envahir ma chair. Était-ce une simple coïncidence ? Mon esprit, désespéré de trouver un message de mon jumeau, m'avait-il trompé sciemment en guidant ma main ?

La pluie battait contre ma fenêtre. Je me hâtai de rassembler les pages abandonnées par Elizabeth et je les feuilletai en vitesse. Là ! Et là ! Et encore là !

Viens me chercher.

Viens me chercher.

Viens me chercher.

Chapitre 2

UN TROU DE SERRURE
DANS LE CIEL

— C'est indiscutable, déclara notre ami Henry Clerval en promenant ses doigts dans ses fins cheveux blonds.

Il venait d'examiner les deux séries de pages.

— Ce sont les mêmes lettres… et les mêmes mots.

Je me tournai vers Elizabeth d'un air triomphant.

— Je n'en ai jamais douté, dit-elle. Mais ça ne veut pas dire que ces mots viennent de Konrad.

Sur une table de la salle de musique, j'avais étendu nos transcriptions de la veille ainsi que le livre en métal rouge et son contenu. Nous avions le château à nous tout seuls. Après nos leçons du matin, données par père, comme d'habitude, mes parents étaient partis pour Genève, père pour vaquer à ses occupations de magistrat et mère pour préparer notre maison à notre retour en ville, prévu pour octobre.

Avant les funérailles de Konrad, ils s'étaient affairés fébrilement. Des visiteurs des environs et d'autres venus de très loin avaient accouru pour nous offrir leurs condoléances et il y avait eu des préparatifs à faire, des repas à arranger. Notre maison était toujours bondée. Et mes parents semblaient à présent résolus à respecter leur horaire habituel, peut-être même plus scrupuleusement qu'avant. Père avait repris ses leçons matinales avec Elizabeth, Henry et moi et se consacrait ensuite à ses propres obligations. Mère s'était lancée à corps perdu dans les tâches domestiques tout en trouvant le temps de commencer un nouvel ouvrage sur les droits des femmes.

Les doigts de Henry papillonnaient et il avait, comme toujours, l'air d'un oiseau agité.

— Et tu penses vraiment que c'est Konrad qui cherche à communiquer avec toi depuis l'au-delà ?

— Qui veux-tu que ce soit ? rétorquai-je.

Il y eut un silence inconfortable. Puis Elizabeth dit :

— On m'a appris que les morts qui ont des péchés à expier sont envoyés au purgatoire, qu'ils rôdent parfois sur terre dans l'espoir de réparer leurs torts. Il arrive même qu'ils tentent d'entrer en communication avec les vivants.

— Bon, dis-je. Suivant cette école de pensée, Konrad s'adresse à nous depuis le purgatoire.

— Mais, poursuivit Elizabeth, l'Église croit qu'il existe aussi des démons qui ont pour seul but de nous séduire et de nous faire céder à la tentation.

Henry hochait énergiquement la tête.

— Vous vous rappelez la pièce de Marlowe intitulée *La Tragique Histoire du Docteur Faust*? Le docteur a l'étourderie de conclure un pacte avec le diable et, à la fin, il est entraîné en enfer. Je n'ai jamais ressenti une telle horreur, au théâtre en tout cas.

Il s'interrompit.

— Avec vous, j'ai connu pire, évidemment.

Malgré moi, j'éclatai de rire.

— Merci, Henry, dis-je. Je suis flatté.

— Que cherches-tu à accomplir, au juste? me demanda-t-il en enlevant ses lunettes pour en nettoyer les verres.

Je fus étonné par la fermeté, voire par l'air de défi que je découvris dans son regard bleu.

J'inspirai à fond. J'étais loin de voir clair dans mes propres pensées.

— Je ne sais pas. Le revoir, je suppose. L'aider.

— Avoue-le, Victor, lança Elizabeth. Pour pouvoir jouer Dieu, tu conclurais volontiers un pacte avec le diable.

— Ne fais pas attention à elle, dis-je à Henry. Elle a l'intention d'entrer au couvent.

Perplexe, Henry se tourna vers elle.

— C'est vrai?

Elizabeth me foudroya du regard.

— Pourquoi lui avoir parlé de ça?

Je haussai les épaules.

— Pourquoi en faire un secret ?

Henry semblait sincèrement affligé.

— Tu as vraiment l'intention de devenir… religieuse ?

— Pourquoi cette idée te semble-t-elle si improbable ? demanda-t-elle.

— Eh bien, c'est juste que…

Henry se racla la gorge.

— Tu es très… euh… jeune pour prendre une décision aussi radicale. Et as-tu pensé à ta famille ? Les Frankenstein ont déjà perdu un fils. Si tu entrais au couvent, ce serait comme s'ils perdaient aussi une fille. Ils seraient accablés.

— Bien sûr que j'y ai pensé ! C'est pour cette raison que je n'ai pas l'intention de mettre mon projet à exécution tout de suite.

— Bon, c'est déjà ça, murmura Henry. Malgré tout, ce serait une perte cruelle pour… euh… toutes les parties concernées.

— Elle n'a aucune intention d'entrer en religion, dis-je avec impatience. De toute façon, elle ne tiendrait pas deux jours dans un couvent.

— Je proteste ! s'exclama Elizabeth.

Je brandis deux doigts.

— Au bout de deux jours, pas plus, la mère supérieure se jetterait du haut du clocher.

Elizabeth se mordait les lèvres, mais, en voyant ses yeux briller, je compris qu'elle se retenait difficilement de rire.

Henry se tourna vers moi.

— Tu cherches à changer de sujet, Victor. Que mijotes-tu, au juste? À la blague, tu as déjà dit vouloir devenir un dieu. Mais là, tu pousses le jeu un peu trop loin, non?

Je me frottai les tempes avec impatience.

— Je te répète que je veux revoir mon jumeau.

— Mais comment? demanda Henry.

Je soupirai.

— Aucune idée. Tout ce que je sais, c'est que le monde est incontrôlable. Le chaos règne. Tout, absolument tout est possible. Jamais plus je ne souscrirai à un système rationnel. Je ne suis lié par aucune loi.

— C'est la voie de la folie, déclara Elizabeth.

— Tant pis si je deviens fou. Mais laissez-moi faire les choses à ma façon, sinon je risque de sombrer dans un désespoir si profond que je ne réussirai jamais à en sortir. Je verrai Konrad, coûte que coûte! Je suis persuadé qu'il a demandé mon aide. « Viens me chercher. » Il l'a répété à plusieurs reprises. Où qu'il soit, il n'est pas heureux.

— Arrête, dit Elizabeth.

— Il souffre, insistai-je.

— Arrête, Victor!

Elle avait les yeux humides.

— Tu fais du mal à Elizabeth, Victor, dit Henry d'une voix douce mais ferme.

— Rien ne vous oblige à me suivre. Je vous ai déjà beaucoup tyrannisés. Surtout toi, Henry.

Je fus surpris de voir la colère se peindre sur son visage.

— Je ne me laisse pas si facilement tyranniser, Victor. Je ne suis peut-être pas le plus courageux des hommes, mais je ne suis pas non plus le poltron que tu sembles voir en moi.

— Je n'insinuais rien de…

— J'étais là lorsque Polidori t'a coupé les doigts et qu'il a tenté de nous tuer tous les trois. Je me suis battu contre lui et, à vos côtés, j'ai aussi tenu tête à ce lynx maudit.

— Absolument, Henry, et…

Mais il n'écoutait plus mes propos lénifiants. Il fixait le livre en métal rouge.

— J'ai déjà vu cet objet, fit-il.

— Peut-être dans la Bibliothèque obscure, lui dis-je. Nous avons passé beaucoup de temps à parcourir ses tablettes et…

— Non. Pas là.

D'un pas délibéré, il passa devant moi, ouvrit la porte et sortit de la salle de musique. Nous nous regardâmes d'un air perplexe, Elizabeth et moi, puis nous le suivîmes. Dans le grand salon, Henry se planta devant le portrait géant de

Wilhelm Frankenstein, notre tristement célèbre ancêtre, celui qui, trois cents ans plus tôt, avait fait construire le château.

Il avait un beau visage pâle, sans la moindre imperfection, exception faite d'un grain de beauté sur sa joue gauche. Sa bouche pleine était bien définie, presque féminine. Il avait des yeux d'un bleu perçant, avec une singulière tache de brun dans la portion inférieure de chacun de ses iris. Il me dévisageait sinistrement en soutenant mon regard, son sourcil droit légèrement soulevé, d'un air qu'on aurait dit moqueur.

— Là, fit Henry en montrant du doigt.

Je vis l'objet qu'il désignait ainsi et secouai la tête, sidéré.

— Comment ai-je pu vivre ici toute ma vie sans…

— Justement, affirma Henry. On finit par ne plus voir ce qu'on a tous les jours sous les yeux.

— Incroyable, murmurai-je.

Dans l'une de ses mains, Wilhelm tenait un mince volume, dont la couleur et la couverture ornementée se reconnaissaient facilement.

— Le livre en métal…

J'entendis Elizabeth haleter.

— Et ce n'est pas tout. Regardez autour de son cou.

Wilhelm arborait un pourpoint noir au col ruché, selon la mode espagnole en vogue à l'époque. À moitié dissimulée dans les plis de soie se trouvait une chaîne au pendentif inusité. Aucun doute possible : il s'agissait de la masse du pendule.

— C'est l'homme qui a fait construire le château, non ? demanda Henry.

— Et la Bibliothèque obscure, répondis-je. C'est lui qui, un beau jour, est monté sur son cheval et a disparu pour de bon. Tu te souviens ?

— Ton père a dit qu'il avait tenté de converser avec les morts et de ressusciter les fantômes, lança Elizabeth à voix basse.

— Il a peut-être réussi, risquai-je.

Je contemplai le visage de Wilhelm. Son sourire suffisant semblait nous féliciter de notre découverte.

— Il sait quelque chose.

— Les tableaux ont beaucoup à nous apprendre, dit Henry en examinant la toile de plus près. Et celui-ci renferme de nombreux détails. C'est remarquable. On jurerait qu'il a été peint à l'aide d'une loupe.

— On voit des fruits sur le bord de la fenêtre, dit Elizabeth. Des citrons verts, des oranges et des pommes.

— Et alors ? demandai-je avec impatience.

— Il y a trois siècles, les fruits coûtaient une petite fortune, expliqua Henry. Wilhelm étale ses richesses. Il se pavane. « Regardez mes citrons verts et mes oranges ! Mon chandelier en laiton ornementé ! Les tapisseries sur mes murs ! »

Henry avait pris un ton si pompeux que je ne pus m'empêcher de rire.

— C'est un nouveau riche, poursuivit mon perspicace ami. Il brandit sa fortune aux yeux de tous.

Elizabeth observa Henry avec une sincère admiration et j'éprouvai un pincement de jalousie inattendu.

— Bien vu, Henry !

— Je suis fils de marchand, répliqua-t-il. Je connais le prix des choses, voilà tout.

— Mais il ne faut pas oublier la valeur symbolique des objets, dit Elizabeth. La pomme représente toujours le fruit défendu de l'arbre de la connaissance.

Elle montra du doigt.

— Et quelqu'un a mordu dans celle-ci.

Je m'approchai.

— Tiens, c'est pourtant vrai. Tu y vois une preuve de son incursion dans le domaine de l'alchimie ?

— De l'occultisme, plus vraisemblablement.

— Observez le chandelier, dit Henry. Huit branches, mais seulement une chandelle.

— C'est important? demandai-je, irrité par mon igno-rance en si docte compagnie.

— Sur l'autel d'une église, expliqua Elizabeth, un cierge allumé témoigne de la présence de Dieu, rappelle Sa pré-sence parmi nous.

Elle frissonna.

— Mais celui-ci est éteint.

— C'est peut-être la façon qu'a trouvée Wilhelm d'affir-mer qu'il ne croit pas en Dieu, dis-je.

Elizabeth grimaça.

— Ou plutôt sa façon de dire qu'il ne souhaite pas la présence de Dieu. Mais s'il croit pouvoir se dérober à Sa vue, il se trompe cruellement.

— Mais il *veut* être vu, dit Henry. C'est la raison d'être de cette peinture. Il *veut* nous montrer quelque chose.

— Quoi donc? demanda une voix derrière nous.

Je me retournai en sursautant et trouvai Maria, notre gouvernante, en train de nous observer d'un air surpris. De tous nos domestiques, Maria était la plus ancienne. Elle avait été notre bonne d'enfants, à Konrad et à moi (natu-rellement, Konrad avait été son chouchou), et elle faisait pratiquement partie de la famille. Pendant que nous cherchions à mettre au point l'Élixir de Vie, elle nous avait aidés à trouver l'alchimiste Polidori, tombé en disgrâce, et elle avait gardé notre secret. C'est sous ses yeux que nous avions fini par administrer la potion à Konrad. Mais je n'en avais rien dit à mes parents et je ne le ferais jamais.

— Bonjour, Maria, lançai-je d'un ton jovial. Nous nous amusions à regarder les portraits de nos ancêtres. Il se trouve que Henry, en fin connaisseur, a l'art d'évaluer un tableau. Il nous faisait remarquer les signes d'opulence dans celui-ci. Les habits, les fruits et ainsi de suite.

— Ah bon ? fit Maria, sceptique, en nous regardant tour à tour, Henry et moi.

Puis elle leva les yeux sur Wilhelm Frankenstein.

— Moi, quand je passe devant ce monsieur, je détourne toujours les yeux.

— Pourquoi, Maria ? demanda Elizabeth.

— Son regard a une façon de vous suivre… qui me donne froid dans le dos.

— Oui, confirma Henry, dans la peau du spécialiste. Produire un tel effet, ce n'est pas un mince exploit.

Une fois de plus, Maria me dévisagea et je compris qu'elle se doutait qu'il y avait anguille sous roche. Elle qui me connaissait depuis que j'étais tout petit avait compris, dernièrement, à quel point je pouvais être secret. Nous devrions faire très attention. Puis son visage s'adoucit et elle sourit.

— J'aime bien vous voir vous amuser ensemble, dit-elle.

— Merci, Maria, fis-je.

Nous échangeâmes quelques banalités sur le tableau, puis elle retourna vaquer à ses occupations. Nous attendîmes que le bruit de ses pas s'estompe.

— Tu crois qu'elle a entendu quelque chose ? demanda Henry.

— Non, répondis-je. Mais ne perdons pas de temps.

Je fixai le portrait avec intensité, comme pour le forcer à révéler ses secrets.

— Et ce miroir, là ? fis-je en plissant les yeux.

Dans la portion supérieure du tableau, au fond, était accroché un miroir ovale au cadre doré et ornementé. J'y voyais des reflets, mais les images, trop petites et trop hautes, restaient invisibles.

Elizabeth acquiesça.

— Il y a peut-être là quelque chose d'intéressant.

Je courus prendre un escabeau dans un placard. À mon retour, je constatai que Henry était allé chercher une loupe dans le cabinet de père.

— C'est tout à fait extraordinaire, fit-il en observant la peinture. Vous saviez que la toile était pratiquement dépourvue de craquelures ?

— De craquelures ? répétai-je.

— Les petites fissures froncées qui se forment à la surface des vieux tableaux, au fur et à mesure que l'huile sèche. Ce portrait a trois cents ans bien sonnés. Pourtant, il ne porte pratiquement aucune marque.

Un frisson inattendu me parcourut alors l'échine.

— Tu t'y connais vraiment bien en peinture, dis-je.

— Mon père vend parfois des antiquités.

Henry grimpa sur l'escabeau. Son visage était presque au niveau du miroir.

— Tu savais que c'était un autoportrait? demanda-t-il.

— Personne n'a jamais rien dit à ce sujet.

— Il avait beaucoup de talent, celui-là, ajouta Elizabeth. C'est ton père qui l'a affirmé.

Henry se pencha un peu plus.

— Il se représente en train de peindre, un pinceau à la…

Sa voix se brisa.

— Quoi? demandai-je en montant à mon tour sur l'escabeau, où je me serrai à côté de lui.

Il me tendit la loupe. Il avait blêmi.

La précision des détails peints était effectivement renversante: à travers le verre de la loupe, l'image était si cristalline que j'eus le sentiment de regarder par une fenêtre. Dans le miroir, Wilhelm Frankenstein se tenait derrière un chevalet, la main droite levée. Mais ses doigts, au lieu de tenir le pinceau, montraient la toile, comme si le peintre se contentait de donner des directives, tandis que le pinceau lui-même flottait dans l'air.

— Que voyez-vous? demanda Elizabeth, impatiente.

— Le pinceau plane, répondis-je. C'est sûrement une plaisanterie. Il chante ses propres louanges, fait comme si c'était de la magie.

— Regarde de plus près, dit Henry.

Je fixai le pinceau en plissant les yeux.

— C'est une ombre ?

Henry secoua la tête.

— La lumière vient de l'autre côté.

Là où j'avais cru voir une ombre s'agitaient deux papillons noirs qui, leurs ailes battantes, tenaient le pinceau.

— Laissez-moi jeter un coup d'œil, fit Elizabeth.

Henry descendit pour lui faire une place. Au moment où je lui tendais la loupe, le corps tiède d'Elizabeth se serra contre le mien. Elle examina le tableau.

— J'en ai la chair de poule, fit-elle.

Henry s'éclaircit la gorge.

— Victor a raison, bien sûr. C'est peut-être une plaisanterie.

— L'autre possibilité, c'est qu'il ordonne à une force spectrale de faire son travail, dis-je.

Avec lenteur, Elizabeth promenait la loupe sur l'image peinte dans le miroir.

— Vous avez remarqué la grande fenêtre derrière lui ? Et est-ce…

— Quoi ? demandai-je. Tu as vu quelque chose dans la fenêtre ?

— Le ciel. Il y a des nuages, dont certains en forme d'anges, je crois. Mais, au milieu…

Elle recula en avalant sa salive.

— Tu ferais mieux de regarder par toi-même.

Elle me tendit la loupe, presque à contrecœur. Je repérai la fenêtre, m'émerveillai une fois de plus de la précision des détails. Je vis le ciel, les nuages duveteux… et là, au centre du ciel bleu, un trou de serrure.

Un trou de serrure en forme d'étoile.

Je baissai la loupe et regardai le pendentif accroché au cou de Wilhelm Frankenstein.

— La masse du pendule est une clé, dis-je.

Elizabeth hocha la tête.

— Nous devons trouver ce verrou, dis-je.

— Un trou de serrure dans le ciel ? fit Henry, incrédule.

— Ce verrou est sûrement dans le château, répondis-je.

— Tu habites ici depuis toujours, dit Henry. Tu as déjà vu un verrou comme celui-là ?

— Non, mais il peut très bien être caché. Wilhelm a construit ce château il y a trois cents ans. On l'a considérablement agrandi au fil du temps, mais le verrou se trouve forcément dans la plus vieille partie, la partie originelle. Une fenêtre, dis-je en réfléchissant à voix haute, ou encore une section des remparts, là où le château est le plus rapproché du ciel…

— Je connais cet endroit, moi, dit calmement Elizabeth.

Henry se tourna vers elle en même temps que moi.

— Ah bon ?

— Ce qu'on voit dans la peinture, ce n'est pas le ciel. C'est le plafond de notre chapelle.

Nous n'utilisions jamais la chapelle du château des Frankenstein. Mes parents, qui ne croyaient pas en Dieu, nous avaient enseigné que seule l'humanité avait le pouvoir de faire de la Terre un paradis ou un enfer. Aussi, dans la chapelle, aucun cierge ne brûlait-il pour signifier la présence de Dieu. Aucun prêtre ne disait la messe entre ses quatre murs. À l'époque de Wilhelm Frankenstein, toutefois, c'était sûrement un lieu de culte catholique romain.

La chapelle se trouvait au rez-de-chaussée, dans la portion la plus ancienne du château. C'était une salle étroite, pourvue de quelques vitraux ainsi que d'un autel de pierre. Un grand chandelier était suspendu au plafond haut.

Bien qu'ayant toujours vécu au château, je n'avais jamais passé plus de quelques secondes à la fois dans la chapelle. On n'y trouvait pas de cachettes. Les lieux étaient froids, parcourus de courants d'air, peu accueillants. Et je n'avais certainement jamais scruté le plafond de la salle, comme nous le faisions à présent. Nous avions eu soin de fermer la porte derrière nous et de la verrouiller pour éviter que Maria ou d'autres domestiques ne tombent sur nous par hasard.

Le plafond avait été peint, mais, faute d'entretien, la peinture s'était estompée et écaillée. Toutefois, on voyait encore des vestiges de ce qui avait sans doute été, autrefois, une fresque brillante et colorée. Par son art, le peintre avait transformé le plafond en une vaste voûte céleste de couleur bleue. Sur tout le périmètre souriaient des anges et des chérubins.

La tête penchée, je dis :

— Le chandelier…

— Le même que dans le portrait, confirma Elizabeth. Seulement plus grand.

— Le plafond est trop haut, marmonnai-je. Impossible de distinguer un trou de serrure.

Le chandelier était retenu par une corde solide qui, passant par une poulie à l'aspect complexe, longeait le plafond et descendait le long du mur jusqu'à un taquet. Pour allumer les chandelles, on devait d'abord l'abaisser, à l'instar de tous les chandeliers du château.

J'allai vers le taquet, déroulai la corde et me préparai à supporter le poids du chandelier. Compte tenu de sa taille, cependant, il se révéla étonnamment léger. Je le fis descendre en m'aidant de mes deux mains et, quand il ne fut plus qu'à quelques pieds du sol, je l'attachai de nouveau.

— Il me semble assez robuste, dis-je en éprouvant la solidité des fortes branches en bois. Ces bras feront un siège confortable.

Henry me dévisagea d'un air surpris.

— Tu ne vas quand même pas…

— Évidemment, dis-je. Je verrai mieux. Hisse-moi, tu veux ?

Je pris place près du milieu en agrippant la haute colonne centrale d'une main et un bras en bois de l'autre.

Henry empoigna la corde et me fit monter vers le ciel peint.

— C'est difficile ? demandai-je.

— Non, répondit-il, et je ne comprends pas très bien pourquoi.

— C'est sans doute le système de poulies, dis-je en examinant le mécanisme fixé au plafond. Et le chandelier lui-même est fait d'un bois léger.

Pendant un moment vertigineux, je fis aller mes jambes avec la sensation d'être redevenu un enfant.

— Ne te balance pas, Victor, dit Elizabeth sur le ton de la mise en garde.

Mais je n'étais pas encore prêt à renoncer à cette sensation et, à l'aide de mes jambes, je me propulsai vers le ciel.

J'y touchais presque lorsqu'un craquement se fit entendre et je sentis le bras en bois se fracturer sous moi. Je fus catapulté de mon perchoir si vite que j'eus à peine le temps d'agripper la colonne centrale à deux mains. Les jambes battantes, je m'accrochai au chandelier, qui tournait toujours sur lui-même, follement, à environ quatorze pieds au-dessus de l'impitoyable sol dallé.

— Tiens-toi bien, s'écria Henry, haletant. Je te ramène !

Dans sa hâte, Henry fit descendre le chandelier si vite que ma main gauche, celle qui avait tous ses doigts, lâcha la colonne.

— Arrête, arrête, grognai-je en me cramponnant tant bien que mal au chandelier tournoyant. Ne fais plus rien !

Je cherchai un nouveau bras auquel m'accrocher, mais les trois doigts de mon autre main avaient commencé à glisser et j'étais conscient de ne plus avoir beaucoup de temps. De toutes mes forces, je balançai ma jambe et parvins à la faire passer sur un bras solide. En le tenant de la main droite, j'y fis glisser mon ventre en souhaitant de tout cœur qu'il tienne bon.

— Dieu merci, entendis-je Elizabeth murmurer en bas. Tu es un crétin, Victor !

J'agrippai la colonne centrale et me mis en position assise en essayant d'éviter les mouvements brusques. Le chandelier ne se balançait presque plus. Mon pouls ralentit.

— Je vais te descendre, cria Henry. Accroche-toi.

— Non ! Hisse-moi jusqu'en haut.

— Tu es fou ? demanda Elizabeth. De toute évidence, cet objet est dangereux !

Je regardai le bras fracassé, qui penchait légèrement, telle une branche cassée. Je me demandai si quelqu'un le remarquerait. Après tout, personne n'entrait dans la chapelle. Au moins, il ne s'était pas complètement détaché.

— J'ai juste exercé trop de pression, dis-je. Tout ira bien. Monte-moi, Henry !

— Tu es sûr ? commença-t-il.

Puis il pouffa de rire.

— Évidemment que tu es sûr. Bon, comme tu veux. C'est parti !

Je me tournai vers le plafond et la fresque qui y était peinte. De près, la qualité de l'illusion était encore plus saisissante. Même si la peinture était estompée et craquelée, j'eus pendant un moment le sentiment d'avoir affaire au ciel et non à un plafond.

— Ça ne va pas plus haut, lança Henry.

Tout juste au-dessus de moi, à moins de deux pieds, se trouvaient le grand crochet qui soutenait le chandelier et, à côté, un autre taquet destiné à accueillir une corde. Je mis un moment à comprendre.

— Il est monté jusqu'ici, lui ! criai-je aux autres.

— Qui ça ? demanda Elizabeth.

— Wilhelm Frankenstein ! Il s'est assis sur le chandelier et s'est hissé jusqu'au plafond. Il n'a eu qu'à attacher la corde ici.

Je compris aussitôt. Je parcourus le plafond des yeux, l'ombre des nuages, la peinture écaillée. C'était forcément tout près... Et voilà. Du sol, j'aurais manqué ce détail ou j'aurais cru qu'il s'agissait d'un défaut de la fresque.

Un trou de serrure dans le ciel.

— J'ai trouvé ! criai-je.

— Tu en es sûr ? demanda Henry.

— Il n'y a qu'un moyen de le savoir.

Je sortis la clé de ma poche.

— Attends, Victor, dit Elizabeth. Tu es certain de vouloir l'ouvrir, cette porte ?

— Qu'est-ce qu'on peut bien vouloir faire d'autre avec une porte ? demandai-je.

— Et si c'était un portail s'ouvrant sur… commença Henry.

— … l'enfer ? dis-je en lui souriant du haut de mon perchoir. Dans un ciel peuplé d'anges ?

Tendant la main, j'insérai la clé en forme d'étoile dans le trou de la serrure. Je la tournai. J'entendis un déclic et vis s'ouvrir aussitôt une trappe à laquelle était accrochée, d'un côté, une petite échelle.

Sous le regard d'anges ravagés par le temps, je grimpai dans la voûte céleste.

Chapitre 3

L'ÉLIXIR DE MORT

Accroupi sur le seuil, j'attendis que mes yeux s'acclimatent. C'était une pièce minuscule, au plafond bas, qui sentait le renfermé. Près de ma main, j'aperçus une chandelle dans un bougeoir et je tirai une allumette de ma poche pour l'allumer.

Un divan inclinable. Une petite table sur laquelle se trouvaient un livre, une montre de poche, un flacon en verre, un compte-gouttes et une clé en forme d'étoile. M'en emparant, je constatai qu'elle était identique à la mienne. Sans doute Wilhelm Frankenstein en avait-il fait faire un double par mesure de précaution. Une couche de poussière recouvrait tout.

— Victor ? fit Elizabeth d'en bas.

Je jetai un coup d'œil par la trappe.

— Montez. Il faut que vous voyiez… Henry, hisse Elizabeth, puis sers-toi de la corde pour te hisser à ton tour.

— C'est dangereux, protesta Henry.

— Le chandelier a supporté mon poids et il supportera le vôtre, répliquai-je. Mais pas de folies, Henry. Je te défends de te balancer.

— Très drôle, dit-il en abaissant vite le chandelier pour l'examiner d'un air méfiant. Le bois est tout pourri.

Mais je souris en voyant Elizabeth se percher sans hésitation sur les bras et s'y cramponner.

— Prête, dit-elle à Henry.

Ils ne mirent pas beaucoup de temps à venir me rejoindre dans la pièce et à accrocher le chandelier au taquet. Je fermai la trappe, au cas où un domestique entrerait dans la chapelle. La poussière tourbillonnante formait un dense brouillard.

— Tu crois que ton père est au courant de l'existence de cette pièce ? demanda Elizabeth lorsque sa crise d'éternuements s'apaisa.

C'était possible, évidemment. Père, je le savais mieux que quiconque, était rempli de surprises. Au cours de l'été, j'avais découvert que, jeune homme, il avait tâté de l'alchimie. Et s'il n'avait pas réussi à transformer le plomb en or, cet échec ne l'avait pas empêché d'assurer la fortune de sa famille en vendant dans des contrées lointaines la fausse substance qui avait résulté de ses expériences.

— Je ne sais pas, répondis-je en lui tendant mon mouchoir.

— Drôle de type, ton Wilhelm Frankenstein, fit Henry en s'essuyant le nez. La plupart des hommes se seraient satisfaits d'une pièce secrète, mais lui, il lui en fallait deux.

Nous nous réunîmes autour de la petite table et du livre posé dessus. Vite, je m'en saisis et commençai à le feuilleter.

— Une sorte de carnet de travail, dit Henry par-dessus mon épaule.

En effet, les premières pages étaient couvertes de gri-bouillis, de ratures et de tableaux numériques partant dans tous les sens. Des pages et des pages noircies d'une encre si dense et si foncée qu'on aurait dit des nuages orageux, puis, tel le calme après la tempête, une page ordonnée où se lisaient quelques lignes.

— C'est sûrement de la main de Wilhelm Frankenstein, dis-je.

Puis, en soupirant, j'ajoutai :

— En latin, évidemment. D'où vient cette manie du latin ? C'est absurde. Tu veux bien nous faire les honneurs, Henry ?

Mon ami d'une patience à toute épreuve prit le livre et laissa une bouffée d'air s'échapper de ses poumons.

— J'ai le sentiment de revivre nos dernières aventures dans la Bibliothèque obscure.

— Si tu ne lis pas, je déchiffrerai le contenu par moi-même, lui dis-je en souriant.

— Je n'en doute pas, dit-il. Sur la première ligne, ici, on dit : « Une goutte, et une goutte seulement, sur la langue. »

Elizabeth prit le flacon. Il était vert sombre, mais, au fond, je distinguais l'ombre foncée d'un liquide.

— Je m'étonne que ce ne soit pas tout desséché, murmura-t-elle. Le flacon est-il vraiment ici depuis trois cents ans ?

Elle le déboucha, non sans difficulté, et en renifla le contenu. Elle eut un mouvement de recul.

— Il ne faut boire sous aucun prétexte un liquide qui sent aussi mauvais.

— Qui a dit que j'avais l'intention d'en boire ? demandai-je.

Elizabeth haussa un sourcil d'un air sceptique.

— Tu crois que Wilhelm Frankenstein en a bu, lui ?

— Nous n'en savons encore rien, dis-je. Continue, Henry.

— « Dans votre main droite, tenez fermement la montre occulte… »

— La montre occulte… répétai-je.

Je pris l'objet sur la table. Je le fixai un certain temps avant de comprendre à quoi j'avais affaire. J'avalai ma salive.

Derrière le verre égratigné et sali se trouvait ce qui avait toutes les apparences des restes squelettiques d'un fœtus d'oiseau, d'un moineau peut-être. Ses côtes renfoncées, son cou courbé et son crâne fracassé occupaient le centre du cadran. Une patte grêle émergeait du petit tas d'os, le minuscule pied aux doigts griffus indiquant l'emplacement du chiffre douze dans une montre normale. Pourtant, on ne voyait aucun chiffre.

— Charmant, ricana Henry, la voix rauque. Je suis sûr que ce modèle va bientôt faire fureur à Paris.

Je retournai la montre entre mes mains. Il n'y avait pas de trou dans lequel introduire une clé pour la remonter. Je la portai à mon oreille.

— Pas de tic-tac.

Je me tournai vers Henry.

— On en explique le fonctionnement?

Henry baissa les yeux et poursuivit sa traduction. Mais il s'interrompit presque aussitôt.

— Écoute-moi bien, me dit-il avec fermeté. Avant d'aller plus loin, je veux que tu me promettes de ne pas commettre d'imprudences. D'accord? Sinon, je m'arrête.

— Promis, Henry.

Il soutint mon regard pendant un moment, puis il poursuivit.

— « Dans votre main gauche, tenez le talisman qui vous ramènera vers votre corps. L'objet lui-même est sans importance. Tout ce qui compte, c'est que vous le teniez fermement dans votre main gauche au moment de l'entrée… et de la sortie. »

Henry leva la tête, les yeux exorbités derrière les verres de ses lunettes.

— Quelle entrée ? Quelle sortie ?

— C'est évident, non ? répondis-je, une excitation grandissante battant dans mes oreilles. Voici ce que je crois. Wilhelm a découvert le mode d'emploi de la planche de spiritisme et s'en est servi pour communiquer avec les morts. Et les morts lui ont peut-être expliqué comment entrer dans leur royaume. Qui sait ? Il a peut-être trouvé par lui-même le moyen de s'y introduire !

— C'est impossible, dit Elizabeth. Dans l'au-delà, il y a le paradis, l'enfer et le purgatoire. Les vivants n'y sont pas admis.

— Continue, Henry, dis-je d'une voix pressante.

Il déglutit.

— « Grâce au talisman, votre corps reconnaît en votre esprit son propriétaire légitime. Vous devrez réintégrer votre corps lorsque l'aiguille de la montre occulte aura accompli une rotation complète. »

Henry marqua une brève pause.

— « Restez trop longtemps et votre corps mourra. »

— Donc, fis-je, l'esprit se détache du corps pour entrer dans l'au-delà. Et l'esprit ainsi affranchi dispose d'un temps limité.

Henri continua :

— « Prudence, car, dans le monde des esprits, la notion du temps se perd. Votre temps peut s'éterniser ou s'écouler en un clin d'œil. En revanche, avec l'expérience, on apprend à manipuler la montre occulte. »

Je saisis le compte-gouttes et l'enfonçai dans le flacon.

— Tu es fou ? demanda Elizabeth en m'agrippant le bras.

J'essayai de sourire.

— Tu sais bien que oui.

— Tu as promis, Victor ! s'écria Henry.

— J'ai menti.

Elizabeth essaya de m'enlever le compte-gouttes.

— C'est peut-être un poison !

Avant qu'elle puisse m'en empêcher, je laissai tomber une goutte du liquide sur ma langue.

Pendant un moment, personne ne dit rien.

— Espèce de fou, souffla-t-elle.

— Ce qui est fait est fait, répondis-je, les dents serrées. S'il s'agit d'une simple absurdité, nous aurons appris quelque chose.

*Et si je meurs, j'irai là où est parti Konrad et nous serons
à nouveau des jumeaux.*

— Comment te sens-tu ? demanda Henry.

— Exactement comme avant, répondis-je en prenant le
flacon. Tu es sûr que j'en ai assez pris ?

De sa main libre, Henry me retint.

— Jamais plus qu'une goutte. La potion est puissante et
il ne faut jamais en prendre plus qu'une fois par jour. Dans
le cas contraire, ton corps risquerait de sombrer dans une
dangereuse torpeur.

— Là, je sens quelque chose.

Je grimaçai. Soudain, j'eus dans la bouche un goût amer
et métallique, puis une troublante sensation de chaleur se
répandit dans mes veines.

— Fais-toi vomir ! me dit Henry. Nous n'avons aucune
idée des effets de cet élixir !

L'angoisse que je lus sur son visage fit naître en moi les
premiers accès de panique. Et si j'avais effectivement avalé
du poison ? Je m'efforçai de mettre de l'ordre dans mes
idées. Lourdement, je me laissai tomber sur le divan et je
saisis la montre occulte.

— Dans la main droite ? demandai-je en regardant
Henry, pris de vertige.

— Oui, oui, la droite !

Je fermai les trois doigts de ma main droite sur les
contours lisses de la montre de poche.

— Et il te faut un objet pour la gauche ! s'écria Elizabeth. Ton talisman !

— Ma bague ! fis-je.

Et j'essayai de retirer de mon doigt la bague de la famille Frankenstein, mais j'étais accablé par un étrange étourdissement. Je m'écroulai sur le divan.

— Tiens, laisse-moi faire, dit Elizabeth en tirant sur mon doigt.

Elle glissa la bague dans ma main gauche et replia fermement mes doigts dessus.

— Il y a autre chose, Henry ? demandai-je d'un ton insistant.

Mon ami feuilleta frénétiquement le cahier.

— Non, rien d'autre. C'est tout.

Puis, de très loin, j'entendis Henry dire :

— Tes paupières se ferment.

— Lève-toi, Victor ! cria Elizabeth. Ne t'endors pas ! Aide-moi à le remettre debout, Henry !

Je clignai de nouveau des yeux...

... et Henry et Elizabeth ont tous deux disparu.

Je suis encore allongé sur le divan de la pièce secrète de Wilhelm Frankenstein, dans le plafond de la chapelle. J'ai dû m'assoupir et les autres m'ont abandonné, ce qui me semble un peu malpoli. La trappe est fermée. Je fronce les sourcils. Pourquoi m'ont-ils laissé ici tout seul ?

Soudain, je prends conscience de mes poings serrés. Dans ma main gauche, je trouve ma bague et, dans la droite, la forme ronde et lisse de la montre occulte, le boîtier en argent frais sur ma peau tiède. Et ce que j'ai pris pour mon pouls répercuté dans mes doigts est en réalité son tic-tac.

Je la porte à mon oreille. Le bruit est très net et la patte squelettique de l'oiseau, qui pointait vers le haut, s'est légèrement déplacée vers la droite.

Puis mon regard glisse de la montre à la main qui la tient. Ma main à trois doigts en compte à présent cinq. Je laisse tomber la montre sur mes genoux et, stupéfié, agite les doigts devant mes yeux. Je m'écrie :

— Ils sont guéris !

Je donnerais n'importe quoi pour pouvoir les montrer à Elizabeth et à Henry.

La douleur lancinante et sourde a disparu, bel et bien disparu. Je serre le poing.

Comment est-ce possible ? Je me tape dessus. Je suis solide, bien réveillé. Ce n'est pas un rêve.

Mais je suis… ailleurs.

Je remets la bague à mon doigt et je consulte de nouveau la montre. Lorsque l'aiguille aura accompli une rotation complète, je devrai réintégrer mon corps. Ici même, sur le divan où je suis assis ?

Je regarde autour de moi. Elizabeth et Henry sont-ils ici quelque part, dans le monde réel, invisibles et incapables de voir ?

Je me lève lentement, par crainte du vertige, mais je me sens tout à fait bien. Mieux : j'ai l'impression de m'être débarrassé de la tristesse qui pesait sur moi comme une chape de plomb. Je sens déferler en moi une ardente vigueur. Je suis un esprit, d'accord, mais j'ai de la substance et de la force. Je n'ai rien d'une trace de vapeur spectrale. Le plus curieux, c'est que je ne me suis jamais senti plus vivant qu'en ce moment. Tous les battements de mon cœur crient : *Maintenant.*

Je tends la main vers la trappe. Je n'ai aucune idée de ce qui m'attend de l'autre côté. Une plaine aride ? Un marécage enflammé, rempli de tourments ? Ou au contraire une plaine bienheureuse où résonne une harpe ? Le paradis, l'enfer, le purgatoire : les trois possibilités mentionnées par Elizabeth. Laquelle trouverai-je ?

Je regarde de nouveau ma main miraculeusement guérie et je me rends compte que je n'ai aucune crainte. Je n'éprouve qu'une sensation d'euphorie. J'ouvre la trappe.

Le chandelier est là, toujours attaché au taquet. En bas, la chapelle semble inchangée. Je fais passer mes jambes par l'ouverture et je monte prudemment sur l'un des bras.

Je détache la corde et je m'assois, puis je me laisse doucement descendre. C'est facile, surtout avec deux mains valides. Au bout d'un moment, je suis au sol.

Je parcours le plafond des yeux et soudain la terne fresque vibre et, dans un flamboiement de bleus et d'ors éclatants, me laisse voir son ancienne gloire. Comme si, par la seule force de ma volonté, j'obligeais le château à se souvenir de son passé ! Je me tourne vers les murs où, je le sais, il n'y a plus rien d'accroché ; mais, en me concentrant bien, je vois de lourdes tapisseries montrant Jésus et les stations de la croix. Sur l'autel, un cierge se consume. Des rangées de bancs tout simples apparaissent en ondulant.

Je m'avance vers l'un d'eux et il se solidifie lorsque je cogne dessus avec mes jointures. Du bout des doigts, je caresse le grain du bois et la sensation est intense, étrangement agréable. En m'y assoyant, je ne suis pas surpris de le trouver tout dur. Il ne s'évapore pas en me laissant tomber, bien que, lorsque je me relève, il s'estompe, comme s'il avait besoin de mon regard et de mon toucher pour se souvenir de son existence. Cette merveille, ce pouvoir de ma volonté me font sourire.

Le sentiment d'être épié me gagne peu à peu et je me tourne vers la porte. Je suis seul, mais soudain j'ai conscience de ce que je risque également de voir ici.

Sortant de la chapelle, je me dirige vers l'entrée principale du château. Les lieux, bien qu'immobiles et paisibles, me semblent vibrants d'énergie, comme s'ils attendaient quelque événement. Au début, tout me paraît familier, mais il suffit que mes yeux s'attardent quelque part pour qu'apparaissent soudain des tapisseries et des peintures spectrales, des fragments de meubles inconnus, des portes, des dalles, des appliques et des moulures nouvelles. Tous les objets qui ont appartenu au château ou en ont fait partie sont encore là, attendant d'être vus et touchés de nouveau.

J'arrive dans l'entrée. La grande porte en bois est flanquée de deux fenêtres à petits carreaux derrière lesquelles se presse un brouillard si épais que je ne vois pas la cour.

Une fois de plus, j'ai le sentiment d'être observé. Vite, je me retourne vers les escaliers, mais je n'y vois personne. Cependant, un papillon noir volette paresseusement vers moi. Je me souviens des deux sombres créatures de l'autoportrait de Wilhelm Frankenstein, celles qui tiennent le pinceau. Mais le spécimen que j'ai sous les yeux est étonnamment grand, avec une tache bleu foncé sur ses ailes. Et à chacun de leurs battements, j'entends une sorte de trille étrangement musical.

Pendant que je l'observe, la créature tourne au-dessus de ma tête, hésitant, comme si elle attendait une permission. D'instinct, je tends la main et le papillon se pose avec précaution sur mon doigt. À son contact, une onde de plaisir déferle en moi. Et je sens autre chose, une sensation qui rappelle à la fois la faim et la satiété. Ahuri, je vois le papillon s'illuminer de couleurs plus intenses encore que celles des plus beaux vitraux.

Lorsqu'il s'éloigne en voltigeant, dans un glorieux flamboiement, je ressens un élan de tristesse. Je consulte la montre occulte. La patte du fœtus d'oiseau pointe vers le bas. La moitié de mon temps s'est écoulée !

Je gravis les marches en vitesse et, à l'approche de la chambre de Konrad, j'hésite. S'il est là, à quoi ressemblera-t-il ? Que lui dirai-je ? Je me force à avancer. La porte est entrouverte…

Assis devant l'échiquier posé sur sa table, il me tourne le dos, vêtu du costume dans lequel il a été inhumé. Ébloui, je ne peux que regarder. Je n'ai plus de voix. Mon frère n'a pas disparu. Il attend ici, depuis le premier jour. Il bouge une tour, puis retourne l'échiquier, réfléchit au coup suivant et je me rends compte que c'est la partie que nous avions amorcée à son chevet, peu avant son décès.

Poussant sur la porte, je murmure :

— Konrad…

Aussitôt, il se retourne, se couvre le visage d'un bras, comme pour se protéger d'une lumière aveuglante. Il se lève en renversant sa chaise. Je suis stupéfait de le voir s'emparer d'une rapière en reculant d'un air terrifié.

— Es-tu un ange ? s'écrie-t-il. Ou un démon venu me punir ?

Je m'avance dans la pièce, les bras grands ouverts.

— Konrad, c'est moi, Victor !

Il se recroqueville et plisse les yeux sans cesser de se protéger le visage. Je jette un coup d'œil par-dessus mon épaule. Pas la moindre source de lumière aveuglante. Se peut-il que ce soit moi ?

— Non ! crie-t-il. Tu mens ! Mon frère est vivant ! Qui es-tu ?

— Victor! lancé-je avec insistance. Et je suis bel et bien vivant! Mais j'ai trouvé un passage. Je suis venu te voir!

Il resserre son emprise sur la poignée de son arme, mais je vois la lame trembler.

— Prouve-le.

— Demande-moi n'importe quoi. Une chose que nous sommes seuls à savoir.

— Quand nous avions quatre ans, il y avait un chat que nous aimions tous les deux et...

— ... un jour, dans les écuries, nous avons organisé un concours pour voir lequel de nous deux réussirait à l'attirer le premier. C'est toi qu'il a choisi, évidemment, et pendant que tu pavoisais, le dos tourné, j'ai laissé tomber une grosse pierre sur ta tête. Je t'ai promis mon dessert en échange de ton silence.

— Victor? dit doucement Konrad. C'est bien toi?

Je m'avance vers lui pour le serrer dans mes bras, mais il recule en chancelant, le visage crispé, une main tendue devant lui pour me repousser.

— Non, ne me touche pas! Ta chaleur!

— Ma chaleur?

— Elle brûle!

Je m'arrête, déconcerté et blessé, puis une autre réflexion prend spontanément naissance dans mon esprit:

Je suis lumière et chaleur. J'exerce sur lui un pouvoir absolu.

Je lui demande :

— Que fais-tu avec une rapière ? De quoi as-tu peur ?

— Le château est différent, à présent.

— Qu'est-ce que tu veux dire ? Il y a d'autres gens ici ?

— Oui, répond-il, mais…

Dans ma poche, je sens une curieuse vibration et je sors en vitesse la montre occulte. La patte squelettique pointe vers le haut et la petite griffe tape sur le verre.

— Qu'est-ce que c'est ? demande Konrad en plissant les yeux.

— Il faut que je me sauve, dis-je à mon jumeau en me remémorant les strictes directives du cahier. Tu es en sécurité ici ?

— Je ne sais pas ! Reste encore un peu !

— Je vais revenir ! Promis !

Je cours et la bague à ma main, à la façon d'un aimant aux pouvoirs surnaturels, me guide vers mon corps dans le monde réel. Mon corps sait. Il m'entraîne.

Du couloir, Konrad crie :

— Ne t'en va pas, Victor !

Le désespoir que je décèle dans sa voix me fend le cœur. Par-dessus mon épaule, je crie :

— Je n'ai pas le choix.

Il me suit de loin. Mais j'avance à la façon d'un courant d'air, le prends de vitesse. Je descends le grand escalier en trombe et, sur les dernières marches, le vent laisse entendre un gémissement bas qui m'oblige à lever les yeux vers les fenêtres. Éclairé d'une lumière sinistre, le brouillard, qui a encore épaissi, forme des tourbillons étrangement hypnotiques.

Une dangereuse curiosité s'empare de moi et j'ai envie de me rapprocher, d'y regarder de plus près, mais la bague à mon doigt envoie une secousse insistante qui me traverse de part en part. Je dois partir. Puis mon esprit s'embrouille et, au moment où je me mets à courir vers la chapelle, un mur se dresse devant moi, à un endroit où il ne devrait pas y en avoir. Sans réfléchir, je fonce vers une porte inconnue.

— Où vas-tu, Victor? crie mon jumeau, d'un lieu qui me semble très lointain.

Haletant, j'aboutis dans une partie du château qui a dû exister des siècles plus tôt, une antichambre que je ne connais pas du tout. Étourdi et désorienté, je me tourne vers la porte, qui a disparu. Il n'y a pas d'autre issue.

Comme si la maison se souvenait de ses anciennes incarnations à une vitesse telle que je ne m'y retrouve plus.

Concentre-toi.

Je suis pris au piège, en proie à la panique. Un papillon noir laisse entendre un léger trille musical, se pose sur mon épaule et se colore. Et, juste avant qu'il s'envole, je gonfle mes poumons et me rappelle ma lumière et ma chaleur, la puissance de mon regard.

Je fixe les murs de la pièce et, malgré elle, la pierre mollit et fond, laisse voir une nouvelle issue. Je cours vers elle avant qu'elle se referme et je découvre un autre passage inconnu. J'ai beau avoir habité ici toute ma vie, je suis complètement perdu. Pour la toute première fois, je sens mes membres faiblir. Je fais irruption dans une cuisine si ancienne qu'elle est forcément la première du château, à peine plus qu'un âtre et un drain creusé dans le sol. Je me retourne frénétiquement, à la recherche d'une porte de sortie, mon sang battant dans mes oreilles. Des marches qui descendent. Non. Une petite porte basse. Penché, je m'engage dans un long couloir aveugle, bordé de têtes de cerfs et de sangliers. Encore un lieu qui ne m'est pas familier.

Où est la chapelle? Comme je me trouve dans l'une des plus anciennes parties du château, elle est forcément tout près!

Je progresse en titubant, le sol semble s'incliner, le bout du couloir recule plus vite que j'avance.

Je sens une grande colère sourdre en moi. On me défie. Je crie:

— Que toutes les portes se révèlent à moi!

Furieux, je fixe le mur jusqu'à ce qu'une porte voûtée que je reconnais se grave dans la pierre. Le soulagement irrigue mes membres. Je fonce dans la chapelle. La salle est vivante à présent, ses époques successives défilent à vive allure, les plafonds et les murs vibrant de couleurs. J'ai peine à me concentrer sur le chandelier qui m'attend près du sol.

Je m'écroule dessus, déglutis, espère de tout cœur avoir la force de tirer sur la corde. En m'aidant de mes deux mains, je me soulève, de plus en plus difficilement. À mi-hauteur, je dois m'arrêter un moment, haletant.

Tap-tap-tap. Tap, tap, tap, fait la montre occulte dans ma poche.

J'atteins le plafond et me hisse par la trappe, les doigts engourdis. Vacillant, je m'avance vers le divan et m'y laisse choir. Gauchement, j'ôte la bague de mon doigt et la serre dans ma main gauche. Dans la droite, je sens vibrer la montre occulte. On m'arrache un grand souffle des poumons et...

... Elizabeth et Henry me dévisageaient, le front plissé par l'angoisse.

— Victor ! Oh ! Merci, mon Dieu ! souffla Elizabeth. Ça va ?

Je hochai la tête.

— Tu étais si immobile et si pâle, dit-elle, et tu respirais à peine.

Henry posa sa main sur mon poignet.

— Ton pouls est plus fort. Il y a un instant, il était à peine perceptible…

— Combien de temps ? croassai-je, mon corps toujours lourd de fatigue.

— Exactement une minute, dit Henry en consultant sa montre de poche.

— Ça m'a paru beaucoup plus long, dis-je en ouvrant ma main droite pour révéler la montre occulte de nouveau silencieuse.

— Quel idiot tu fais, Victor ! s'écria Elizabeth. Tu aurais pu y laisser ta peau !

— Et pourtant, je suis là, dis-je.

En inspirant à fond, je me redressai avec l'aide de Henry. Le monde pivota sur lui-même et je me cramponnai à mon ami.

Elizabeth et lui me regardaient, pleins d'attente, mais en même temps sur leurs gardes.

Je souris, en proie à une exultation soudaine.

— C'est réel ! J'y suis allé !

— *Où*, au juste ? demanda Henry.

— Ici ! Notre château, à la fois identique et différent. Le bâtiment se souvenait de lui-même, ne me demandez surtout pas comment. Mais c'est peut-être mon regard qui l'y forçait.

— Que veux-tu dire ? demanda Henry.

— Je n'avais qu'à fixer une chose, une porte ou un couloir, par exemple, pour voir à quoi elle ressemblait à des époques différentes ! Vers la fin, je me suis un peu embrouillé. Les lieux sont d'une complexité trompeuse et, en route vers la chapelle, je me suis égaré pendant un moment. Et les papillons ! Il y a des papillons, exactement comme ceux de la peinture, et ils m'ont aidé à me souvenir de mon pouvoir et…

— Tu l'as vu, lui ? demanda énergiquement Elizabeth.

Je léchai mes lèvres sèches.

— Je l'ai vu.

— À quoi ressemblait-il ?

— Pas à un fantôme, en tout cas. Fidèle à lui-même, pétant de santé. Il était dans sa chambre, en train de jouer aux échecs.

— Et qu'est-ce qu'il a dit ?

— Il a eu peur de moi. Il protégeait ses yeux derrière son bras, comme si j'étais un torrent de lumière. Il a dit que je l'aveuglais, qu'une forte chaleur se dégageait de moi. Il ne m'a pas reconnu tout de suite et il m'a demandé si j'étais un ange ou un démon. Il a mis du temps à se convaincre que c'était bel et bien moi.

— Quoi d'autre ? demanda-t-elle.

— Il a dit que le château avait quelque chose de différent, qu'il n'y était pas seul.

— Tu as vu quelqu'un d'autre ? fit Henry.

— Non. Mais Konrad semblait mal à l'aise.

Je crus bon, pour le moment, de passer sous silence l'incident de la rapière.

Elizabeth se mordillait la lèvre inférieure.

— Autre chose ?

— Le moment venu, la montre occulte m'a prévenu qu'il ne me restait plus de temps, dis-je en posant sur l'appareil un regard émerveillé. Croyez-le ou non, la petite griffe tape sur le verre.

Elizabeth me regarda en secouant la tête.

— C'est insensé. Les morts vont au paradis, en enfer ou au purgatoire. Notre château ne correspond à aucun de ces lieux.

Henry s'éclaircit la gorge.

— Je ne m'y connais pas tellement, mais, dans la Bible, on trouve très peu de descriptions de l'au-delà. Le purgatoire, en particulier, pourrait être n'importe où.

— Ce qui compte, insistai-je, c'est que je suis allé dans le royaume des morts et que j'en suis revenu ! C'est possible ! Que deviennent toutes les règles que tu défends, dans ce contexte ?

Elizabeth garda le silence.

— Ce qu'il faut comprendre, dis-je, c'est que la religion n'a pas toutes les réponses. Ses enseignements sont faux... ou du moins incomplets.

Les yeux d'Elizabeth lançaient des éclairs.

— Tu fais preuve d'une arrogance sidérante. Je me demande bien pourquoi je m'en étonne encore. As-tu seulement songé que tu avais pu tout simplement *rêver*, être victime d'hallucinations causées par l'élixir ?

— Non, c'était réel...

Ma voix s'estompa, car je n'avais effectivement pas envisagé cette possibilité. Déjà, mes souvenirs se paraient d'une aura onirique.

— C'est l'explication la plus plausible, poursuivit-elle. Qu'en dis-tu, Henry ?

Mon ami m'examina avec attention, laissa ses joues se dégonfler et me gratifia d'un sourire contrit.

— Je suis d'accord avec Elizabeth. C'est l'explication la plus plausible.

— Eh bien, fis-je, il n'y a qu'une façon d'en avoir le cœur net.

Elizabeth fronça les sourcils.

— Laquelle ?

— Il faut y aller à deux.

Elizabeth haussa les épaules.

— Deux personnes peuvent halluciner.

— Ou avoir *exactement* la même expérience dans la réalité.

Pendant un moment, personne ne dit rien. Je me tournai vers Henry.

— C'est rempli de bon sens, concéda-t-il. Il n'y a pas d'autre moyen de dissiper tous les doutes.

— Tu m'accompagnes, Henry?

— Normalement, je sauterais sur l'occasion. Sauf que j'ai une phobie peu commune.

— Laquelle?

— J'ai peur de la mort, répondit-il.

— J'irai, moi, dit Elizabeth.

Étonné, je me tournai vers elle.

— N'est-ce pas contraire à tes croyances? N'est-ce pas un péché grave que de tâter de l'occultisme?

— C'est toi-même qui l'as dit : pas d'autre moyen d'en avoir le cœur net. La prochaine fois, nous irons tous les deux, Victor, et nous saurons la vérité.

— Et c'est pourquoi vous aurez besoin de moi pour veiller sur vous, dit Henry en hochant la tête, comme s'il avait tout prévu depuis le début. À votre retour, vous rédigerez un compte rendu, chacun de votre côté, et je comparerai vos versions avec la plus grande impartialité.

— Parfait, dis-je. Ce soir, donc, dès que tout le monde dormira.

— Trop tôt, dit Elizabeth en regardant le flacon d'élixir d'un air méfiant. N'oublie pas les notes de Wilhelm : pas plus d'une fois par jour.

— Ça vaut mieux, de toute façon, dit Henry. Cet après-midi, je dois passer chez moi. Mon père rentre d'un voyage d'affaires et je dois aller l'accueillir.

Puis, en grimaçant, il ajouta :

— Sans compter que je dois me préparer à partir en voyage, moi aussi.

Surpris, je me tournai vers lui.

— Quel voyage ?

— Tu pars ? demanda Elizabeth, sincèrement peinée. Pourquoi n'avoir rien dit plus tôt ?

— Pas facile, avec tout ce qui se passe au château des Frankenstein. Eh bien, oui. Père a décidé qu'il était temps que je l'accompagne dans un de ses voyages commerciaux.

— Quand ? demandai-je.

— Dans deux semaines.

— Et tu pars combien de temps ? voulut savoir Elizabeth.

— Deux mois.

— Si longtemps ? fit Elizabeth.

Je vis Henry rougir devant tant d'attention.

— Eh bien, raison de plus pour profiter des jours qui restent avant ton départ, poursuivit-elle. Dis à ton père que tu es invité à passer les deux prochaines semaines au château.

— Absolument, renchéris-je. Mère et père insisteront.

— Je suis très touché, dit Henry.

Je lui souris et haussai les sourcils d'un air diabolique.

— Avec tout ce qui se trame, mieux vaut t'avoir sous la main, Henry.

— Oui, j'ai beaucoup de chance d'être associé à vos projets.

Un à un, nous redescendîmes prudemment à l'aide du chandelier en ayant soin de sortir de la pièce secrète tout le matériel : l'élixir, la montre occulte et le cahier de notes. Il serait trop compliqué, voire dangereux, d'y revenir pour notre prochaine incursion dans le monde des esprits.

Avant d'ouvrir, je collai mon oreille à la porte de la chapelle pour vérifier si des domestiques passaient par là.

— Demain soir, donc, dis-je aux autres. Et surtout, pas un mot à personne.

Cette nuit-là, je rêvai que j'étais dans ma chambre, en train de me déshabiller pour dormir, et que la porte s'entrouvrait. Un simple courant d'air, je le savais, car ma fenêtre était ouverte, elle aussi. La nuit était belle et douce. J'allai refermer la porte, mais en la poussant, je rencontrai une certaine résistance et je compris que quelqu'un attendait de l'autre côté.

Chapitre 4
DÉCOUVERTES CAPITALES

— Et, comme vous le voyez, nous dit père pendant notre leçon du lendemain matin, le thème de la transformation est omniprésent dans les *Métamorphoses* d'Ovide. Daphné se change en arbre, Narcisse en fleur, Actéon en cerf. C'est l'œuvre des dieux, bien sûr. Mais nous devrions peut-être profiter de l'occasion pour apprécier l'infinie et fascinante mutabilité de notre monde et...

On frappa à la porte et, d'un air contrit, Klaus, l'un de nos domestiques, passa la tête par l'entrebâillement.

— Je suis désolé de vous déranger, monsieur, mais nous avons rencontré une petite complication au fond du puits.

— Pas de blessés, j'espère? fit père.

— Non, monsieur. Comme vous l'avez ordonné, nous avons commencé à remblayer le puits, là, en bas, mais... euh... Ce n'est pas un puits.

— Que voulez-vous dire, Klaus?

— Il y a un faux fond, monsieur, et il a cédé sous le poids du gravier.

Je ne pus me retenir de demander :

— Qu'y a-t-il en dessous ?

— On dirait une sorte de caverne. Nous n'avons rien voulu faire avant de vous avoir prévenu, monsieur.

J'examinai avec soin le visage de père pour voir s'il était déjà au courant. Il était, je le savais, un homme plutôt secret. Mais il semblait sincèrement surpris.

— Vous avez une échelle assez longue pour descendre jusqu'au fond ? demanda père.

— Oui, monsieur.

— Allons jeter un coup d'œil, dans ce cas, dit père.

— On peut venir, nous aussi ? demandai-je.

Il me regarda. Sans doute sentit-il ma sincère excitation, car il sourit et dit :

— D'accord, à condition de vous montrer raisonnables et de faire ce qu'on vous dit. Klaus, vous voudrez bien vous assurer que nous avons des lanternes en nombre suffisant.

Je bondis sur mes pieds en souriant à Elizabeth et à Henry. Avec ses donjons, ses remparts et ses passages secrets, que Konrad, Elizabeth et moi avions pour la plupart découverts longtemps auparavant, le château des Frankenstein avait été notre foyer, certes, mais aussi le terrain de jeu le plus passionnant qu'un enfant puisse imaginer.

— Décidément, votre résidence est une source inépuisable de fascination, Victor, dit Henry en me gratifiant d'un sourire ironique. Et voilà maintenant que vous avez votre propre caverne !

Depuis le grand feu, je n'avais pas remis les pieds dans notre bibliothèque, transformée en chantier. Pour empêcher mes petits frères de s'y aventurer et de tomber dans la périlleuse cage d'escalier secrète, à présent ouverte en permanence pour permettre aux ouvriers de faire leur travail, elle était désormais fermée à clé.

On avait roulé les tapis et recouvert le parquet de planches pour le protéger contre les brouettes chargées de gravier et de briques. Des rideaux suspendus devant les tablettes préservaient les livres de la poussière. La tablette à charnière qui dissimulait le passage secret avait disparu et la porte restait grande ouverte.

Je ressentis une drôle d'impression en m'engageant une fois de plus sur ces marches étroites. Elles étaient correctement étayées, à présent, et des lanternes éclairaient le puits, mais je me rappelais avec intensité la première descente secrète que j'avais effectuée dans la pénombre en compagnie d'Elizabeth et de Konrad. À mi-hauteur, devant la porte de la Bibliothèque obscure désormais vidée de son contenu, mon cœur se serra brièvement à l'idée que mon jumeau n'était plus à mes côtés.

Au fond de la cheminée, deux ouvriers se penchaient sur le puits, dans lequel ils avaient fait descendre une lanterne accrochée à une corde. Je vis une longue échelle à portée de main.

— Descendons examiner les choses de plus près, dit père en se retournant pour me gratifier d'un clin d'œil.

Le plaisir sincère qu'il semblait prendre à l'aventure me réjouit. Dans la république, peu d'hommes prisaient le savoir autant que lui et, pour la première fois, je me rendis compte que, même si j'étais un piètre élève, nous avions en commun une curiosité vive et débordante.

Les ouvriers descendirent l'échelle, l'assujettirent solidement et firent un pas en arrière.

— Voilà, Klaus, c'est prêt, dit l'un d'eux.

Klaus les dévisagea.

— Vous n'êtes pas trop enthousiastes, à ce que je vois, dit-il sur un ton moqueur.

Mais je remarquai que lui-même ne semblait pas enchanté à l'idée d'enjamber le muret. Père le suivit, puis ce fut mon tour.

Je descendis, un échelon à la fois, sentis le froid souterrain escalader mon corps. Au passage, je vis les planches fracassées du faux fond. Puis la caverne s'ouvrit autour de moi. La lueur de la lanterne léchait la pierre pâle.

J'atterris sur l'amas de terre et de gravier tombés plus tôt, parcourus des yeux la vaste grotte et tressaillis à la vue d'un cheval géant, peint en noir.

Il n'était pas seul. D'autres chevaux galopaient et bondissaient sur les murs et le plafond. La simplicité de leurs lignes ne faisait qu'accentuer le sentiment de grâce et de rapidité qui se dégageait d'eux.

— Je n'ai jamais rien vu de tel, dit père en approchant sa lanterne d'une des peintures. Elles doivent être vraiment très anciennes.

Elizabeth et Henry, qui nous avaient rejoints, écarquillèrent les yeux.

— Incroyable, souffla Henry.

— C'est tellement beau, dit Elizabeth en me souriant avec une joie et un émerveillement si sincères que je ne pus m'empêcher de lui sourire à mon tour.

Pendant un bref moment, la douleur qui bourdonnait dans mes doigts manquants s'évanouit presque.

— Ça continue par ici, dit Klaus en brandissant sa lanterne pour révéler un passage dont les parois ondulées me firent penser à l'œsophage de quelque léviathan.

Malgré l'étroitesse du passage, le plafond voûté était haut, et on voyait d'autres animaux sur les murs de pierre : des taureaux géants aux cornes immenses et au corps hérissé de poils raides, peints avec puissance en ocre brun, de telle sorte qu'on sentait presque leurs flancs massifs, les muscles noueux de leur arrière-train.

— Regardez ! s'écria Elizabeth. Celui-ci a le côté percé d'une lance.

— Bien observé, dit mon père. Et cette créature-ci gît, abattue.

Dans la lueur de sa torche, je vis un mammouth couché sur le flanc, la tête affaissée, sans vie.

— C'est comme une galerie d'art primitive, dit Henry.

— Et aussi un musée, précisa père. Regardez les marques sous le taureau abattu.

J'aperçus une série de simples traits noirs traversés d'une barre horizontale.

— On dirait un décompte, fis-je. Une manière de faire le relevé des captures.

Père hocha la tête.

— C'est leur histoire que les auteurs de ces peintures consignaient.

Le passage obliqua vers la droite avant de s'ouvrir sur une autre caverne. Excitée, Elizabeth s'exclama :

— Là, un ibex ! Quand ces animaux ont-ils disparu des environs de Genève ?

— Et là, c'est un ours ? demanda Henry.

— Sans doute, répondis-je, même si je n'en ai jamais vu de si gros. Compare-le au taureau. Quel monstre !

À partir de la grotte, un court tunnel donnait accès à une série d'étroites galeries voûtées. Nous les traversâmes, parfois réduits au silence par une sorte de terreur sacrée, parfois criant d'une voix excitée le nom des animaux que nous croisions dans ce bestiaire souterrain. Dans une galerie se trouvaient des cerfs bruns. Dans une autre s'agenouillait un singulier cheval avec une corne au milieu du front. Sous lui, on avait peint un genre de tigre, prêt à bondir et à tuer ; de sa mâchoire supérieure surgissaient deux grandes dents incurvées. Et à côté du tigre se trouvait un autre élément inédit.

— L'empreinte d'une main, dis-je.

Elle était rouge, faite avec de la peinture… ou peut-être du sang.

— Tu crois que c'est une signature ? demanda Elizabeth. Celle d'un artiste qui revendique la paternité de son œuvre ?

D'instinct, je plaçai ma main contre l'empreinte ; par comparaison, la mienne était minuscule.

— Ils étaient plus grands que nous, constatai-je.

Visiblement mal à l'aise, Klaus scrutait les ténèbres, comme s'il s'attendait à tout moment à voir apparaître quelqu'un ou quelque chose.

— Il y en a d'autres par ici, dit Henry en promenant sa lanterne sur la portion d'un mur où s'agglutinaient de nombreuses empreintes de mains, toutes de tailles différentes.

— « C'est nous », murmura Elizabeth.

Je la regardai d'un air perplexe.

— Que veux-tu dire ?

— Les empreintes de mains… C'est une façon de dire : « Nous sommes là. C'est nous. » Ou encore de préciser combien de personnes comptait la famille ou le clan. Un portrait de famille, en quelque sorte.

— Pourquoi n'ont-ils pas peint d'autoportraits ? demanda Henry. De toute évidence, c'étaient d'excellents artistes. Mais on ne voit aucune représentation humaine. Vous ne trouvez pas ça bizarre ?

— C'est bizarre, en effet, concéda mon père. Surtout qu'ils maîtrisaient aussi le langage.

— Le langage ? fis-je en me tournant vers lui. Comment le savez-vous ?

Avec enthousiasme, il me fit signe d'approcher et me montra, dans la lueur vacillante de sa lanterne, une longue chaîne de singuliers caractères géométriques.

— Ce sont sûrement des mots, dit-il, bien que je n'aie jamais vu un alphabet comme celui-là.

Dans les traités d'alchimie, j'avais observé d'étranges gribouillis, mais ceux-ci étaient encore plus primitifs.

— Rien à voir avec des hiéroglyphes égyptiens, chuchotai-je.

— Non, confirma père. Et pourtant, plus je les contemple, plus je remarque leur diversité.

— Vous avez raison, renchéris-je. On dirait qu'il y a une infinie variété de façons de disposer les lignes et les points.

Il posa une main sur mon épaule, la serra et me sourit. Il m'était agréable de causer et de spéculer avec lui. Il y avait longtemps que je ne m'étais pas senti si proche de lui et, dans le froid de la caverne, la chaleur de sa grosse main me sembla encore plus intense.

— Je vois un embranchement un peu plus loin, dit Klaus.

— Dans ce cas, nous devons nous arrêter, dit père. Nous ne sommes pas équipés pour procéder à une exploration en bonne et due forme et je ne courrai pas le risque que nous nous perdions.

— Vous croyez que Wilhelm Frankenstein connaissait l'existence de ces cavernes ? demandai-je.

— Sans doute, oui. Il les a sûrement découvertes au moment où on a creusé les fondations du château. Et je parie que c'est lui qui a fait construire le faux puits pour les cacher.

— Mais pourquoi dissimuler ces peintures ? demanda Elizabeth. Elles sont merveilleuses.

— C'était un homme mystérieux et secret, répondit mon père. Je pense que nous ne percerons jamais tous ses mystères, à plus forte raison celui de sa disparition.

Ensuite, il se tourna vers nous d'un air grave.

— Vous ne descendrez pas dans ces cavernes tout seuls. Compris ?

— Oui, dis-je.

Cette fois, j'étais sincère. Malgré l'attraction qu'exerçaient les grottes, j'avais d'autres projets en tête.

— Bien, fit père. La dernière fois que vous avez joué les explorateurs, vous avez failli y laisser votre peau. Votre mère ne serait pas en état de subir un autre traumatisme.

— Vous n'avez tout de même pas l'intention de sceller les cavernes à tout jamais ?

Il m'examina pendant un moment en se demandant s'il pouvait me faire confiance.

— Je compte prévenir un historien de ma connaissance qui travaille à l'université. Ces peintures l'intéresseront au plus haut point et il aura une meilleure idée que nous de leurs origines.

— Où est mère ? demandai-je pendant le dîner.

J'étais impatient de lui parler des cavernes.

— Elle ne mange pas avec nous ce midi, répondit mon père.

— Est-elle souffrante ? fit Elizabeth avec inquiétude.

En attendant sa réponse, j'observai père.

— Non. Seulement fatiguée.

Mais sa tête léonine semblait affaissée sur ses larges épaules. Comment avais-je pu ne pas le voir ?

— Depuis quelques semaines, depuis les funérailles, en fait, elle s'est montrée très forte pour nous encourager tous, mais, à présent, elle a besoin de repos.

Il esquissa un sourire qu'il voulait rassurant.

— Ne vous en faites pas. C'est très fréquent après un gros chagrin. Il lui faut un peu de temps. Après, elle sera de nouveau elle-même.

Soudain, la nourriture qu'on avait disposée devant nous perdit tout attrait. J'eus honte de moi. Elizabeth avait eu raison d'affirmer que j'étais aveugle à tout, sauf à ma propre souffrance. Je me demandai si le débordement d'énergie dont avait fait preuve ma mère avait été pour elle une manière de fuir sa douleur. Mais cette dernière, toujours plus rapide, avait fini par la rattraper. Et je me demandai si je pourrais l'aider à surmonter son chagrin. Et si j'en avais le pouvoir ?

— Peut-être, monsieur, mon séjour au château est-il inopportun, commença gauchement Henry.

Père secoua la tête.

— Non, non, Henry. Tu fais partie de la famille et, pendant ton voyage, tu vas beaucoup nous manquer. Je te prie de rester avec nous jusqu'à ton départ. Ta présence illumine notre maison.

— C'est très généreux de votre part, dit Henry, mal à l'aise.

Je me demandai si, comme moi, il songeait à ce que nous projetions de faire à la faveur de la nuit.

Lorsque les cloches de l'église de Bellerive eurent sonné une heure du matin, Henry et Elizabeth vinrent tour à tour me rejoindre dans ma chambre. Comme moi, ils étaient habillés de pied en cap.

À la lueur d'une unique chandelle, je sortis du tiroir verrouillé de mon bureau la montre occulte et le flacon vert renfermant l'élixir.

— Prête ? demandai-je.

Elizabeth fixait le flacon vert en mordillant sa lèvre inférieure. Je crus la voir frissonner.

— As-tu choisi un talisman ? lui demandai-je.

Avec précaution, elle détacha de son poignet un bracelet fait de cheveux tressés.

— Ce sont les cheveux de ma mère. Après son décès, mon père a fait faire ce bracelet pour moi. C'est l'une des rares choses qui me restent d'elle.

Je savais qu'il était courant de fabriquer des souvenirs à l'aide des cheveux d'un défunt, mais la pratique avait à mes yeux quelque chose de macabre.

Henry s'éclaircit la gorge.

— J'aimerais profiter de l'occasion pour lancer un ultime et sans doute inutile appel à la raison. Ne faites pas ça, je vous en conjure.

— Merci, Henry, dis-je.

Je me tournai vers Elizabeth.

— Rien ne t'oblige à m'accompagner.

— Je n'ai pas peur, si c'est ce que tu penses.

— Je ne te soupçonne jamais d'avoir peur, lui dis-je. Tu es la personne la plus courageuse que je connaisse. Mais je sais aussi que tu crois que c'est un…

— Ce que je *pense*, c'est que nous allons halluciner tous les deux et faire la preuve qu'il s'agit de bêtises. Et nous en resterons là. Mais si c'est toi qui as vu juste… Les faits me donneront aussi raison.

— Comment ? demandai-je, perplexe.

— S'il y a un au-delà, une vie après la mort, nous aurons la preuve de l'existence de Dieu.

— L'un présuppose donc l'autre ? lui demandai-je.

— Je vous en prie, vous deux, dit Henry. Trêve de fascinants débats théologiques pour le moment.

— C'est donc ce qui te pousse à venir ? dis-je sur un ton moqueur. L'envie de me convertir ?

Elle ne put réprimer un sourire.

— Exactement. Je suis mue par le désir de sauver ta pauvre petite âme en peine.

— Rien à voir avec Konrad ? demandai-je.

— Contente-toi de me passer le flacon, tu veux ?

Elle prit une profonde inspiration et, après une seule seconde d'hésitation, déposa une goutte sur sa langue. Puis elle me tendit le flacon.

— Si tu en as envie, tu peux t'allonger sur le lit, lui dis-je.

— Le fauteuil me convient parfaitement, merci quand même, répliqua-t-elle en s'installant et en serrant le brace-let de cheveux dans sa main gauche. Tu as la montre occulte ?

— Oui, dis-je en m'appuyant sur mon oreiller. Sens-tu un goût métallique dans ta bouche et une étrange sensation de chaleur traverser ton corps ?

Elle hocha la tête.

— Tu veilleras sur nous, Henry ?

— Promis, fit-il.

— C'est rapide, dis-je à Elizabeth. Un clin d'œil seu-lement.

Je bâillai et...

... je jette un regard de côté. Elle est là, assise dans mon fauteuil : Elizabeth.

Je n'ai jamais rien vu de plus beau qu'elle. Autour de son visage radieux et sur ses épaules, ses cheveux ambre se répandent comme de la soie. Les yeux ouverts, elle me sourit. Je lui rends son sourire. Entre mon regard et son visage, il n'y a absolument aucun obstacle. Comme si je caressais sa peau. C'est une sensation presque maléfique, délicieusement maléfique.

La chandelle est superflue, car, au-delà des fenêtres de ma chambre, le brouillard épais, impénétrable, diffuse une forte lumière blanche.

Je me tire du lit, sens la même énergie vitale circuler en moi. Et, à chacun de mes pas, à chaque afflux de sang brûlant dans mes veines, à chaque flexion et à chaque traction de mes muscles, j'ai de moi-même une conscience toute nouvelle. C'est comme si le moindre de mes cheveux, le moindre des pores de ma peau, la moindre surface de mon corps était deux fois plus sensible qu'avant.

Il n'est rien dont je sois incapable ici.

Je mets la montre occulte dans ma poche, repasse ma bague à mon doigt et m'avance vers Elizabeth. Mes narines frémissantes boivent son parfum, celui de ses cheveux, de sa peau, de son haleine. Ses yeux noisette m'attirent. J'ai le lointain souvenir de la rencontre de deux loups dans une forêt, la nuit.

— C'est ici ? demande-t-elle.

Je mets un moment à comprendre, car *ici* est si immédiat et si réel que je doute qu'il puisse y avoir dans le monde autre chose qu'*ici et maintenant*.

En réponse à sa question, je tends ma main droite et lui montre les deux doigts manquants qui me sont revenus. Stupéfaite, elle fronce les sourcils et se penche vers moi. Et je sais, sans l'ombre d'un doute, que, dès l'instant où nous nous toucherons, nous ne pourrons que nous abandonner.

Mais cet élan de désir est brusquement rompu par quelques notes de musique flottant dans l'air.

En se levant, Elizabeth laisse retomber sa main.

— C'est le son du piano, dit-elle.

Elle me contourne avec empressement et ouvre la porte de ma chambre.

— C'est un air que Konrad jouait souvent.

Pour toi, me dis-je en me souvenant qu'ils avaient l'habitude de disparaître dans la salle de musique pour se retrouver en tête-à-tête.

Elle s'engage avec résolution dans le couloir et je lui emboîte le pas.

— Konrad? crie-t-elle.

La musique s'arrête aussitôt. Nous sommes devant les portes de la salle de musique; Elizabeth les ouvre toutes grandes et entre la première.

À moitié tourné sur le banc, protégeant ses yeux d'un bras, se trouve mon jumeau. Je vois sa rapière, posée contre le piano.

— Elizabeth? souffle-t-il.

Elle pleure avec un abandon total et des larmes coulent sur ses joues. Malgré ma mise en garde, elle fonce vers Konrad pour se blottir contre lui.

— Je donnerais n'importe quoi pour te serrer dans mes bras, dit mon frère en se redressant pour battre en retraite, mais c'est impossible.

— C'est trop injuste, dit-elle dans un élan.

— La chaleur qui se dégage de toi est si intense que, même à cette distance, elle me brûle presque.

Je vois les yeux de Konrad se poser brièvement sur moi, se plisser, puis il sourit.

— Victor… Tu es revenu.

— Comme promis. Cette lumière que nous dégageons, nous ne la voyons pas.

— Elle irradie de vous, à la façon d'une aura. On vous dirait sortis tout droit du feu du soleil, et je ne peux vous décocher que de brefs coups d'œil.

Il se dresse devant nous, tête baissée, à la manière d'un homme attendant qu'un magistrat le condamne. Je me fais l'effet d'être à la fois un ange et un démon, de diffuser une lumière glorieuse et une chaleur diabolique. Et, une fois de plus, j'éprouve un élan d'excitation à l'idée de ma propre puissance.

— Depuis combien de temps suis-je mort? demande-t-il. Ici, le temps n'existe pas.

— Presque un mois, lui répond Elizabeth. Je n'ai pas eu l'occasion de te dire adieu. Tout a été si soudain.

— Alors, dis-je avec impétuosité, c'est comment?

— Mourir? Je ne saurais le dire. Quand je me suis réveillé dans mon lit, j'étais tout seul. Personne ne répondait à mes appels. Je me suis levé et j'ai été étonné par ma vigueur. Je me sentais tout à fait bien, comme mon ancien moi. J'ai eu envie de vous annoncer la nouvelle, mais, quand je suis sorti de ma chambre, je n'ai vu personne. Le château était complètement désert et, d'une certaine façon, il me semblait étranger, même si, à première vue, tout était à sa place. C'est là que j'ai commencé à me demander si j'étais mort dans mon sommeil. J'espérais être en train de faire un mauvais rêve. Mais je ne me suis pas réveillé.

— À te regarder, on ne dirait pas que… tu es mort, lui dis-je.

Il laisse entendre un petit rire.

— Heureux de l'entendre.

Soudain, je suis pris d'une curiosité dévorante.

— Flottes-tu au-dessus des choses ? Sens-tu le sol sous tes pieds ?

— Je sens le sol.

— Et tu peux ouvrir des portes, déplacer des objets ?

— Tu m'as entendu jouer du piano.

— Tu as mal si tu tapes sur ce mur ?

— Oui. J'ai essayé.

— Tu dors ?

— Ça suffit, Victor, dit Elizabeth.

— Non, je n'en ai pas l'impression, répond Konrad.

— Tu as faim ?

— Non. Et je ne sens pas non plus la soif. Vais-je encore être le sujet d'une de tes expériences scientifiques, Victor ?

Il me gratifie d'un sourire ironique et je ricane d'un air contrit.

— Excuse-moi. C'est juste qu'il y a ici tant de choses à découvrir…

— Je trouve aussi, dit mon frère. Comment avez-vous abouti ici?

— Nous avons reçu ton message et nous sommes venus à ta recherche.

Sa confusion saute aux yeux.

— Mon message?

— « Viens me chercher. » Tu l'as répété je ne sais plus combien de fois.

— Victor a construit une planche de spiritisme pour communiquer avec les morts, explique Elizabeth. Tu ne l'as pas entendu appeler?

Konrad semble ébranlé.

— Il y a un moment, je ne saurais dire combien de temps, j'ai senti ta présence, si fort que j'ai cru que tu étais quelque part dans le château. Et je t'ai cherché, je t'ai appelé, mais en vain. Je me suis dit que j'hallucinais. Mais je ne me souviens pas d'avoir dit : « Viens me chercher. »

— Peut-être n'est-il pas nécessaire de prononcer les mots à voix haute, répliquai-je. Vos souhaits se communiquent peut-être à notre monde.

Mais Elizabeth semble mal à l'aise.

— Qui d'autre y a-t-il ici?

— Il y a une fille qui s'appelle Analiese. Elle était servante au château et elle est morte d'une fièvre longtemps avant notre naissance. En errant dans le château, je suis tombé sur elle dans la cuisine. Elle s'est montrée très gentille avec moi, autant qu'on peut l'être avec un garçon à qui on confirme qu'il est bel et bien mort.

— Où est-elle ? demande Elizabeth.

— En général, elle préfère le quartier des domestiques.

Il esquisse un petit sourire.

— Je pense qu'elle a le sentiment de se montrer irrespectueuse en venant à l'étage pour me parler. Dieu sait pourtant que j'ai besoin de compagnie.

— Oui, dit Elizabeth avec une certaine raideur. J'imagine que tu dois te sentir très seul. Vous êtes donc seuls ici, tous les deux ?

Konrad hésite un moment.

— Je ne sais pas. J'ai parfois l'impression d'entendre des bruits dans les entrailles du château. Quelqu'un qui dort d'un sommeil agité.

— Moi, en tout cas, j'aimerais bien rencontrer cette Analiese, dit Elizabeth. Peut-être pourrait-elle nous expliquer ce que tu fabriques ici.

— C'est déjà fait. Elle dit que toute personne qui meurt au château doit y rester pendant un certain temps.

— Je ne comprends tout simplement pas, dit Elizabeth. Ton âme est sûrement montée tout droit au ciel ou à tout le moins au purgatoire.

— À moins que le château soit le purgatoire, répond Konrad.

— N'est-il pas évident, ajouté-je en laissant fuser un rire impatient, que rien n'est conforme à ce que t'a enseigné l'Église?

— Pas du tout, dit Elizabeth.

Konrad soupire.

— Ici, tout est très bizarre, dit-il.

Il se tourne vers les fenêtres et le brouillard impénétrable au-delà.

— J'ai l'impression d'être prisonnier.

Mes yeux restent rivés sur le brouillard, dont j'observe les lents et fascinants remous.

Je m'avance vers les fenêtres.

— Tu devrais commencer par ouvrir un peu, dis-je.

— Non! s'écrie-t-il.

Il y a tant d'insistance dans sa voix que je m'immobilise. Je ris.

— Quel mal peut-il y avoir à ouvrir une fenêtre?

— L'une des premières choses que m'a dites Analiese, c'est qu'il ne faut *jamais* ouvrir. Ni portes ni fenêtres.

— Pourquoi donc ? veut savoir Elizabeth.

— Parce que, mademoiselle, il y a dehors un mauvais esprit qui souhaite entrer.

En me retournant vivement, je découvre une jeune femme, de mon âge plus ou moins, debout dans l'embrasure de la porte, une main devant son visage pour se prémunir contre notre éclat.

Je demande :

— Analiese ?

— Oui, monsieur. Et vous êtes le frère de M. Konrad. Il m'a dit que vous étiez venu et j'ai eu peine à le croire. Un vivant chez les morts…

Je m'aperçois tout de suite qu'elle est superbe, avec de longs cheveux nattés si blonds qu'ils semblent presque blancs et des yeux d'un bleu saisissant. Sur la peau de porcelaine de ses joues, elle a un séduisant grain de beauté. Elle porte une robe noire toute simple, sans doute sa plus belle, qui, bien qu'austère, laisse deviner une silhouette des plus agréables.

— Que veux-tu dire par « mauvais esprit » ? demande Elizabeth.

Comme en réponse, le brouillard s'épaissit et frappe d'un air menaçant contre les vitres, si fort que les carreaux en tremblent.

J'entends Analiese haleter et je la vois reculer d'un pas.

Une fois de plus, le brouillard tape contre les fenêtres, à la manière d'un poing colérique, et je me rends compte que, au lieu d'avoir peur, je suis bizarrement intrigué. Je me demande :

Qu'arrivera-t-il si le verre cède ?

Mais le verre ne cède pas et, au moment où les vitres cessent de trembler et où le brouillard se dissipe un peu (mais pas assez pour nous permettre de voir dehors, tant s'en faut), j'éprouve une curieuse déception.

— Il est déterminé, aucun doute à ce sujet, dit Elizabeth, non pas effrayée, mais en proie à la même fascination que moi.

— C'est seulement ce qu'on m'a raconté, mademoiselle, dit Analiese en détournant les yeux avec humilité. Quand je suis morte et que j'ai abouti ici, il y avait seulement une autre personne dans le château. C'était une des dames de la maison et c'est elle qui m'a parlé de l'esprit malin qu'il ne fallait laisser entrer sous aucun prétexte, malgré la tentation.

— C'est une sorte de grand serpent enroulé sur lui-même, dit Konrad, visiblement inquiet. Il est affamé et il nous guette.

Analiese poursuit :

— Et la dame a aussi dit que nous devions patienter ici jusqu'au jour où on viendra nous cueillir.

— Vous cueillir ? demandé-je.

— Oui, monsieur. C'est ce qui est arrivé à la dame, peu de temps après. J'ai vu la scène de mes propres yeux. Une magnifique lumière ailée, encore plus vive que la vôtre, et musicale aussi, est entrée dans la maison, l'a enveloppée et elle a disparu.

— Des anges! s'écrie Elizabeth en me regardant triomphalement.

Analiese sourit d'un air béat.

— C'est aussi ce que je crois, mademoiselle! Et tout ce que j'espère, c'est que ce sera bientôt mon tour.

À ce moment, deux gros papillons noirs apparaissent et volent haut au-dessus de ma tête et de celle d'Elizabeth. Je demande à Analiese:

— Qu'est-ce que c'est?

— Oh, je crois qu'ils sont ici depuis toujours, monsieur.

— Inutile de m'appeler «monsieur». Nous avons les idées très larges, dans la famille. Et d'ailleurs, tu es beaucoup plus… ancienne que moi.

Elle détourne toujours les yeux, ce qui a pour effet de mettre en valeur ses cils longs et adorables.

— C'est la force de l'habitude, monsieur, mais je vais essayer.

Elle lève son regard sur les papillons.

— J'ai toujours vu en eux une sorte de présence angélique. Ils sont là pour nous tenir compagnie et raviver notre espoir.

— Tu as sûrement raison, dit Elizabeth en voyant l'un d'eux descendre vers elle en voletant. Ce qui est sûr, en tout cas, c'est qu'ils ne craignent ni notre lumière ni notre chaleur.

Lorsque le papillon se pose sur son épaule, elle laisse entendre un petit halètement ravi et ses joues s'empourprent.

— Il est si beau, souffle-t-elle.

Au même moment, les ailes noires du papillon se parent de couleurs vives et il s'envole.

Le regard d'Elizabeth croise brièvement le mien, puis elle détourne les yeux, comme si elle cherchait à cacher quelque chose. Je tends la main et le second papillon s'y pose. J'éprouve le même élan de plaisir que la première fois.

Il s'attarde sur mon doigt, resplendissant, et je sens un calme souverain s'installer dans mon esprit, ses surfaces encombrées et ses tiroirs en désordre tout à coup bien rangés, et j'ai le sentiment d'être fort et fin prêt, tel le coureur sur la ligne de départ.

— Combien de temps nous reste-t-il, Victor ? demande Elizabeth.

De ma main libre, je sors la montre occulte de ma poche. La patte squelettique a presque accompli une rotation complète. Elizabeth s'approche et pousse un soupir de déception.

— Comment est-ce que ça fonctionne ? demande Konrad. Tu ne m'as pas encore dit par quel moyen vous étiez venus ici !

Pendant qu'Elizabeth lui explique, je me rappelle les instructions manuscrites de Wilhelm :

Avec l'expérience, on apprend à manipuler la montre occulte.

Je la pose contre mon oreille et j'écoute. *Tic, tic, tic...*

Lorsque je touche la vitre de la montre, juste au-dessus de la patte squelettique de l'oiseau, le papillon reste perché sur mon doigt.

Lentement.

— Qu'est-ce que tu fais, Victor ?

Encore plus lentement.

Je pose de nouveau la montre contre mon oreille et écoute attentivement. Tic... tic... tic...

Je m'écrie :

— J'ai réussi !

— À faire quoi ? demande Elizabeth.

— À ralentir la montre ! Dans le cahier de notes, on disait que c'était possible, tu te souviens ? Le tic-tac est plus lent ! Je nous ai gagné un peu de temps !

Je vois Elizabeth observer Konrad avec un amour et un désir si manifestes que je me sens à la fois mal à l'aise et jaloux. Le spectacle est pour moi insupportable.

— Ces papillons, dis-je à Analiese au moment où le mien s'envole, ils ont un pouvoir.

— Je n'en sais rien, monsieur. Ils ne s'intéressent pas à moi.

— Ni à moi, dit Konrad.

Je lui demande :

— Et les bruits que tu entends dans le château ?

— Je les entends encore de temps en temps, répond-il, troublé.

Je me tourne vers Analiese. Je remarque qu'elle a la charmante habitude de se frotter distraitement le lobe de l'oreille, geste qui a pour effet d'attirer l'attention sur sa gorge et ses cheveux adorables.

— Tu es ici depuis beaucoup plus longtemps. Tu sais quelque chose à ce sujet ?

— Je n'ai jamais vu personne d'autre ici, monsieur, mais je crois avoir entendu le même bruit que votre frère. On dirait quelqu'un qui dort et qui voudrait se réveiller.

Elizabeth demande à Konrad :

— Tu as peur ?

— Non, répond-il.

Et je sais qu'il ment.

— Alors comment expliques-tu la rapière posée contre le piano ? insiste Elizabeth.

Pendant un moment, mon jumeau ne dit rien.

— Aussi absurde que cela puisse paraître, elle me procure une certaine tranquillité d'esprit. Je ne sais jamais à quoi m'attendre. Vais-je finir au paradis… ou en enfer ?

— Non… dit Elizabeth en secouant la tête avec ferveur.

Konrad l'interrompt, un air rageur dans le regard.

— Il y a derrière ces fenêtres un esprit qui souhaite entrer et, *à l'intérieur*, une chose qui souhaite émerger du sommeil. Je doute que ma rapière puisse y changer quoi que ce soit, mais, au besoin, j'entends me défendre de toutes mes forces.

— L'idée que tu ne sois pas en sécurité ici m'est insupportable, dit Elizabeth, chagrinée.

— On ne m'a fait aucun mal, dit Analiese. Tout ira bien, monsieur, vous verrez.

Konrad la regarde d'un air reconnaissant et expire en hochant la tête.

— Merci, Analiese.

J'observe Elizabeth, dont le regard va de lui à elle.

— C'est trop injuste, dit-elle à mon jumeau, d'avoir fait le voyage jusqu'ici et de ne pas pouvoir te toucher.

— En ce moment, le seul fait de te voir et de t'entendre me procure un grand réconfort, réplique-t-il.

Je sens une légère vibration dans ma poche et je sors la montre : le petit poing terminé par des griffes fait *tap-tap-tap* sur la vitre.

— Notre temps est écoulé, dis-je.

Consternée, Élizabeth me dévisage.

— Fais quelque chose!

— C'est trop tard.

— Mais je ne suis pas prête à dire au revoir!

— Vous reviendrez? demande Konrad, l'air désespéré.

— Je te le promets, lui dis-je. Mais nous devons rentrer sans tarder.

— Où allez-vous? Et comment? demande Konrad, frustré.

— Là où nous avons laissé nos corps dans le monde réel. Viens, dis-je à Elizabeth.

Elle semble enfin comprendre mon empressement, car elle fixe la porte.

— Nos corps ont besoin de nous.

— Au revoir, dit-elle, malheureuse, en tendant la main vers Konrad. Je n'aurais pas dû venir. Te perdre de nouveau est une torture.

Je me dirige vers la porte, m'engage dans le couloir, me retourne pour m'assurer qu'Elizabeth me suit. À une vitesse surnaturelle, nous fonçons dans le corridor et, aux yeux de Konrad et d'Analiese, qui nous observent de l'embrasure de la porte, nous laissons sans doute derrière nous des traînées de lumière étincelante.

En entrant dans ma chambre, j'hésite, car elle est tout à fait différente. Les meubles, plus imposants et plus anciens, ne sont pas à leur place habituelle. Sur les murs, des couleurs, des peintures et des tapisseries différentes donnent l'impression de palpiter.

— Victor, dit Elizabeth.

Puis, en me retournant vers elle, je la vois s'appuyer au mur, comme pour se retenir.

— Qu'est-ce qui se passe ? demande-t-elle.

— C'est le château qui se souvient de lui-même, dis-je, émerveillé. Notre présence vivante semble le remuer.

J'examine les ornements sculptés dans le grand lit à baldaquin et, sur les oreillers, je remarque le monogramme *WF*.

— C'était sa chambre, dis-je tout bas. La chambre de Wilhelm Frankenstein !

— Rends-lui son apparence normale, dit Elizabeth qui, pour la première fois, semble effrayée.

— Tu n'as qu'à te concentrer pour qu'elle redevienne comme dans le présent. Tu en as le pouvoir, toi aussi.

J'inspire à fond en me concentrant sur l'endroit où devrait être mon lit. Du coin de l'œil, je vois la chambre tout entière se retransformer en chatoyant. Et, pendant un bref instant, j'aperçois, encastrée dans le mur, une étrange armoire renfermant un livre. Puis elle disparaît. À sa place, il n'y a plus que de la brique et du plâtre. Soudain, mon lit est de retour et la chambre, lorsque je la parcours des yeux, est de nouveau la mienne.

Elizabeth, apparemment désorientée, s'avance vers mon lit.

— Tu es dans le fauteuil, tu te souviens? dis-je en lui prenant la main pour la guider.

L'effet est instantané. C'est la première fois que je la touche dans ce monde-ci et le simple contact de sa peau a pour effet d'irradier tout mon corps d'une chaleur pressante. Je baisse les yeux sur ma main, sa main, la respiration haletante. Dans le monde des esprits, mon cœur se débat à l'intérieur de ma poitrine à la manière d'une luciole emprisonnée dans un bocal. Je me sens faible, un peu étourdi, complètement démuni et envoûté par le désir qui s'est emparé de moi. Je déglutis et je lève les yeux sur Elizabeth. À son regard, je comprends qu'elle éprouve la même sensation.

— C'est un rêve, dit-elle.

Je secoue la tête.

— Non.

— Je rêve.

Un pas et je me blottis contre elle, ma main dans ses cheveux. Ses bras se soulèvent et m'encerclent, ses doigts tirent fort sur mon cou, m'entraînent vers elle. Nos bouches avides se rencontrent et on dirait qu'un courant spectral s'établit, balayant tout ce qui n'est pas cet instant, la moindre de mes sensations, le moindre de mes nerfs attentifs à elle.

Mais nos transports frénétiques sont interrompus par les tapotements de plus en plus insistants de la montre dans ma poche et je sens une véritable faiblesse se répandre en moi. Ni agréable ni vertigineuse, celle-là. Cette fois-ci, c'est un essoufflement et un épuisement en bonne et due forme que j'éprouve.

— Nous devons rentrer, dis-je, le souffle court, en me détachant d'elle à mon corps défendant.

Et je lis la déception et la colère sur son visage. Une fois de plus, elle s'avance vers moi.

— Nos corps ont besoin de nous, dis-je en la poussant dans le fauteuil. Prends ton bracelet. Vite !

Hors d'haleine, j'ôte ma bague et la serre dans une main. Dans l'autre, je prends la montre occulte. Puis je me jette sur le lit et c'est comme si mes membres, se mouvant de leur propre gré, unissaient mon corps spectral à mon vrai corps et…

Chapitre 5
LA SECONDE MORT

Nous nous éveillâmes, haletants, en même temps. Nerveusement, Henry faisait les cent pas entre nous en consultant sa montre.

— Un peu plus d'une minute, cette fois ! dit-il. Qu'est-ce qui vous a retenus ?

— J'ai légèrement étiré le temps, répondis-je.

Je m'assis sur le lit et fis face à Elizabeth.

— Raconte-moi ce que tu as vu !

— Non ! ordonna Henry. Silence, tous les deux !

Il prit sur mon bureau des plumes et du papier et nous les tendit.

— Rappelez-vous notre plan. Écrivez tout ce qui vous est arrivé, avec le plus de détails possible. Événements, dialogues, tout. Ensuite, je vous lirai.

Je soufflai.

— Oui, bien sûr. J'oubliais.

Pendant que je gribouillais mon compte rendu, je jetais des coups d'œil furtifs à Elizabeth en me demandant si elle avait vécu la même expérience que moi… y compris au moment où nous avions quitté le monde des esprits. J'écrivis, écrivis encore, puis j'entendis les cloches de l'église sonner la demie de l'heure. Vers la fin de mon récit, je décidai, après un moment d'hésitation, d'omettre notre étreinte passionnée. S'il s'agissait d'un rêve, je me plongerais dans l'embarras ; si, en revanche, c'était vrai, je ferais honte à Elizabeth. J'étais sûr qu'elle passerait cet épisode sous silence. Je levai les yeux et la vis en train de m'observer. Nous avions terminé en même temps. En silence, nous tendîmes nos feuilles à Henry.

L'attente fut insoutenable. Du bout des doigts, Elizabeth suivait les motifs de dentelle de l'ourlet de sa robe. J'enfouis ma main mutilée dans ma main indemne en regrettant de ne pouvoir la cacher pour toujours. J'aurais donné cher pour être débarrassé des élancements qui m'accablaient. Nous évitions de nous regarder. Puis, quand nous fûmes à court de recoins à explorer, nos regards se croisèrent.

Ta langue a touché la mienne, me dis-je en la contemplant. Et je dus alors détourner les yeux, car j'avais les joues en feu, et le souvenir de notre intimité faisait, dans la pièce, comme une présence tonitruante.

Henry, toujours plongé dans nos comptes rendus, émettait des sons bas et gutturaux.

— Pour l'amour du ciel ! s'exclama Elizabeth. Tu as sûrement fini de lire le récit de nos rêves !

Livide dans la lueur des chandelles, Henry se tourna vers nous.

— Tout indique, dit-il, que vous avez fait pratiquement le même rêve.

Exultant, je bondis.

— Ce n'est donc pas un rêve ! Nous avons plutôt vécu la même *expérience* !

— Seule la fin est un peu différente, précisa Henry en se grattant la tête. Elizabeth, tu dis que, juste avant de quitter l'autre monde, Victor semblait.... désorienté ?

Je regardai Elizabeth, d'abord perplexe, puis amusé.

— Juste avant notre retour, en effet, dit Elizabeth. Il tenait des propos décousus, délirait peut-être un peu.

Henry se tourna vers moi.

— Tu ne te rappelles rien de tel, Victor ?

J'examinai Elizabeth, un sourire au bord des lèvres.

— C'est possible. Une fois que la montre occulte a sonné, les choses s'embrouillent un peu. Le château tend à bouger. Mais notre expérience, jusqu'au moindre détail, est réelle. Tu me crois, maintenant ?

— Évidemment. Quant à toi, tu crois sûrement à l'au-delà, désormais.

— Bien sûr.

— Et tu sais qu'il est peuplé d'esprits, d'anges et de démons et qu'il est forcément gouverné par un Dieu tout-puissant.

— Ah! Disons simplement que je crois qu'il s'agit d'un monde rempli de merveilles que j'ai l'intention de visiter encore souvent.

— Est-ce bien sage? demanda Henry.

Pendant un moment, Elizabeth ne dit rien. Puis elle déclara:

— Je n'y retournerai pas, moi.

Atterré, je la fixai.

— Tu l'as vu, lui. Comment peux-tu dire une chose pareille?

Elle enfouit son visage dans ses mains.

— Mais je me demande encore s'il s'est agi d'une consolation ou d'un tourment. Il arrivait à peine à nous regarder en face. Je n'ai même pas pu le toucher. Il n'est plus avec nous, Victor. Le moment venu, il va être cueilli et conduit vers sa demeure éternelle.

— J'ai l'intention de le ramener, dis-je doucement.

Le silence monta dans la pièce comme un nuage noir.

Elizabeth secoua la tête.

— C'est impossible, Victor.

— Je refuse d'accepter cette fatalité. Et tu devrais faire comme moi. Il y a deux jours, tu croyais le monde des esprits inaccessible. Nous en avons ouvert la porte. Nous en avons franchi le seuil. Au nom de quoi Konrad ne pourrait-il pas le faire en sens contraire ?

Elle tremblait. À ma grande surprise, Henry prit une couverture sur mon lit et la drapa sur les épaules d'Elizabeth, puis il s'agenouilla à côté d'elle.

— Cette expérience t'a vidée, dit-il.

— Ne joue pas les bonnes d'enfants, Henry, dis-je avec impatience. Elle est aussi forte que moi. J'ai l'air bouleversé, moi ?

Sur ces mots, Elizabeth se leva d'un bond, jeta la couverture de côté et me foudroya du regard.

— C'est donc ce que tu mijotais depuis le début. J'aurais dû m'en douter. Chaque fois que je pense que ton égoïsme a atteint ses limites, tu t'arranges pour me surprendre. Oui, nous sommes entrés dans le royaume des morts, où nous n'aurions sans doute pas dû mettre les pieds, et, oui, nous avons vu l'esprit de Konrad. Mais qu'est-ce qui te fait croire que tu y es roi et maître ?

— On verra.

— Non. On ne verra rien du tout. Seul Dieu a le pouvoir de ressusciter les morts et, aussi stupéfiant que ça puisse te paraître, *tu n'es pas Dieu* !

— Je n'ai jamais rien cru de tel, répliquai-je. C'est exactement où je veux en venir, tu vois ? Tu crois que seul ton Dieu a le pouvoir de gouverner ces mondes. Je ne fais que soulever la question suivante : et si nous en étions capables, nous aussi ?

Elle déglutit.

— Tout ça me rend malade. C'était une erreur.

— Et Konrad ? Je croyais que tu l'aimais…

— Oui et c'est justement pour cette raison que je ne retournerai pas là-bas. C'est de la torture, Victor, pour lui comme pour moi. Je me suis promis de le laisser partir.

Puis, sur un ton radouci, elle ajouta :

— Il n'y a rien de bon à attendre de toute cette histoire. Je n'irai plus.

Je me tus un instant, le temps de mettre de l'ordre dans mes pensées. Puis je hochai la tête.

— Je comprends. Si je dois agir seul… eh bien, qu'il en soit ainsi. Tout ce que je sais, c'est que Wilhelm Frankenstein a trouvé le moyen d'entrer dans le monde des esprits. Et qui sait ce qu'il a pu trouver d'autre ? Il a peut-être fait toutes sortes de découvertes incroyables. Il a peut-être même compris comment ramener les morts à la vie. Dans ce cas, il a sûrement laissé des traces.

— La Bibliothèque obscure a été réduite en cendres, dit Henry.

Je réfléchis un moment, puis la lumière se fit dans ma tête.

— Seulement dans notre monde, dis-je. Dans le monde des esprits, elle existe encore. Tous les livres qu'a renfermés ce château y sont encore, épargnés par le feu, intacts.

— Les livres… commença Henry d'un ton las. Notre dernière aventure a été pleine de livres et…

— … elle s'est soldée par un échec, c'est vrai. L'alchimie et la science, primitives et modernes, nous ont laissés tomber. Mais, de toute évidence, l'occultisme recèle plus de richesses que je l'avais d'abord cru. Il y aura un tas d'autres livres à lire…

Je me tournai vers Henry.

— Pour un garçon aussi savant que toi, ce ne serait pas la mer à boire.

— Vil flatteur, dit Elizabeth. Henry est bien trop sain d'esprit pour se prêter à un exercice aussi insensé.

Je soupirai en hochant la tête.

— C'est quand même dommage, Henry. Dans le monde des esprits, on ressent une telle… *vitalité*. Elizabeth a éprouvé la même sensation. Dans ce monde, nous nous dépassons. Il m'a rendu mes doigts. Qui sait ce qu'il pourrait faire pour toi ?

Je le vis se mordiller la lèvre.

— C'est remarquable, poursuivis-je en observant son visage pour voir si j'arriverais à le fléchir. On y trouve ce qu'il y a de mieux en soi-même, de plus fort. On peut y être celui qu'on a toujours voulu être, mais qu'on a caché ou réprimé. Là, j'ai le sentiment d'être capable de tout...

Henry laissa entendre un rire sarcastique.

— Rien de nouveau sous le soleil !

Je rigolai.

— Non, sans doute pas. Mais, là-bas, c'est peut-être vrai.

— Trêve de blasphèmes, dit Elizabeth. Bonne nuit à vous deux.

— N'oublie pas de réciter tes prières ! lançai-je au moment où elle refermait la porte.

— C'était un peu cruel, dit Henry.

— Mais drôle, répliquai-je.

Nous rîmes tous les deux. Henry me regarda d'un air avide.

— Quoi d'autre ?

— Dans ce monde, tout est plus simple, plus vrai.

Je songeai à Elizabeth, aux sentiments crus et d'une violence animale que nous avions eus l'un pour l'autre, sans complications.

— Rien n'empêche celui qui s'y trouve de faire ce qu'il veut.

Il me regarda. On aurait dit qu'il avait peur de trahir un secret.

— Vraiment?

— Vraiment.

Il cligna des yeux et remonta sur son front ses fins cheveux blonds.

— La prochaine fois, je t'accompagne.

Le lendemain matin, je me réveillai de bonne heure, m'habillai et attendis dans la salle de musique qu'Elizabeth passe, en route vers la cuisine. En entendant ses pas dans le couloir, je pianotai quelques notes, celles de la mélodie que Konrad avait jouée la veille, et elle s'immobilisa. Avec hésitation, elle entra dans la pièce.

J'improvisai un air et chantai doucement:

— « Sachez, mon enfant, que je ne vous crois pas mûre pour le couvent. »

— Chut! siffla-t-elle en fermant la porte avant de s'approcher.

— Tu avais l'intention de faire comme si de rien n'était? lui demandai-je. Je veux parler des derniers instants.

Pendant un moment, elle ne dit rien et je songeai qu'elle refuserait peut-être carrément d'aborder la question.

— Merci de n'en avoir rien dit dans ton récit, dit-elle enfin avant de s'éclaircir la gorge. Tout indique que, dans le monde des esprits, les inhibitions... tombent. Que nos bas instincts s'expriment librement...

— Nos *bas* instincts? répétai-je. À t'entendre, on les croirait maléfiques.

— On peut éprouver des sentiments sans sentir le besoin d'y donner suite.

— Quelle sainte-nitouche tu fais! Pourquoi as-tu tellement de mal à admettre tes sentiments pour moi? Hier soir, tu n'as eu aucune difficulté à les exprimer.

— Sais-tu ce qui nous distingue des animaux, Victor?

— Oui, mais je crois que tu tiens quand même à me l'expliquer...

— Ils sont esclaves de leurs instincts. Ils ne connaissent ni le bien ni le mal. Ils ne savent pas se maîtriser. Les humains, si. Et cette maîtrise de nous-mêmes, il nous incombe de l'exercer.

— Et c'est pour cette raison que tu refuses de revenir dans l'au-delà? lui demandai-je. Parce que tu as peur d'être de nouveau dévorée de passion pour moi?

— Je n'y retournerai pas parce qu'il s'agit d'une entreprise maudite. Et si tu étais plus avisé, tu ferais comme moi.

— Je ne te crois pas.

— Je vais te parler sans prendre de gants, Victor: je ne suis pas amoureuse de toi.

La remarque me blessa, mais je persistai quand même.

— Tu es en colère parce que c'est moi qui ai mis fin à notre baiser.

Ses joues s'empourprèrent.

— Foutaise.

— Si je t'avais laissée faire, nous nous serions embrassés jusqu'à la mort de nos corps. Ha! Tu t'es sentie rejetée par moi!

— Tu tiens vraiment à connaître la cruelle vérité, Victor? Si je t'ai embrassé, c'est parce que je n'ai pas pu embrasser Konrad.

Et, en tournant les talons, elle me planta là. Je me demandai si elle avait dit la vérité.

Une fois de plus, mère ne mangea pas avec nous. Nos leçons matinales manquèrent d'entrain et père, qui semblait abattu, nous libéra plus tôt qu'à l'accoutumée. Comme j'avais besoin de solitude pour réfléchir, j'allai faire un tour sur les contreforts.

Les nuages qui pesaient sur nous depuis le début de la semaine se dissipaient et, lorsque je m'arrêtai pour reprendre mon souffle, le soleil avait percé. Je retirai ma veste et regardai de l'autre côté du lac, heureux de le voir retrouver des couleurs. Mes yeux se portèrent vers le sommet de la montagne, où la crypte familiale des Frankenstein était taillée dans le roc glaciaire. Là gisait Konrad dans son sarcophage de glace.

Sous une telle lumière, l'idée de le ramener à la vie me sembla absurde, comme le serait celle d'empêcher la Terre de tourner. Et si... Et si je laissais la vie suivre son cours, tout bonnement ? Ce projet, c'était sûrement de la folie.

Mais je revenais en pensée au monde des esprits, à ses couleurs et à ses textures, au débordement de vie dans mes veines, à ma main guérie, sans douleur. J'avais ouvert une porte et celle-ci avait révélé toutes sortes de possibilités, fait miroiter un pouvoir sans limites.

Et peut-être ce monde me permettrait-il de m'acquitter de la promesse que je m'étais faite à moi-même : percer à jour toutes les lois secrètes du monde afin de ramener Konrad à la vie.

Un élan de douleur dans mes doigts manquants me fit jurer. Je me détournai des montagnes pour admirer notre château, perché au bord du lac, telle une sentinelle puissante et silencieuse. Je m'imaginai en esprit malin tournoyant autour de la maison dans l'intention d'y entrer.

Peu de temps auparavant, je m'étais fait une seconde promesse : cesser de convoiter ce qui était à mon frère. Faudrait-il, si je le ramenais à la vie, que je renonce à Elizabeth ?

N'avais-je pas déjà consenti des sacrifices suffisants pour Konrad ? J'avais donné mes doigts, osé entrer dans le monde des esprits. En essayant de lui rendre la vie, je risquais de subir des épreuves encore plus grandes.

Dans le monde des esprits, Elizabeth m'avait embrassé et s'était serrée contre moi avec une passion en apparence impossible. Une part d'elle m'aimait forcément. Elle avait beau le nier, je ne la croyais pas. Si je parvenais à passer plus de temps avec elle dans le monde des esprits, sa ferveur se décuplerait peut-être et je réussirais à la lui faire ressentir dans le monde réel. Comment mon projet pouvait-il être déloyal puisqu'elle voulait la même chose que moi?

Je vais ramener mon frère, songeai-je.

Mais je vais garder Elizabeth pour moi.

À mon retour, j'aperçus, près des écuries, une jolie voiture qui ne m'était pas familière. Dans le château, je croisai le valet de chambre de mon père, Schultz, et je lui demandai qui nous rendait visite.

— Le professeur Neumeyer, de l'université, répondit-il. Il est venu étudier les cavernes.

— Il y est en ce moment? fis-je, impatient de les explorer de nouveau.

— Non. Il discute avec votre père. Dans le salon de l'aile ouest, je crois.

— Merci, Schultz, dis-je en m'élançant dans les marches.

Je les trouvai sur le balcon, avec Elizabeth et Henry, debout contre la balustrade. Le professeur montrait quelque chose au bord du lac. L'homme ne correspondait pas du tout à l'idée que je me faisais d'un professeur. J'avais imaginé un type à lunettes, aussi fin que du papier, mais cet homme-là ressemblait plutôt à un ours. Il portait des habits mieux adaptés à la chasse qu'à l'étude, son visage rougeaud était mangé par la barbe et il aurait pu casser nos os à mains nues sans le moindre effort.

— Comme vous le voyez, votre château occupe un emplacement des plus désirables, disait-il. Accès à l'eau potable et transport facile par le lac. Adossé aux montagnes, il permet de voir de tous les côtés, d'où son double avantage stratégique. Vous n'êtes pas les premiers à habiter ici, loin s'en faut. Cinq cents ans avant Jésus-Christ, les Celtes allobroges y avaient déjà des établissements.

— C'est à eux qu'on doit les peintures des cavernes? demandai-je.

— Ah, Victor, dit mon père en se retournant. Heureux de te voir de retour. Le professeur Neumeyer a eu l'amabilité de descendre jeter un coup d'œil à notre récente découverte.

— Trop bref, hélas, fit l'homme en me serrant la main, si fort que j'en éprouvai presque de la douleur. Et non, jeune monsieur, les Celtes ne sont pas à l'origine de ces peintures. Je les crois plus anciennes.

— Beaucoup plus anciennes? demanda Elizabeth.

Le professeur haussa ses puissantes épaules.

— Je n'ai encore jamais rien vu de tel. On les doit sans doute à une culture de chasseurs très ancienne. Regardez.

Il tira un objet de sa poche.

— Leurs outils étaient primitifs, mais ingénieux. Cet os sculpté est taché de pigments aux deux extrémités. Il s'agit, je crois, d'un pinceau primitif.

— Il y a aussi d'étranges symboles géométriques, ajoutai-je. Les avez-vous vus ?

Le professeur souleva ses sourcils broussailleux.

— Absolument.

— Ils avaient un langage, dis-je.

— Ah, vous soulevez là une excellente question. Ces marques semblent avoir été faites dans un but précis. Alors je pense que oui. Mais c'est un codex que je n'ai encore jamais vu. J'en ai fait une transcription que j'ai l'intention d'envoyer à un de mes collègues, en France, à qui on doit une découverte analogue dans des grottes près de Lascaux. J'espère qu'il sera en mesure de les traduire.

Il se tourna vers mon père.

— Vous avez là un véritable trésor, Alphonse. Je voudrais inviter des artistes à recopier ces peintures et des collègues à les examiner dans leurs moindres détails.

Mon père hocha la tête.

— Loin de moi l'idée de m'opposer à un tel projet. Notre maison vous est ouverte.

— J'aimerais aller à la messe, dit Elizabeth.

Nous dînions tardivement après le départ du professeur.

Je savais qu'elle ne demandait à aller à la messe en semaine que quand elle se sentait égarée. La dernière fois, c'était au plus fort de la maladie de Konrad. Elle avait alors tenu à aller allumer un cierge pour lui. Je me doutais bien de ce qui la préoccupait, mais je fus irrité de constater qu'elle cherchait à attirer l'attention sur ses griefs. Je me tournai vers père en me demandant s'il se doutait de quelque chose.

Il se contenta de dire, d'un air plutôt distrait :

— Bien sûr, Victor et Henry t'y conduiront.

Avant sa mort, c'était Konrad qui se chargeait d'emmener Elizabeth à la messe au village voisin de Bellerive. J'avais par la suite appris qu'il avait mis ce temps à profit pour la courtiser. Et qu'elle-même s'était servie de ces moments pour commencer à le convertir, lentement et clandestinement, au catholicisme romain.

En guidant le cheval et la voiture sur le chemin du lac, je ne pus m'empêcher de la taquiner :

— Allons-nous t'abandonner à l'église pour de bon ? Tu as déjà choisi ta guimpe ?

Elle s'efforça de poser sur moi un regard lourd de mépris, mais, derrière ses yeux, je devinais l'hilarité.

Assis entre nous, Henry se tourna vers elle, sincèrement alarmé.

— Vous plaisantez ? Ce n'est quand même pas pour tout de suite ?

Elizabeth et moi éclatâmes de rire à l'unisson.

— Mais non, Henry, ce n'est pas encore aujourd'hui que je vais faire mon entrée au couvent.

— Dieu merci, murmura Henry.

— Mais c'est pour bientôt, dis-je.

Puis un souci coupa court à mes ricanements. Je regardai Elizabeth d'un air grave.

— Tu n'as pas l'intention de te confesser, n'est-ce pas ?

— Mêle-toi de ce qui te regarde, dit-elle. Et même si c'était le cas, le prêtre est lié par le secret.

— C'est exact, dit Henry.

— Quand même, dis-je, les dents serrées, il vaudrait mieux que tu t'abstiennes de révéler nos petits secrets.

— Eh bien, répondit Elizabeth, incapable de réprimer un sourire, pourquoi n'entreriez-vous pas dans l'église avec moi ? Belle façon de m'empêcher de bavarder à tort et à travers.

— Je crois bien que je vais te prendre au mot, dis-je au moment où nous arrivions à destination.

— Bien. Si tu as envie de te joindre à nous, Henry, tu es le bienvenu.

— Je vais vous attendre dehors, merci, dit Henry, de confession calviniste.

— Dépêche-toi, Victor, dit Elizabeth d'un ton sarcastique par-dessus son épaule.

Elle souleva ses jupes pour courir jusqu'à l'entrée.

— Je me sens très repentante. Qui sait ce que je risque de confesser!

Je courus à sa suite. Durant la messe, j'attendis au fond de l'église en surveillant Elizabeth de près, par crainte qu'elle ne se précipite dans un confessionnal. Mais elle donnait l'impression d'être accaparée par ses propres prières. Au bout d'un certain temps, je m'aventurai dans une chapelle latérale où, au-dessus de l'autel, je vis un tableau représentant Jésus en train de ressusciter Lazare.

Je ne connaissais pas très bien la Bible, mais ce récit m'était familier. Sur le tableau, Jésus irradiait la lumière, une main tendue vers Lazare, dont le corps était encore partiellement recouvert d'un linceul. Pourtant, ses yeux étaient ouverts et il se soulevait en s'aidant de son bras plié. Autour de lui, des gens regardaient, ébahis. Certains étaient en pâmoison; d'autres pleuraient de joie ou peut-être de frayeur.

J'admirai le tableau si longtemps que je ne remarquai pas le départ des autres paroissiens. Entre-temps, Elizabeth s'était glissée à côté de moi.

— J'aurais pu entrer dans un confessionnal sans que tu t'en aperçoives, dit-elle malicieusement.

— Tu l'as fait? demandai-je sèchement.

— Non. C'est très émouvant, n'est-ce pas?

Elle désigna le tableau d'un geste de la tête.

— Tu crois vraiment qu'une telle chose est possible? lui demandai-je.

— Bien sûr. Si c'est Dieu qui y voit.

— Alors pourquoi ne pas Lui demander de le faire ?

Elle ne dit rien.

— Tu le Lui as demandé ? insistai-je.

— Ne te montre pas irrespectueux, s'il te plaît. Surtout pas ici.

Je ne me moquais pas. J'étais sincèrement curieux.

— Ton désir que Konrad revienne est aussi fort que le nôtre, non ? Peut-être plus fort, même. Pourquoi ne pas le Lui demander alors, puisque tu crois à Ses pouvoirs extraordinaires ?

— Les miracles étaient rares, même à l'époque de Jésus. Lazare était un de Ses amis et Ses contemporains avaient besoin de croire, de savoir qu'Il était le fils de Dieu.

Je contemplai de nouveau le tableau, la force qui émanait du corps de Jésus, telle une couronne.

— C'est parce que tu ne crois pas vraiment que c'est possible ? lui demandai-je.

Elle soupira.

— Quand Konrad est mort, j'ai prié pour que son âme monte tout droit au paradis. La mort fait partie de la vie, Victor. Cette idée m'est odieuse, mais je m'y suis résignée.

— Quand il est mort, lui dis-je, je me suis fait une promesse dans la crypte. Je me suis juré de le ramener.

— Tu as eu tort.

Je montrai le tableau.

— Et si je parvenais au même résultat ?

Elle posa ses doigts sur mes lèvres pour me faire taire.

Je lui agrippai la main.

— Aide-moi, s'il te plaît.

Lentement, elle secoua la tête.

— Puisque c'est comme ça, nous irons seuls, Henry et moi, dis-je en soupirant et en libérant sa main.

Je baissai les yeux, triste, sans cesser d'épier Elizabeth du coin de l'œil.

— Konrad va s'ennuyer de toi. Quand je pense à lui, tout seul, là-dedans… C'est vrai qu'il peut compter sur Analiese. Elle doit être pour lui d'un grand réconfort.

— Ne vois-tu pas que je suis en guerre avec moi-même ? demanda-t-elle à voix basse, les yeux humides. Je souhaite qu'il revienne ! J'ai de lui des souvenirs si vivaces qu'ils défient la réalité.

— Dans ce cas, aide-moi à créer une nouvelle réalité.

Au passage d'un nuage, les vitraux de l'église s'assombrirent brièvement.

— Dieu est le maître souverain de la vie, Victor. Pas nous.

— Des règlements, encore des règlements, marmottai-je sauvagement. Tous, ils peuvent être transgressés. Tu l'aimes trop pour laisser une telle occasion te passer sous le nez.

Elle souffla et je sentis sa résolution fléchir.

— M'en tenir à une seule visite... dit-elle. Tu ne sauras jamais ce qu'il m'en coûte...

Avec résignation, elle ajouta :

— Par ma faute, je risque peut-être déjà la damnation éternelle.

Je souris.

— Qu'as-tu à perdre alors ?

Chapitre 6
LE LIVRE DE PIERRE

Une goutte sur la langue et nous sommes ici, tous les trois.

Assis sur mon lit, je me tourne vers Henry, perché sur la chaise de mon bureau, les mains sur ses genoux. Ses yeux s'ouvrent à peine. C'est mon plus vieil ami et pourtant je mets un moment à le reconnaître. J'ai l'impression qu'il est plus costaud, que son visage naguère mince s'est épaissi, que ses cheveux fins sont plus abondants, que sa mâchoire a durci.

— Pourquoi me fixes-tu ainsi? demande-t-il.

Parce que tu es métamorphosé, ai-je envie de lui répondre. Je dis plutôt:

— Comment te sens-tu?

Ses narines se dilatent et il me sourit.

— Bien.

Il ouvre la main et examine son talisman, un bout de papier plié. Un choix bizarre, me semble-t-il, et mystérieux, car il a refusé de nous laisser lire son contenu. Il le glisse dans sa poche. Debout, il a l'air plus grand que d'habitude.

J'observe Elizabeth dans mon fauteuil, d'une beauté rayonnante. En glissant son bracelet de cheveux autour de son fin poignet, elle regarde Henry, à la fois surprise et intriguée. Avec un pincement de douleur, je constate qu'elle a remarqué le changement, elle aussi. Ses yeux noisette se portent sur moi, inquisiteurs, puis se détournent.

Le léger tic-tac dans ma main attire mon attention sur la montre occulte et je vois la patte du fœtus de moineau s'avancer vers la droite d'un léger mouvement sec. Derrière ma fenêtre, le sinistre brouillard blanc tourbillonne et gémit, tandis que les vitres frissonnent. Henry se tourne brusquement vers moi.

— C'est l'esprit malin ? demande-t-il.

— N'aie pas peur, dis-je. Il ne peut pas entrer.

— Je n'ai pas peur, fait-il, si calmement que je le crois.

— Bien, dis-je.

Mais je ne suis pas du tout certain que ce nouveau Henry si sûr de lui me convienne.

Nous sortons de ma chambre et, dans le couloir, je remarque qu'Elizabeth laisse Henry marcher entre nous, comme si elle cherchait à me tenir à distance. Craint-elle que, en nous touchant, nous soyons emportés une fois de plus ? Mais le plaisir que me procure cette pensée est aussitôt tempéré par une colère empreinte de jalousie. Je ne veux pas qu'elle soit en mesure de résister à l'attirance que j'exerce sur elle en ce lieu. Je souris intérieurement. On verra pendant combien de temps elle saura tenir.

Autour de nous, le château donne l'impression de vibrer au souvenir de lui-même. En nous avançant dans le couloir, nous cherchons Konrad, que nous trouvons enfin dans la bibliothèque. Analiese est avec lui. Ils regardent un livre, assis côte à côte devant une table, et leurs têtes se touchent presque. Analiese se caresse distraitement le lobe de l'oreille. Jetant un coup d'œil furtif à Elizabeth, j'observe sur son visage une expression que je n'y ai encore jamais vue : une franche jalousie.

Et alors Konrad grimace et se tourne vers nous en se protégeant les yeux de la main.

— Vous êtes revenus ! s'écrie-t-il. Et... C'est toi, Henry ?

— C'est moi, répond notre ami aux cheveux blonds.

Konrad se lève, s'avance vers nous avec empressement, oubliant pendant un moment la chaleur cuisante qui émane de nous et l'oblige à rester à cinq pieds de distance.

— Si je pouvais, je te serrerais la main, dit-il.

Il ricane et ajoute :

— J'avoue, Henry, que j'ai du mal à croire que Victor ait pu te contraindre à venir.

— Il n'a pas eu à m'y obliger, répond Henry amicalement, mais avec une fermeté inhabituelle. J'avais envie de te voir, Konrad, et de découvrir cet endroit par moi-même.

— Bonjour, Konrad, dit Elizabeth.

— Bonjour, répond-il.

Puis, d'un air presque coupable, il ajoute :

— J'initie Analiese à la lecture.

— Merveilleux, dit Elizabeth avec un sourire d'une sincérité presque effrayante. Il est bon professeur, Analiese ?

— Très bon, mademoiselle. On ne m'a jamais appris l'alphabet et il est très patient avec moi.

— Foutaise. Tu es une élève très douée, dit Konrad. Et c'est aussi une façon de tuer le temps. J'ai l'impression que votre dernière visite remonte à des lustres.

Balayant vite la pièce des yeux, j'aperçois son sabre sur une tablette couverte de livres.

— Aucun incident à signaler ?

Il hoche la tête et s'empresse d'ajouter :

— Mais les bruits sont de plus en plus fréquents.

— Les bruits ? répète Henry en se tournant vers moi. Tu n'as rien dit à propos de bruits inquiétants.

Son expression est légèrement accusatrice, mais je ne vois pas sur son visage l'inquiétude que je me serais attendu à y trouver.

— Un invité un peu turbulent, c'est tout, dis-je avec insouciance.

— Où ça ? demande-t-il.

— Personne ne le sait, monsieur, dit Analiese.

— Regardez ! s'exclame Elizabeth. Les papillons !

J'en découvre trois en me retournant. Ils volettent parmi nous, frémissants. Lorsque l'un d'eux se pose sur son bras, Henry inspire à fond et, fasciné, voit les ailes de la créature se parer de couleurs.

— Incroyable, murmure-t-il au moment où le papillon s'éloigne.

Le second frôle les cheveux couleur ambre d'Elizabeth, puis s'écarte.

Le troisième tournoie autour de moi et se perche sur mon épaule. Au moment précis du contact, je sens mon esprit s'affiner.

— Le tien ne s'envole pas, dit Henry avec, me semble-t-il, un soupçon d'envie.

— C'est que je suis irrésistible, dis-je en me tournant vers mon frère. J'espérais pouvoir compter sur ton aide.

Konrad m'examine en plissant les yeux et un sourire s'esquisse aux commissures de ses lèvres. Même par-delà la mort, mon jumeau me connaît bien.

— Que mijotes-tu, Victor?

Je gonfle mes poumons. Le papillon est toujours sur mon épaule. Sa simple présence active mon esprit et c'est comme si je voyais mieux l'avenir.

— J'ai l'intention de te ramener avec nous.

Analiese laisse entendre un léger hoquet. Konrad se laisse tomber sur sa chaise, tête baissée.

— Victor, ne…

— Je t'en prie, écoute-m…

— Victor! crie-t-il en levant sur moi un regard cour-roucé. C'est injuste. Je m'étais résigné à mon sort. Et puis ta venue ici…

Ses yeux se portent sur Elizabeth et s'attardent sur elle, si longtemps qu'il grimace en portant les mains à son front pour se protéger.

— Je me demande si c'est un bien ou un mal. Je *vois* la vie émaner de vous, comme si vous étiez des dieux. Mais cette lumière, je ne peux pas la partager. Je ne peux même pas vous toucher!

— Bientôt, dis-je.

— Non. C'est comme agiter une corde juste au-delà de la portée d'un homme qui se noie. Le jeu est trop cruel. Nous avons déjà couru après des mirages, Victor. Ne me fais plus de promesses.

— Je n'ai rien à te promettre, lui dis-je. Mais, de ton côté, tu n'as rien à perdre.

Ces mots le réduisent au silence pendant un moment. Une fois de plus, je vois ses yeux se poser sur Elizabeth, qui représente ce qu'il désire le plus au monde.

— En quoi consiste-t-il au juste, ce fameux plan? demande-t-il.

— Il commence, lui dis-je, dans la Bibliothèque obscure.

Elizabeth, Henry et moi sommes assis à la table où nous avons déjà compulsé des traités d'alchimie dans l'espoir de trouver une cure miraculeuse pour Konrad. Seulement, cette fois-ci, Konrad est avec nous, à une table éloignée où notre chaleur ne risque pas de l'aveugler et de l'embraser.

Analiese nous a faussé compagnie en déclarant que, étant illettrée, elle ne pourrait nous être d'aucune utilité. Mais je sens qu'elle a peur, qu'elle désapprouve peut-être notre démarche. Quand j'ai ouvert le panneau secret dissimulant la cage d'escalier, elle a eu un mouvement de recul et affirmé tout ignorer de l'existence d'un tel lieu. Elle est encore plus pieuse qu'Elizabeth.

Dans la Bibliothèque obscure, les tablettes ploient sous le poids des livres. Tous les volumes qu'on a un jour entreposés ici sont là, même si certains ne se voient pas au premier coup d'œil. Les plus anciens, ceux qui datent d'avant mon époque et peut-être même celle de mon père, sont d'abord cachés. Mais il suffit de fixer les tablettes assez longtemps pour que les volumes fantômes apparaissent en chatoyant. Nous n'avons qu'à les toucher pour qu'ils se matérialisent. Je montre à Elizabeth et à Henry comment voir à travers les couches temporelles et ensemble nous empilons des livres par brassées entières.

— Gros travail en perspective, souffle Henry. Nous n'aurons pas assez d'une seule visite.

— On verra, dis-je en sortant la montre occulte de ma poche.

Comme s'il devinait mes intentions, le papillon, qui, pour une raison que j'ignore, a refusé de quitter mon épaule, vient se poser sur ma main.

— Qu'est-ce que tu fais ? demande Henry.

Du bout du doigt, je touche la vitre qui recouvre la patte du fœtus de moineau. Les yeux clos, je concentre mon énergie mentale dans un couloir de force, aussi sombre et épais que de l'encre.

Lentement...

Je porte la montre à mon oreille.

Tic... tic...tic.

... encore plus lentement...

Tiiicccc... Tiiiiiiicccccccc...

Et, après un long silence au cours duquel je compte plusieurs battements de mon cœur, la montre laisse entendre un autre tic alangui.

— Ha ! crié-je, exultant, en tendant la montre à Elizabeth. J'ai réussi à la ralentir encore plus que la dernière fois. Elle est pratiquement arrêtée !

— Comment est-ce possible ? demande Henry en prenant l'objet de la main d'Elizabeth et en le portant à son oreille.

— C'est possible, lui dis-je.

Soudain, le papillon quitte ma main pour tourner autour de la pièce et je me sens abandonné.

— C'est dangereux? demande Henry. Nos corps nous attendent et ils ont besoin de...

— Nos corps s'en sortiront très bien! dis-je avec dédain. J'ai fait la même chose l'autre jour. Elizabeth m'a vu.

— Vous êtes restés une seconde de plus que la première fois, dit Henry. J'ai noté le temps avec exactitude.

— Une seconde! dis-je sur un ton moqueur. Quelle importance? Ici, le temps est complètement différent et j'en suis le maître! Tant et aussi longtemps que nous ne dépassons pas une rotation, nous ne risquons rien.

Henry consulte Elizabeth du regard.

— Si tu as peur, Henry Clerval, rien ne t'empêche de rebrousser chemin.

— Non, répond-il en retroussant ses manches. Profitons plutôt du temps que tu as gagné pour nous.

— Parfait! dis-je.

Konrad attrape le livre que je lui lance et se met au travail, lui aussi, à la recherche de tout ce qui concerne la résurrection des morts.

— Il y a beaucoup d'histoires de revenants, dit Henry en feuilletant un ouvrage, mais elles ne sont guère prometteuses.

— Les revenants? demande Elizabeth. Qu'est-ce que c'est?

— Des cadavres dépourvus de la moindre intelligence qui sortent de leur tombe, déambulent dans les villages, dévorent le bétail et les gens et finissent par se faire tailler en pièces par la populace.

— Ne perds pas ton temps avec eux, dis-je. Ce n'est pas ce que nous cherchons.

— Non, réplique-t-il, mais nous ne trouverons pas ce que nous cherchons à moins de tout lire avec attention.

Il a raison et je suis contrarié de le voir parcourir les textes plus vite que moi, mais le monde des esprits accentue nos dispositions naturelles et Henry a toujours eu beaucoup de facilité avec les langues. Je me replonge dans mon propre volume et les mots latins aux grossiers caractères gothiques me donnent du mal.

Un papillon (le même que tout à l'heure ou un autre?) atterrit soudain sur ma main. Je fixe ses ailes aux couleurs de l'arc-en-ciel et, à travers elles, le texte au bout de mes doigts et…

Je sens le texte défiler dans ma tête, le latin se traduit tout seul à une vitesse telle que je m'étouffe et tousse, comme si j'avais bu trop vite.

Le papillon, au lieu de s'envoler, reste sur ma main, où il ouvre et referme sereinement ses ailes.

Je pose de nouveau ma main sur le papier et, une fois de plus, un torrent de connaissances m'envahit. Vite, je tourne les pages, mes doigts balaient des paragraphes entiers et mes yeux se concentrent à peine sur le livre : ils se tournent plutôt vers l'intérieur de mon esprit, où ces connaissances ésotériques se révèlent à moi.

— Tu vas trop vite, Victor, me dit Elizabeth, que j'entends de loin, comme si elle se trouvait dans une autre pièce. Tu risques de rater quelque chose.

— Il n'y a rien d'utile ici, dis-je en repoussant le livre pour en saisir un autre.

Qu'ils soient écrits en grec, en latin, en araméen ou dans des dialectes perdus, je les parcours les uns à la suite des autres.

Je lève brièvement les yeux. Henry et Elizabeth m'observent d'un drôle d'air.

— C'est le papillon, n'est-ce pas ? demande Henry.

Sidéré, je hoche la tête.

— Il m'aide à lire plus vite, comme si une nouvelle forme d'énergie accélérait mon esprit.

— Comment peux-tu être sûr de ne pas t'abuser toi-même ?

Il tend le doigt et fait *clic* avec sa langue, comme pour appeler un chat. Le papillon, cependant, reste avec moi.

— À présent, nous en voulons un, nous aussi, dit Elizabeth en riant.

— C'est incroyable, dis-je.

À l'aide de ma main énergisée, j'ingurgite en quelques secondes le contenu d'un autre livre et le jette par terre.

— Que des balivernes, dis-je. Je ne prêterais foi à rien de tout ça.

De l'autre côté de la pièce, Konrad demande :

— Qu'est-ce que tu en sais ? Tous ces livres débordent d'incantations et de charmes mystérieux. Pourquoi l'un d'eux serait-il moins digne de foi qu'un autre ?

— Le papillon… On dirait qu'il sait ce que je cherche. Peut-être m'aide-t-il à séparer le bon grain de l'ivraie. Mais, en fait, il n'y a pas de bon grain, du moins pas dans ce livre-ci. Il y a autre chose, dis-je à ma propre surprise.

— Que veux-tu dire ? demande Henry.

— Un objet que je… que nous devrions chercher.

— Un livre différent ? demande Konrad.

— Caché quelque part. Je le reconnaîtrai en le voyant.

Le papillon se détache de mon doigt et je pousse un cri de consternation.

— Pas déjà !

Aussitôt, Henry tend le bras dans l'espoir de l'attirer, mais il évite nos mains et se pose plutôt sur ma tempe ; au même instant, je vois dans ma tête un enchevêtrement d'étranges symboles. J'ose à peine respirer.

— Je les connais, dis-je tout bas en fermant les yeux pour mieux me concentrer.

Ces symboles, je les ai vus non pas imprimés sur une page, mais gravés dans la pierre. Je me lève brusquement.

— Où vas-tu? demande Elizabeth.

Le papillon reste sur ma tempe et je ne veux pas le perdre.

— Les écritures des cavernes...

— Quelles cavernes? s'exclame Konrad, frustré.

— Ah, dis-je. Nous avons oublié de t'en parler. Le château des Frankenstein est construit sur les cavernes d'une culture ancienne.

— Aurais-tu perdu la raison, par hasard? lance Konrad tandis que je descends les marches en vitesse.

— Non, c'est la vérité, explique Elizabeth. Viens voir. C'est remarquable.

— J'ai encore raté beaucoup d'autres choses? demande Konrad, exaspéré. Il y a bien quelques semaines que je suis mort, après tout.

Je dévale les marches et jette un coup d'œil dans le faux puits. Je saisis l'échelle qui émerge des profondeurs et je me hisse sur ses échelons.

— Ce n'était donc pas un puits? s'étonne Konrad en me voyant descendre.

J'atteins le fond. Les chevaux géants peints sur les murs sont encore plus forts et dynamiques, comme si, à tout moment, leurs flancs musclés allaient se mettre à se soulever et leurs sabots à faire tourbillonner des nuages de poussière.

Je tends la main pour m'assurer que le papillon est toujours posé sur ma tête, mais j'interromps mon geste, car je sens sa présence, le fabuleux pouvoir tranquille dont il m'investit.

Elizabeth arrive la première. Elle balaie la caverne des yeux : sur son visage, cependant, je lis le malaise plutôt que l'émerveillement. Je lui demande :

— Qu'est-ce qui ne va pas ?

— Tu ne sens rien ?

Perplexe, je secoue la tête.

— Elle a raison, dit Henry en descendant du dernier échelon et en s'écartant pour laisser le passage à Konrad. Cette atmosphère maléfique n'était pas là avant.

— Tiens, on dirait bien que le vieux Henry est de retour, dis-je. Si tu préfères, tu peux aller nous attendre dans la bibliothèque.

— Ne sois pas désagréable, Victor, dit mon frère en parcourant la caverne des yeux.

Je remarque qu'il a passé son sabre dans sa ceinture.

— Il y a ici quelque chose d'anormal.

La vérité, c'est que je ne détecte aucune menace. Qu'une impatience féroce.

— Ce ne sont que de vieilles cavernes humides.

— Non, il y a ici quelque chose, dit Konrad.

— Oui, une chose dont nous avons besoin.

— Ce n'est pas ce que je voulais dire, déclare mon jumeau, la main sur la poignée de son arme.

Je songe aux bruits inquiétants qu'il a entendus en provenance des profondeurs du château. Mais je ne suis même pas effleuré par la peur.

— Écoutez-moi, tous. Vous êtes trop valeureux pour reculer maintenant ! Et nous n'avons rien à craindre.

Je fixe Henry et Elizabeth.

— Nous sommes vivants ! Nous dégageons de la lumière et de la chaleur. Ici, rien ne peut nous atteindre ! Faites-moi confiance.

À contrecœur, ils me suivent dans les galeries et les chambres aux hauts plafonds voûtés. Nous sommes loin de la première exploration que nous en avons faite dans le monde réel, étourdis par le merveilleux bestiaire galopant peint sur les murs. Nous avançons avec plus de méfiance. Par moments, les animaux que j'aperçois du coin de l'œil donnent l'impression de se mouvoir et je crois les voir baisser brusquement la tête, une lueur prédatrice dans les yeux.

Devant l'image du tigre à dents de sabre, Henry désigne, tout près, les symboles alignés que nous avons découverts la première fois.

— Ce sont ceux dont tu voulais parler ? demande-t-il.

Je déglutis et, plein d'espoir, pose ma main dessus. Du bout des doigts, je suis leurs contours anguleux et aussitôt, dans mon esprit, les tirets et les cercles, par miracle, s'organisent et forment un langage.

J'expire.

— Non. Ce n'est pas ce que je cherche. Il s'agit d'un simple compte rendu de chasse, du décompte des mises à mort. Il y a sûrement d'autres écritures ailleurs.

— Nous ne sommes pas allés plus loin, dit Elizabeth en fixant l'endroit où le passage se divise.

Une froide palpitation, une forme de connaissance, traverse ma tempe.

— Je connais le chemin, lui dis-je en prenant les devants.

— Attends, dit Henry. Il nous reste assez de temps?

Je sors la montre occulte de ma poche.

— Il nous reste plus d'une demi-rotation. Attrape!

Je lance l'objet à Henry.

— Je vois bien que tu ne me fais pas confiance, Henry. À toi d'être le gardien du temps.

— Et si nous nous égarons là-dedans? demande-t-il en m'agrippant fermement par la manche.

C'est la première fois qu'il tente de me retenir depuis que je le connais, je crois bien, et son geste ne me plaît pas du tout. Je dégage mon bras d'un coup sec.

— J'ai dit que je connaissais le chemin.

— C'est ton papillon qui nous guide, je suppose, dit-il. Et s'il décidait de nous fausser compagnie?

Parcourant le sol des yeux, je mets la main sur un vieux bout de charbon. Je m'en empare et je trace un *X* sur la paroi.

— Là. Ainsi, nos virages seront indiqués.

— Le château se transforme, dit Elizabeth. Nous avons déjà été témoins du phénomène.

— Pas dans ces cavernes, dis-je avec certitude. Elles sont les mêmes depuis la nuit des temps. Il n'y a rien à y changer.

Je recommence à marcher. Trois fois, nous passons par des embranchements et je marque chacun d'entre eux. Sur les murs, les peintures se font plus espacées, mais, attiré vers les profondeurs par un instinct surnaturel, je les remarque à peine.

— Il ne reste qu'un quart de rotation, avertit Henry derrière moi.

— Vous allez trop loin, Victor, dit Konrad. Vous risquez d'avoir du mal à réintégrer vos corps à temps.

— Nous y sommes presque, fais-je.

Et j'ai raison, car, soudain, le passage s'ouvre sur une caverne dont le haut toit forme une sorte de dôme.

— Doux Jésus! s'exclame Henry.

Les yeux levés, je contemple, moi aussi, une image grossière, mais très grande, faite de lignes noires foncées. Le sujet, dressé sur ses jambes, a une tête et il tend un bras d'où émanent des traits en zigzags suggérant un immense pouvoir.

— C'est un homme? demande Konrad derrière nous.

— Quoi d'autre? répond Elizabeth.

— Bizarre, tout de même, dit Henry. Les portraits d'animaux sont réalistes, tandis que celui-ci est… si primitif.

En l'observant, je songe à la peinture de l'église de Bellerive, à Jésus debout devant Lazare.

— Regardez! m'écrié-je, car sous l'image se trouve un texte géant, fait de lignes, de points et de formes étranges.

— Le livre! Un livre de pierre!

De très loin résonne dans la caverne un son comme je n'en ai jamais entendu, une série de halètements fiévreux et rapides, puis un lent gémissement qui se dissipe comme la dernière vapeur d'un souffle.

— C'est ce son-là! s'écrie Konrad.

Soudain, il a tiré son épée et fixe un passage qui s'incline vers le bas, si à pic qu'il fait penser à un escarpement.

— C'est venu d'en bas!

— Qu'est-ce que c'est, au nom du ciel? demande Henry.

— Une créature oubliée par Dieu, murmure Elizabeth. Une âme en peine.

— Un peu théâtral, non ? dis-je en grognant. Une des portes de l'enfer juste en bas de chez nous ?

Henry laisse entendre un petit rire forcé.

— C'est peut-être un peu exagéré, même pour les Frankenstein.

À présent, seul le silence monte du passage en pente raide. Je m'en approche. Contrairement aux autres, je ne sens ni peur ni présence diabolique. Je ne goûte que le pouvoir que j'exerce. Je *veux* voir ce qui se cache là-dessous.

Mais mon regard, comme aimanté par des forces qui me dépassent, se porte vers les signes peints sur la paroi de la caverne.

— J'ignore quelle créature se terre là-dessous, mais elle est très loin et ne nous concerne pas. C'est pour ce texte que nous sommes venus.

— Dépêche-toi, dit Henry, les yeux rivés sur le passage.

Tandis que je m'avance vers le mur, le papillon se détache de ma tempe et se pose sur ma main, puis je fais courir mes doigts sur les symboles. Derrière mes yeux, je sens monter une forte pression, des mots et des images et des idées se forment, puis dans un torrent aveuglant je vois…

Un corps gisant sur le sol, sa chair putride. Je vois les jambes de nombreux vivants campés au-dessus du cadavre, l'encerclant. Je les entends entonner un chant à l'unisson. Une sorte de faux s'abat et sectionne le pied au niveau de la cheville. Je sens mon estomac se soulever. Des explosions de lumière me révèlent des aperçus fragmentés. Des lames débitent le corps en morceaux de plus en plus petits, puis…

Une douleur me vrille la tête et j'écarte ma main en poussant un cri.

— Victor ! entends-je Konrad crier derrière moi. Tu vas bien ?

— C'est venu si violemment et si vite…

Je repousse la douleur en grimaçant.

— Je vois des images dans ma tête.

— Assez ! dit Elizabeth d'une voix implorante.

— Non. Il y a autre chose.

Je plaque ma main sur le mur et, soudain, c'est comme si elle y était soudée et je vois…

Un pied amputé jeté dans un long trou humide semblable à une tombe. Quelqu'un s'est agenouillé tout près et dénoue avec soin une vessie d'animal. De l'ouverture s'échappe une chose plus foncée que l'ombre. Au début, je crois qu'il s'agit d'un scarabée, mais la silhouette est plus fluide, plus troublante aussi. L'humain fait un pas en arrière et l'ombre bondit sur le pied, s'enfouit avidement dans la chair en décomposition…

Je chancelle une fois de plus, pris de haut-le-cœur.

La main de Henry est sur mon épaule.

— Victor, tu as besoin de…

— Non !

— Notre temps est presque écoulé ! me crie-t-il en brandissant la montre.

Incrédule, je constate que la patte est au bout de sa rotation. Impossible que tout ce temps se soit écoulé. J'approche la montre de mon oreille.

Tic... tic... tic...

Je ne comprends pas. L'aiguille a retrouvé son rythme normal, mais, dans l'immédiat, je n'ai pas la force de corriger la situation. J'ai besoin de toutes mes facultés pour mener à bien la traduction de la pierre.

— Je dois finir, dis-je en haletant. J'ai presque terminé !

Je remets mes doigts sur la pierre et...

Deux mains humaines descendent dans le trou humide et ensevelissent vite le pied amputé dans la boue, en ajoutent un peu et, en tapotant, façonnent une forme arrondie, de petites bosses qui sont forcément des bras, des jambes, une tête. Un bâton creuse deux fentes pour les yeux.

— Qu'est-ce que tu vois, Victor ? demande Elizabeth.

Mais je l'ignore pour mieux me concentrer sur l'image cuisante projetée dans mon esprit.

De la lumière balaie le petit homme de boue, comme si le soleil traversait à toute vitesse le ciel, puis ce sont des ténèbres, vite chassées par la lumière qui revient. Devant un tel spectacle, j'ai le vertige et le temps s'accélère. Le petit homme de boue tremble et grandit, son tronc s'allonge, ses contours se précisent et, sur son visage, des traits de vase apparaissent.

Des animaux s'approchent, le reniflent, ont un mouvement de recul. Les poils d'un chat sauvage se hérissent ; des rats s'éloignent en couinant. L'homme de boue a beau être inerte et sans défense, personne ne s'en approche.

Plus vite, plus vite, la créature grandit, paraît de plus en plus humaine. Sa peau a perdu l'apparence de la boue pour prendre la couleur et la texture de la chair. Et puis, étendu sur le sol, se trouve un homme, celui que j'ai d'abord vu mort et en train de se décomposer, mais entier, né à nouveau.

Ses yeux s'ouvrent.

Je m'écarte, comme si le mur m'avait repoussé, et je m'écrase lourdement sur le sol.

— Ça va, Victor ? demande Elizabeth.

Elle me tend les bras, puis s'arrête, peut-être au souvenir de ce qui s'est passé la dernière fois que nous nous sommes touchés.

— Qu'est-ce que tu as vu ? demande-t-elle.

— Nous allons manquer de temps ! s'écrie Henry d'une voix insistante en me tendant la main.

Je l'accepte volontiers et il m'aide à me remettre sur pied. Je touche ma tête, qui m'élance à la façon d'un muscle trop sollicité.

— Foncez! s'écrie Konrad. Ne m'attendez pas!

Du passage à pic s'élève un autre lointain gémissement et, comme aimanté, je me tourne de nouveau de ce côté.

— *Tout de suite*, Victor! s'écrie Elizabeth.

Et, les précédant, je cours vers l'entrée. Je souris, soudain euphorique. J'ai l'impression de traverser un rêve en bondissant. Au galop, je passe devant des cerfs et des taureaux, des ibex et des chevaux. Je gratifie le tigre accroupi d'un sourire méprisant.

— Pas si vite, m'ordonne Elizabeth. Konrad prend trop de retard.

Étourdi par ma vitesse surnaturelle, je me tourne vers mon jumeau, qui traîne loin derrière, et je ne peux m'empêcher d'éclater de rire à la pensée de toutes les courses qu'il a remportées haut la main quand nous étions enfants. Et voilà qu'il se montre incapable de me suivre.

— Notre temps est presque écoulé, dis-je en remarquant que je ne suis même pas essoufflé.

— À qui la faute? demande Henry, juste derrière moi.

— Tout ira bien! dis-je.

Dans ma tête vibrent les écritures de la caverne. *Les choses que j'ai vues.*

— Il risque de se perdre! s'écrie Elizabeth.

— Nous laissons derrière nous une traînée de lumière, dis-je, et nous avons marqué tous les virages.

Elizabeth trébuche sur une pierre et je tends la main vers elle. C'est un geste impulsif. Pourtant, je suis parfaitement conscient de ce que je fais. Avant que mes doigts se referment sur son poignet, nos regards se croisent et je sens le désir crépiter entre nous, le vois sur son visage, semblable à un appétit dévorant.

Mais Henry l'attrape en premier, l'empêche de tomber.

J'expire, déçu, puis irrité. Je tends de nouveau la main, mais alors la voix de Konrad retentit :

— Je vous ai dit de ne pas m'attendre !

Et nous recommençons à courir, mais à un rythme que mon jumeau peut suivre. Devant l'échelle, Henry dit :

— La patte tape sur la vitre ! Qu'est-ce qui va arriver ?

— Nous avons encore du temps, lui dis-je d'une voix rassurante.

Je sens mon corps m'entraîner vers lui dans le monde réel. Impossible de lui résister. Vite, je gravis l'échelle.

— Victor ! crie Konrad d'en bas. Tu as trouvé ce que tu cherchais ? Dis-nous ce que tu as vu !

— J'ai trouvé ! lui dis-je par-dessus mon épaule en lui souriant d'un air triomphal. Je sais comment te ramener.

Chapitre 7

UN INGRÉDIENT CRUCIAL

— À t'entendre, dit Henry, on croirait presque avoir affaire au culte que les Égyptiens vouaient à Osiris.

Baignés par la lumière du soleil, nous serrions le vent à bord de notre bateau de vingt pieds. L'aube s'était levée avec la promesse d'une chaude journée d'été. Après nos leçons et le dîner, nous avions demandé à notre cuisinière de nous préparer un panier à pique-nique pour notre sortie. Au gouvernail, laissant le château dans notre sillage, j'eus enfin l'occasion de raconter à Henry et à Elizabeth ce que m'avaient révélé les écritures des parois de la caverne.

— Quelqu'un, j'oublie qui, a tué Osiris, poursuivit Henry, puis a découpé son corps en quatorze parties qu'il a disséminées çà et là. Sa famille les a retrouvées et enterrées, après quoi il est revenu à la vie en tant que dieu de l'au-delà.

— Un mythe, dit Elizabeth. Qu'est-ce qui nous permet de croire que les écritures des grottes sont d'une autre nature? On les doit à des êtres primitifs, superstitieux. Vous croyez vraiment qu'ils savaient ramener des gens à la vie?

— Ah, fis-je. C'est justement là le plus intéressant. Ils ne les ramenaient pas à la vie. *Ils leur faisaient pousser un nouveau corps.* Préparez-vous à changer de direction, je vous prie.

Avec fermeté, je poussai le gouvernail. À l'avant du cockpit, Elizabeth et Henry s'affairaient avec la misaine. Henry, qui n'avait jamais eu le pied marin, se déplaçait avec aisance désormais et maniait adroitement le treuil. Et je crus remarquer qu'Elizabeth avait repris les couleurs et le poids qu'elle avait perdus au cours des dernières semaines. Ses joues étaient d'un séduisant rouge carminé et ses cheveux fouettés par le vent arboraient un lustre nouveau.

La bôme passa au-dessus de nos têtes et la grand-voile se gonfla avec un claquement réjouissant. Je tournai le gouvernail, visage au vent, inspirai avec délices. Depuis mon réveil, je me sentais remarquablement bien, débordant d'énergie. Optimiste même. Pour la première fois depuis la mort de Konrad, j'avais eu envie de me lever et d'entamer la journée. Et je n'avais encore éprouvé aucune douleur dans ma main droite mutilée.

À première vue, notre séjour dans le royaume des morts nous avait profité à tous les trois.

— Une partie de corps humain et un peu de boue, dit Elizabeth d'un ton pensif.

— Difficile de croire qu'il puisse être aussi simple de créer la vie, ajouta Henry.

Il remonta ses lunettes sur son nez et me regarda d'un air de défi.

La repartie rapide d'Elizabeth me surprit.

— Est-ce si différent de la façon dont Dieu a créé Adam, avec de la boue ?

— Eh bien, non, admit Henry. Mais tu oublies le liquide noir décrit par Victor. C'est l'un des ingrédients.

— Ce n'était pas un liquide, dis-je.

Les images et les mots anciens restaient gravés dans ma tête, comme si j'avais trop longuement fixé le soleil.

— Le contenu du sac était vivant. Il ne s'écoulait pas, il était mû par sa propre volonté.

— Ah, fit Henry. Il nous faut seulement de la boue, un bout de corps et un liquide magique que nous n'avons pas.

Je secouai la tête, soudain conscient d'un autre élément.

— Non. Ce n'est pas encore suffisant. Le corps n'est qu'une coquille. Il est dépourvu d'*esprit*. Il faut faire pousser le corps dans notre monde jusqu'à ce qu'il soit prêt à accueillir Konrad.

— C'était écrit dans ces symboles ? demanda Henry, incrédule.

Je hochai la tête.

— À la fin, tout m'est venu d'un coup.

Je vis Henry lancer un regard à Elizabeth avant de poser de nouveau les yeux sur moi.

— Et tu es certain, absolument certain, d'avoir bien lu ou vu ces symboles ? Les traduire n'a sûrement pas été une mince affaire, avec ou sans l'aide du papillon.

— Certain, Henry, dis-je avec fermeté.

— Et tu te vois déjà donner suite à ce projet ? demanda-t-il. C'est une chose primitive, barbare.

— Quel autre choix s'offre à nous, Henry ? demanda Elizabeth avec impatience.

Je fus étonné et ravi par sa ferveur.

— Si j'avais lu de tels propos dans un livre, je les aurais trouvés saugrenus. Mais nous sommes tous trois entrés dans le royaume des morts et nous avons vu ce qu'il recèle. Et nous devons sortir Konrad de là le plus vite possible. Ce bruit…

Je vis Henry réprimer un frisson au souvenir du singulier gémissement venu des profondeurs. Mais je me rappelai aussi qu'Analiese avait dit n'avoir jamais rien vu, signe que la chose, quelle qu'elle soit, ne s'était pas manifestée depuis des lustres. Et elle n'était pas forcément maléfique. Une partie de moi, qui me dépassait, souhaitait en savoir davantage à son sujet. Mais si Henry et Elizabeth la craignaient et la croyaient capable de faire du mal à Konrad, tant mieux : ils se donneraient corps et âme à notre mission.

— Oui, dis-je. Nous n'avons pas un instant à perdre.

— Ce liquide, dit Elizabeth, ou cette substance… Nous devons découvrir où nous en procurer.

— Pourquoi les hiéroglyphes ne t'ont-ils pas renseigné à ce sujet? demanda Henry.

— Il y a peut-être d'autres écritures dans la caverne, risquai-je. Ou ailleurs. Il faudra y retourner.

Elizabeth hocha la tête, réticente.

— Je dois avouer que cet endroit ne me plaît pas du tout.

— Je pense que Henry s'y plaît bien, lui, dis-je.

Il se pencha en arrière avec, sur le visage, l'expression de celui qui se remémore un plaisir fugitif et coupable.

— Impossible de le nier, admit-il. Il y a là quelque chose de... «libérateur» serait-il le mot juste?

— C'est toi le spécialiste des mots, dis-je en souriant.

— Là-bas, je suis différente, dit Elizabeth. Je ne m'aime pas.

Je pouffai de rire.

— Tu es davantage toi-même. C'est là le prodige. Nous sommes tous dans le même cas.

Elle rougit et posa son regard sur le rivage.

— Si c'est vrai, je me ferais beaucoup de souci, à ta place. Là-bas, tu es encore plus irresponsable et arrogant qu'ici.

— Comment ça? demandai-je, indigné.

Henry grogna.

— Avec ces papillons collés à ta peau, tu te pavanes comme un demi-dieu. Et ce que tu as fait avec la montre occulte…

— Ne sommes-nous pas rentrés sains et saufs ?

— J'avoue que oui, dit-il.

— Pendant combien de temps nos corps sont-ils restés sans nous ?

— Une minute et deux secondes.

— Seulement une seconde de plus !

— Il y a des limites à ce que le corps humain peut supporter ! s'écria Henry.

— Je pense que tu risques d'être étonné, mon ami.

De toute évidence, Elizabeth et lui ne se doutaient pas de la vitalité et du pouvoir dont je me sentais investi dans le royaume des morts. Là-bas, mes sens et les expériences que je vivais me semblaient encore plus réels que la lumière du soleil, le vent et l'eau qui m'entouraient à présent. Je me rendis compte que je tenais plus que tout à y retourner.

— Victor.

J'étais sûr que Henry allait encore me réprimander, mais je le vis plutôt fixer le gouvernail.

— Il y a quelque chose sur ta main droite.

Je jetai un rapide coup d'œil et, amusé, déclarai :

— Mon cher Henry, c'est ce qu'on appelle une ombre.

Je fus remarquablement heureux d'apercevoir, gravé sur son front pâle, l'air inquiet qui lui était habituel. Le monde des esprits ne l'avait pas encore entièrement transformé.

— Non, dit-il. Je veux parler de l'endroit où tes doigts se trouvaient autrefois.

Je baissai les yeux et poussai un grognement contrit : par une sorte de jeu de lumière, on aurait en effet dit que j'avais un quatrième et un cinquième doigts, repliés sur le gouvernail.

— C'est juste une ombre, Henry. Regarde.

Et je fis remonter ma main le long du gouvernail. Les deux doigts fantômes s'allongèrent et disparurent sous ma main avec une rapidité et une fluidité qui ne permirent plus de croire qu'il s'agissait d'une ombre.

Je lâchai brusquement le gouvernail.

— C'est encore là ! cria Elizabeth en montrant du doigt.

Je retournai ma main et vis, sur ma chair, une chose foncée, lisse.

— Qu'est-ce que c'est ? demanda Henry, haletant.

— On dirait une sorte de scarabée ! s'écria Elizabeth.

Je secouai violemment ma main, mais la chose s'y accrocha. Je la balayai à l'aide de ma main gauche.

— Où est-elle passée ? demandai-je en parcourant des yeux le sol du cockpit.

— Ton autre main ! cria Henry.

Je vis la chose se tasser sournoisement dans le pli entre mon pouce et ma paume. De plus en plus alarmé, je me levai en la frappant.

— Je ne peux pas m'en débarrasser ! m'écriai-je. Je ne la sens même pas !

Sans personne pour le diriger, le bateau se glissa dans le vent et, au moment où il lofait, le soleil inonda ma main. Aussitôt, je vis l'insecte se glisser sous la manche de ma chemise.

Horrifié, j'arrachai mon veston, le lançai sur le pont et tentai désespérément d'ôter ma chemise en faisant sauter les boutons.

Le bateau oscillait et je faillis être assommé par la bôme.

— Là ! s'exclama Elizabeth et je vis un reflet disparaître sous mon aisselle.

— Aaah !

Je soulevai le bras bien haut en chancelant et je me tournai vers le soleil pour mieux voir. La chose sortit des poils emmêlés de mon aisselle pour gagner mon dos, de sorte que je la perdis de vue.

— Où est-elle passée ? demandai-je en faisant un brusque écart pour permettre à Henry et Elizabeth de voir.

— Elle craint la lumière ! dit Henry. Elle se cache.

— Débarrasse-moi de cette chose ! criai-je.

— Elle est trop rapide ! protesta Henry en tapant sur ma peau. Vive comme du mercure.

Cherchant frénétiquement à chasser cette vermine, je tournai sur moi-même et jetai un coup d'œil par-dessus mon épaule.

— Victor, dit Elizabeth avec une effrayante solennité. Elle est entrée dans ton pantalon.

Je me défis de ma ceinture en rejetant mes chaussures d'un coup sec. Je dégageai une de mes jambes et vis la sombre créature rampante foncer vers l'autre. Lorsque je fus débarrassé de mon pantalon, la diabolique petite bête grimpa vers mon caleçon et y disparut.

Je n'hésitai qu'une fraction de seconde à m'en départir. J'étais flambant nu, à présent, mais ma panique était telle que je m'en moquais.

— Allez chercher un bocal dans le panier à pique-nique et attrapez-la ! criai-je.

Elizabeth suivait la progression de la créature sur tout mon corps. Je ne m'en formalisais pas. Je n'avais qu'une seule pensée : *Allait-elle entrer en moi ?* Je serrai les fesses.

Le bateau ondulait et tournait et la lumière et l'ombre jouaient sur mon corps. La créature, abandonnant mes parties intimes, détala derrière ma cuisse.

— Sur ma jambe droite ! criai-je.

Henry vida deux bocaux contenant de l'eau et en tendit un à Elizabeth. Je me tournai face au soleil pour inciter la créature à rester derrière moi.

— Vous la voyez ? hurlai-je.

— Oui, sur ton dos. Essaie de ne pas bouger, Victor ! dit Elizabeth en se rapprochant.

Ils tentèrent d'attraper la chose et je sentis les bocaux me frapper.

— Je l'ai ! s'exclama Elizabeth en plaquant le bocal contre le bas de mon dos, si fort que je poussai un cri de douleur. Elle est prise au piège ! Passe-moi le couvercle, Henry !

— Tiens, le voici, fit-il.

Par-dessus mon épaule, je vis Elizabeth détacher prestement le bocal de ma peau, glisser le couvercle dessus et le visser fébrilement.

— Ça y est ! s'écria-t-elle d'un ton triomphal.

J'éprouvai un immense soulagement, mais, curieusement, je me fis tout de suite après la réflexion suivante :

Je veux qu'elle revienne sur moi. Tout de suite.

Je sentis un élan de douleur dans ma main. Oubliant ma nudité, je me tournai pour jeter un coup d'œil à la chose, qui se cognait en vain contre le verre.

Henry s'éclaircit la gorge.

— Couvre-toi, Victor.

Je remarquai qu'Elizabeth, apparemment peu troublée de me voir dans le plus simple appareil, se contentait de sourire, les yeux dans mes yeux. Elle me tendit mon caleçon.

Après m'être rhabillé en hâte, je m'emparai du bocal et le brandis dans la lumière du soleil pour mieux examiner le petit monstre. Sans ombre pour la protéger, la créature, hystérique, se ruait contre le verre et j'eus peur que le bocal vole en éclats.

— Ce n'est pas un animal ordinaire, dis-je. Où est sa tête ? Où sont ses membres ? Il se métamorphose sans cesse !

Épuisée, aurait-on dit, la chose se tassa dans un coin et, recroquevillée, ne forma plus qu'une tache d'encre dense.

— Elle pâlit ! dit Elizabeth.

— C'est vrai, confirma Henry.

La chose s'effilochait sur les bords, se décomposait en laissant échapper des vrilles de fumée.

— Le soleil lui fait du mal, murmurai-je.

— Qu'elle crève ! s'écria Henry.

En s'effrangeant, la chose prit la forme d'un papillon et, pendant un bref instant, j'aperçus les miraculeuses couleurs de ses ailes.

— Attendez !

Aussitôt, j'abritai le bocal avec mon corps, puis j'enroulai une serviette de table autour.

— Qu'est-ce que tu fais ? demanda Henry.

— C'est un des papillons ! Du monde des esprits !

— Mais comment ? demanda Elizabeth.

— Celui qui est venu à mon aide dans les cavernes… Il a dû m'accompagner. Il est bel et bien sorti avec moi !

Très lentement, Henry dit :

— Comment une chose venue du monde des morts a-t-elle pu s'introduire dans le nôtre ?

Je jetai un coup d'œil dans le bocal. À l'abri des rayons du soleil, la créature s'était recomposée et avait en partie retrouvé son intense couleur noire, qui se répandit à l'intérieur du bocal. J'inspirai à fond. C'était évident.

— Vous savez ce que c'est ? dis-je en souriant aux deux autres. Le dernier ingrédient dont nous avons besoin pour faire pousser Konrad.

Chapitre 8

BOUE

Je touchai la poignée de la chambre de Konrad, appuyai mon front contre le bois de la porte. Après avoir pris une profonde inspiration, j'entrai et, sans bruit, je refermai derrière moi. Dans la pièce, l'obscurité était quasi parfaite. Seule une faible pénombre nimbait les rideaux tirés.

Pendant un moment, j'imaginai l'autre monde, celui dans lequel résidait Konrad à présent. Brièvement, la pièce sembla chatoyer, comme si elle voulait me révéler toutes les formes qu'elle avait prises au fil des ans, mais elle finit par se figer en incarnant l'indéniable vérité de l'ici et maintenant.

On n'y avait rien changé : personne n'avait encore osé l'ultime geste de résignation. Et si je menais mon projet à bien, ce serait inutile.

J'avais besoin d'un vestige du corps de Konrad. Ni Elizabeth, ni Henry, ni moi n'avions pu nous résoudre à nous rendre dans la crypte pour profaner sa dépouille. Mais j'avais alors compris que rien ne nous y obligeait. Les hiéroglyphes de la caverne m'avaient appris qu'il suffisait d'une partie autrefois vivante de son corps. Sans doute la taille n'avait-elle aucune importance.

Sur la commode de Konrad, je trouvai sa brosse, d'où je retirai le plus grand nombre de cheveux possible. J'entendis la porte s'ouvrir lentement et je me retournai d'un mouvement vif, serrant la brosse d'un air coupable.

Sur le seuil se tenait ma mère, une main sur la bouche pour réprimer un cri.

— Konrad ? haleta-t-elle.

— C'est moi, Victor, mère. Désolé de vous avoir fait peur.

Je courus vers elle en glissant la brosse dans ma poche et l'aidai à s'asseoir dans le fauteuil le plus proche. Bien qu'il soit presque midi, elle était en chemise de nuit.

— Je t'ai pris pour…

Elle mit un moment à reprendre son souffle.

Son aspect ne me plut pas du tout : en effet, ma mère si belle avait les joues creuses et ses yeux d'ordinaire si animés étaient éteints.

— Laissez-moi vous aider à regagner votre chambre, dis-je.

— Ton père pense que je ne fais qu'aggraver mon état en venant ici, mais j'en ai besoin. J'en ai encore besoin. Toi aussi, de toute évidence.

Elle saisit ma main mutilée entre les siennes. Sa peau était parcheminée, ses os et ses tendons plus saillants que dans mes souvenirs. Je me faisais énormément de souci pour elle, mais je n'osai rien dire. Exprimées à voix haute, mes craintes deviendraient plus réelles, plus effrayantes.

— Elle te fait encore mal, ta main ? demanda-t-elle.

— Plus tellement, mentis-je.

Elle parcourut des yeux la chambre sombre.

— Je rêve de lui presque toutes les nuits. Et, parfois, nous parlons. Je serais prête à tout pour m'entretenir une dernière fois avec lui.

Sans réfléchir, je dis :

— Si je pouvais vous le ramener, je le ferais.

— Je sais, Victor. Tu as tout tenté.

— Père pense que…

— Ton père pense que tu es irréfléchi et têtu, mais il m'a dit n'avoir jamais été témoin d'un tel dévouement et d'un tel amour fraternels.

— C'est vrai ?

Elle fit signe que oui.

— Tous les jours, je me réjouis de vous avoir, Elizabeth, William, Ernest et toi. Je finirai par ne plus porter aussi lourdement le deuil. Mais ce jour me semble… très lointain.

Je l'embrassai sur les joues et la serrai contre moi.

— Vous devriez vous reposer, dis-je.

— Je ne fais que me reposer, répondit-elle d'un air las.

Puis elle esquissa bravement un sourire.

— Tu as pris la brosse de Konrad comme souvenir ?

J'avalai difficilement.

— Oui. Je la veux pour moi.

Et j'en ai besoin pour le ramener à la vie pour nous tous.

La cabane en bois se trouvait aux limites de notre propriété, au bord d'un pré à l'abandon jouxtant la forêt. La porte en bois mal dégrossi s'ouvrait sur un sol de terre battue et des murs de planches que ne perçait aucune fenêtre : c'était un endroit où les ouvriers agricoles s'abritaient par mauvais temps et entreposaient des pierres et des poteaux de clôtures inutilisés, des pelles et des scies rouillées.

Sur la grossière table en bois, nous disposâmes des lanternes allumées et fermâmes la porte. Avec soin, je déposai le bocal renfermant le papillon. Il avait passé un jour et une nuit dans ma chambre, dissimulé avec soin, tel un insecte bizarre qu'un garçon se sent coupable de cacher à sa mère. Il nageait sur le verre, puis il se munissait de pattes et trottait à gauche et à droite, puis se dotait d'ailes noires et voletait, se cognait au couvercle, son être tout entier voué à la fuite. *Bientôt*, songeai-je. *Bientôt, tu pourras sortir et commencer ton travail.*

Je tirai de la poche de ma veste le flacon renfermant les cheveux de Konrad et le posai à son tour sur la table.

Je regardai Henry et Elizabeth.

— Nous allons réussir, dis-je.

Henry hocha la tête.

— Oui.

Je vis Elizabeth prendre une profonde inspiration, mais ses yeux, lorsqu'elle hocha la tête, étaient calmes. Ce jour-là, devant le tableau représentant Jésus et Lazare, elle avait pris sa décision et elle n'était pas du genre à battre en retraite.

— Par où commencer ?

— Eh bien, c'est… relativement simple, dis-je. D'abord, le trou.

Je tendis une pelle à Henry et plantai la mienne dans le sol, derrière la table. Grâce à nos efforts conjugués, ce fut l'affaire de quelques minutes. Le trou était peu profond, un pied tout au plus, sur six de longueur. *Un berceau*, songeai-je.

Mais il ressemblait davantage à une tombe.

Au fond, la terre était humide et argileuse. Elizabeth remonta ses manches et s'agenouilla. À l'aide de quelques poignées de boue épaisse, elle façonna un tronc, une tête, puis des bras et enfin des jambes pour la portion inférieure du corps. Du bout de son petit doigt, elle creusa des trous pour les yeux, puis elle esquissa une bouche. En l'observant, je la revis, petite, assise dans le jardin, en train de tracer des formes dans le sol à l'aide d'un bâton, le front plissé par l'effort.

Je ne pus m'empêcher de rire.

— Je ne t'imagine pas avoir tant d'égards pour moi, dis-je. Deux mottes de boue, et vogue la galère !

Lorsqu'elle leva les yeux sur moi, je vis qu'ils étaient humides.

— Beau travail, dis-je en adoucissant ma voix.

Je m'agenouillai à côté d'elle.

— Là.

Je l'aidai à lisser les contours de la petite créature de boue, comme si, ce faisant, nous améliorions ses chances de devenir parfaite, de devenir Konrad. Nos doigts se touchèrent et, pendant une fraction de seconde, s'attardèrent l'un sur l'autre, comme mus par un souvenir. Puis Elizabeth dégagea sa main et poursuivit seule son travail. Je me levai et l'observai.

— Combien de temps cette chose mettra-t-elle à atteindre sa pleine taille ? demanda Henry.

Je fis défiler dans mon esprit les cuisantes images du livre de pierre, vis le soleil repousser les ténèbres sur le corps de l'homme de boue qui se tortillait.

— Je ne sais pas. Quelques jours. Six, peut-être ?

— Et ensuite ?

— Nous allons administrer une goutte d'élixir au corps, puis entrer dans le royaume des morts.

— Mais le corps ne risque-t-il pas d'apparaître lui aussi dans le royaume des esprits ? demanda Henry. Dans ce cas, n'y aurait-il pas deux Konrad ?

Elizabeth, toujours à genoux sur le sol, secoua la tête en fronçant les sourcils.

— Le corps ne va pas entrer. Il est dépourvu d'esprit et ce sont nos esprits qui habitent la terre des morts.

— Exactement, dis-je, même si j'avais moi-même mis un certain temps à élucider cette énigme. De cette manière, le corps va attendre dans le monde réel le retour de l'esprit de Konrad.

— Mais comment Konrad va-t-il trouver son corps sans un talisman ? demanda Henry.

J'y avais déjà pensé.

— Avant d'entrer, nous allons placer un talisman dans la main de la créature. De cette manière, le corps ne sera pas dans le monde des esprits, mais le talisman y sera, lui. J'aurai besoin de ton aide, Henry.

Nous revînmes à la table.

— Il faut que le papillon s'amalgame aux cheveux, dis-je.

Henry prit le bocal et jeta un coup d'œil à l'intérieur.

— Dès que nous dévisserons ce couvercle… dit-il.

Je hochai la tête.

— Il s'efforcera de trouver refuge sur l'un de nous. Moi, sans doute. Il semble avoir une prédilection pour moi.

— Ton irrésistible charme, ironisa Henry.

Je ricanai nerveusement. Soudain, tout me semblait irréel. Allions-nous vraiment tenter l'impossible?

— Notre création de boue est-elle terminée? demandai-je à Elizabeth.

Elle fit signe que oui et s'approcha de la table.

Je tendis à Henry le flacon renfermant les cheveux de Konrad et m'emparai du bocal où le papillon était prisonnier.

— Je vais soulever le couvercle un peu. Toi, tu enfonces le bout du flacon dans le bocal et tu y fais tomber les cheveux. Vite, il va sans dire.

— Je suis prêt, dit-il en retirant le petit bouchon de liège du flacon.

Dès que je mis ma main sur le couvercle, l'esprit s'immobilisa au fond du bocal, aux aguets, prêt à bondir. Je dévissai le couvercle et le tins fermement en place tandis que Henry positionnait le flacon. Il me fit un signe de tête et je soulevai légèrement un côté du couvercle.

Henry inclina le flacon vers l'ouverture, mais il n'eut même pas le temps d'en faire sortir les cheveux. Vif comme l'éclair, l'esprit surgit et se précipita dans le flacon, où, après s'être étiré, il s'enroula frénétiquement en spirale autour des cheveux.

— Qu'est-ce que je fais ? murmura Henry.

— Reste calme, très calme, sifflai-je. Elizabeth, le bouchon !

Elle le prit sur la table. Je remontai le couvercle pour permettre à ses mains fines de s'introduire à l'intérieur et de fermer hermétiquement le bout renversé du flacon.

— Dieu merci, soufflai-je.

Enfermé, l'esprit s'emmêlait avidement aux cheveux de Konrad, tant qu'il fut bientôt difficile de les départager. Les mains de Henry tremblaient légèrement.

— Quelle est la meilleure façon de mettre cette chose dans la créature de boue ? demanda-t-il.

— Faisons-le maintenant pendant qu'elle est occupée, répondis-je.

L'esprit, en effet, s'emmêlait toujours avec extase aux cheveux de Konrad.

Vite, nous nous avançâmes vers le trou. Elizabeth, s'agenouillant, enfonça son pouce au centre de la poitrine de la petite créature de boue.

Je saisis une poignée d'argile et attendis. Henry pencha le bout du flacon, toujours fermé, vers la cavité.

— Regardez, dit Elizabeth.

L'esprit, enchevêtré dans les cheveux de Konrad, formait désormais une petite boule compacte qui battait sombrement.

— Vas-y, dis-je à Henry.

Il fit sauter le bouchon de liège et secoua le flacon. Les cheveux et l'esprit tombèrent dans la cavité que, aussitôt, je refermai avec ma poignée d'argile. Elizabeth en ajouta un peu, puis lissa la surface. Ensuite, retirant nos mains, nous nous regardâmes avidement.

Ce n'était que de la boue, qu'un triste petit bébé de boue fait par des enfants.

— Tu crois que nous allons réussir ? demanda Elizabeth à voix basse.

— Oui, répondis-je avec ferveur.

Au bout de quelques minutes, nous sortîmes, verrouillâmes la porte à l'aide d'un cadenas et retournâmes au château, nos craintes et nos espoirs silencieux en nous.

À notre entrée dans la grande salle, nos mains encore mouillées (nous venions de les laver à la pompe de l'écurie), nous vîmes le Dr Lesage descendre l'escalier principal.

— Comment va mère ? lui demandai-je.

— Ah, son moral est meilleur, aujourd'hui. Elle dit avoir eu une agréable conversation avec vous.

— Nous pouvons la voir ? voulut savoir Elizabeth.

— Elle prend en ce moment le repos dont elle a besoin, répondit le Dr Lesage. Ne faites pas cette tête-là, mademoiselle Lavenza. Le corps n'est pas atteint. Le temps saura la guérir, je n'en doute pas un seul instant.

— Heureuse de vous l'entendre dire, fit Elizabeth.

Le médecin se tourna vers moi.

— Et moi je suis heureux de vous voir avant mon départ, jeune monsieur. Vos parents souhaitent que je vous examine brièvement.

— Mais je ne suis pas malade, lâchai-je étourdiment.

Je regrettai presque aussitôt mes paroles, qui semblaient faire de moi un coupable.

— Il ne s'agit que de votre main, dit le médecin en souriant d'un air rassurant. Votre père affirme vous voir encore grimacer à l'occasion. Vous fait-elle encore mal?

Elizabeth et Henry nous laissèrent seuls et nous passâmes dans la salle à manger, où je m'assis près de la fenêtre, pendant que le médecin scrutait les hideux moignons qui marquaient l'emplacement de mes doigts amputés. Il avait des taches brunes sur le front et des pellicules dans ses cheveux clairsemés. Il semblait plus vieux que dans mes souvenirs. Ses mains diffusaient une douce chaleur et je sentis mes épaules se détendre.

— Les blessures guérissent bien, décréta-t-il. Aucun signe d'infection ni de maladie.

— Les blessures ne m'ont jamais causé le moindre inconfort, lui dis-je.

— Non. Vous avez mal là où étaient vos doigts, n'est-ce pas?

Je hochai la tête.

— Et la douleur, comment est-elle ?

— Intermittente.

— C'est un phénomène plus fréquent que vous pourriez le croire, dit-il. Dans certains cas, des membres amputés provoquent pendant longtemps des douleurs fantômes. Le corps conserve le souvenir des lésions qu'il a subies.

— Le temps les guérira, elles aussi, dis-je. Mère ne se fait pas de souci pour moi, au moins ?

— Non, non, répondit-il. Vous dormez bien ?

Je faillis sourire. Si seulement il se doutait de la profondeur de mon sommeil, ces derniers temps... Je dormais comme un mort, en fait.

— Très bien, dis-je.

Il posa sur moi ses doux yeux de vieillard.

— Je ne me préoccupe pas que de vos mains, Victor. Je songe aussi à votre chagrin.

Je regardai par la fenêtre. Je ne voulais pas sembler faible. Je ne voulais rien laisser paraître.

— Je ne doute pas de votre guérison, ajouta-t-il. Mais il existe des moyens de hâter le processus. Vous me semblez pâle et déprimé. Selon votre père, vous passez tout votre temps à rôder dans le château.

— Je rentre à l'instant d'une longue randonnée, protestai-je.

— Bravo. Je vous recommande de répéter l'expérience. L'été semble décidé à s'attarder et je vous conseille d'en profiter pleinement. Des sorties quotidiennes. De l'air frais à profusion. Marchez. Faites de l'équitation. Ramez. Naviguez. Mangez votre viande saignante. Et je vais vous laisser un opiacé, que je vous enjoins d'utiliser avec parcimonie, pour une période de trois semaines au maximum. Ce médicament allégera votre douleur et vous aidera à dormir.

— Mais je dors…

Je m'interrompis en soupirant.

— Bien, fit-il en me donnant une petite tape sur l'épaule. Je vais dire à votre père que nous avons eu une petite discussion. J'en profiterai pour lui rappeler de vous envoyer prendre l'air !

— Merci, docteur, fis-je en souriant.

Car il était loin de se douter que son ordonnance allait faciliter mes projets.

Le lendemain matin, père, après une brève leçon, nous libéra, Elizabeth, Henry et moi, et nous ordonna de sortir, de bien nous fatiguer et de nous aérer à fond. La cuisinière avait préparé à notre intention un énorme panier à pique-nique et nous partîmes à pied en direction du pré éloigné. Comme le médecin l'avait prédit, la journée, splendide, rappelait l'été.

Sous le soleil du début d'octobre, Henry et moi, le panier entre nous, transpirions légèrement en essayant de suivre Elizabeth. Pendant la leçon matinale, j'avais eu toutes les peines du monde à me concentrer sur les paroles de père et Elizabeth avait semblé si agitée que, pendant un moment, j'avais craint que père ne le remarque.

Nous ne disions rien, même si, dans ma tête, des questions et des espoirs résonnaient. Qu'allions-nous trouver dans la cabane? À destination, je sortis la clé de ma poche en espérant que les autres ne verraient pas mes doigts trembler.

Que vais-je découvrir de l'autre côté de cette porte?

Je l'ouvris toute grande. L'endroit, où régnait un silence absolu, baignait dans une humidité étrange, remplie d'attente. Elizabeth et Henry entrèrent en allumant déjà des lanternes. Je refermai derrière moi et les ombres dentelées des scies et des pelles bondirent sur les murs à la façon de lutins.

L'énorme table de travail nous cachait le trou que nous avions creusé et, en la contournant, j'eus la chair de poule. Nous nous approchâmes pas à pas, nos lanternes brandies bien haut. Dans la lumière vacillante, je distinguai une masse sombre au fond du trou. Nous nous mîmes à genoux.

Tout de suite, je vis qu'il ne s'agissait pas d'une simple masse. Elle avait grandi, sans contredit, et s'était métamorphosée. La silhouette que nous avions façonnée de nos mains la veille, un bonhomme en pain d'épice rebondi et boueux, avait pris la forme d'un bébé.

— Nous avons réussi, chuchotai-je.

— Il s'est retourné sur lui-même, constata Elizabeth.

Déjà, elle savait que c'était un « il ». Je me contentais de regarder, bouché bée. La créature avait bougé. Nous l'avions formée et laissée sur le dos et elle s'était *déplacée* toute seule. J'avais souvent vu William dormir ainsi, sur le ventre, les genoux remontés, le postérieur en l'air.

— C'est un miracle, souffla Henry.

Le visage de la créature était tourné de l'autre côté. Son corps, irrité par endroits, avait la couleur de la vase. Je remarquai la ligne droite et parcourue de bosses de sa colonne vertébrale, ses pieds et ses orteils minuscules. Ces orteils, nous ne les avions pas façonnés : ils s'étaient formés tout seuls.

Abasourdis, nous nous regardâmes en secouant la tête, Henry et moi. Je me tournai vers la tête chauve qui, par rapport au reste du corps, semblait démesurément grosse.

— La taille de sa tête, fis-je, c'est normal ?

— Évidemment, répondit Elizabeth. Les bébés donnent toujours l'impression d'avoir la tête plus grande que le reste du corps. Mais je vais le retourner. J'ai peur que, le visage enfoui dans la terre, il ait du mal à respirer.

— Qu'est-ce qui te fait croire qu'il ait besoin de respirer ? demandai-je.

Elle me dévisagea d'un air surpris.

— Bien sûr qu'il a besoin de respirer.

— Je ne suis pas certain qu'il soit vraiment vivant, dis-je.

Le torrent brûlant d'images issu des écritures de la caverne me remonta en mémoire. L'homme de boue respirait-il pendant qu'il grandissait ?

Elizabeth approcha ses mains.

— Attends, attends ! m'écriai-je. Tu ne devrais pas y toucher !

Elizabeth soupira avec impatience.

— Et pourquoi pas ?

— Dans les images que j'ai vues, on n'y touchait jamais. La créature…

Je fus impuissant à mettre mon impression en mots : le corps de boue, qui participait de la terre, n'avait pas besoin d'intervention humaine et n'en voulait pas.

— Je crois juste que…

Trop tard, car, déjà, Elizabeth s'était penchée pour saisir délicatement la créature de boue. Lorsque la peau d'Elizabeth toucha la sienne, je me crispai. Elle la retourna tendrement sur le dos en soutenant sa tête et son cou d'une main.

— Il est tiède, souffla-t-elle. Et sa peau a la texture de la vraie peau humaine.

Je m'attendais à ce qu'elle se contente de rectifier la position de la créature. Elle la sortit plutôt du trou et la serra contre elle.

Sans savoir pourquoi, je me raidis une fois de plus.

— Tu devrais remettre cette créature à sa place, Elizabeth.

M'ignorant avec superbe, elle déclara :

— Regardez-le, vous deux. Non, mais regardez-le !

Pour la première fois, je vis le visage de notre création. À la place des yeux creusés à l'aide d'un doigt, on voyait de sereines paupières closes. La pincée de terre qui lui avait tenu lieu de nez avait à présent l'aspect d'un bouton lisse percé de narines délicates. La bouche que nous avions tracée à la hâte du bout de l'ongle avait fait place à de douces lèvres arquées, légèrement entrouvertes.

Je forçai mes épaules à se détendre, mon estomac à se dénouer. Pourquoi n'avais-je pas voulu qu'Elizabeth touche la créature ? Avais-je peur qu'elle se casse ? Avais-je peur de ce que je risquais de voir sur son visage ?

Je regardai sa poitrine. Là où nous avions enfoui les cheveux de Konrad, auxquels s'était emmêlé le papillon, je distinguai une légère imperfection, semblable à du tissu cicatrisé.

La poitrine tressaillit une fois, puis de nouveau, et continua en rythme.

Des battements de cœur !

Dans le laboratoire de fortune que j'avais aménagé dans le donjon du château, l'été précédent, j'avais ressenti un élan de fierté devant mes réalisations, mais rien qui se compare à l'euphorie enfiévrée que j'éprouvais à présent.

J'avais, de mes mains nues, contribué à cette œuvre. Malgré tout, une pensée aberrante parvint à s'enfoncer dans ma tête.

J'ai participé à la création d'un rival qui me disputera l'affection d'Elizabeth. Ai-je perdu la raison ?

Fasciné, j'observai. La créature respirait-elle ou non ? Et je vis alors sa poitrine se soulever légèrement, puis sa petite bouche laissa entendre un soupir de contentement suprême.

Elizabeth, aux anges, nous sourit.

— On a réussi, répéta-t-elle. C'est Konrad et il grandit.

— Tu comprends ce que ça signifie ? m'exclamai-je. Le papillon venu du monde des esprits, c'est une sorte d'étincelle vitale, l'essence de la vie elle-même ! Nous nous en sommes servis pour créer la vie !

— La créature va-t-elle seulement dormir et dormir encore pendant qu'elle grandit ? demanda Henry.

— On dirait bien, oui, répliquai-je.

À la vue d'Elizabeth tenant la créature dans ses bras, à la vue de la tendresse et de l'amour bruts qui animaient ses yeux, j'éprouvai une drôle de sensation. Jamais elle ne me regarderait ainsi. Peut-être même n'avait-elle jamais regardé Konrad ainsi. C'était autre chose, une émotion que je me rappelais avoir vue sur le visage de notre mère quand William et Ernest étaient bébés. Et je me demandai alors en frissonnant si j'étais le père de cette créature de boue.

Nous avions façonné ce singulier bébé ensemble, Elizabeth et moi. Yeux, nez, bouche, cœur. Nous l'avions créé avec de l'argile. Drôle de famille !

Le bébé inspira et ses narines se pincèrent.

— Il ressemble à Konrad ? demandai-je.

Elle rit doucement.

— Tu ne vois pas la ressemblance ?

— Non.

— Dans ce cas, tu ne te reconnais pas toi-même, dit-elle sur un ton gentiment moqueur.

Comme si je venais d'inhaler quelque étrange éther, j'eus soudain une conscience aiguë de la nouvelle et forte féminité d'Elizabeth et je sentis monter en moi un frisson affamé. Mon corps n'avait pas oublié le contact du sien dans le monde des esprits. Je regardai la créature de boue toujours blottie dans ses bras.

— Tu devrais déposer la créature.

Elizabeth haussa un sourcil.

— L'idée que je tienne ce bébé te déplaît. Avoue-le ! Seul Victor peut être le centre d'attention.

— Ne sois pas ridicule. Cette créature a besoin du contact de la terre.

— C'est la vérité ou une autre de tes inventions ?

Je m'efforçai de me maîtriser, ce qui, même dans les circonstances les plus favorables, n'était jamais facile.

— C'est moi qui ai déchiffré les écritures des cavernes. Et je te dis que personne n'a touché l'homme de boue, qu'il est seulement resté dans la terre.

Inconsolable, elle fixa le trou dans le sol.

— C'est trop cruel.

Plus doucement, j'ajoutai :

— Sinon, il ne pourra pas grandir.

Les petits bras de la créature s'agitèrent soudain et je sursautai. Sa tête oscillait à gauche et à droite, ses paupières se serraient davantage et sa bouche laissait voir une moue de déplaisir.

— La créature se réveille, sifflai-je. Dépose-la tout de suite !

Elizabeth hésita. Contrarié, je tendis les bras vers la chose. Mais Elizabeth la serra plus fort contre elle.

— Il a faim, Victor. Regarde.

Aveuglément, la créature pressait sa bouche contre le corsage d'Elizabeth.

— Tu ne peux pas nourrir cette créature, dis-je avec irritation, à la fois embarrassé et excité par le spectacle. Elle n'a pas besoin de nourriture.

— Au contraire ! s'exclama Elizabeth.

La créature, en effet, était encore plus agitée qu'avant. De sa bouche jaillit un petit cri surnaturel. Dans ma vie, j'avais entendu de nombreux bébés pleurer et chacun avait une voix unique, mais ce bruit, sorte de râle grinçant semblable au vent qui souffle dans des branches nues, fit se dresser les poils de ma nuque.

— Pauvre petit. Il est mort de soif! s'écria Elizabeth. Il y a du lait dans le panier. Tiens-le, Victor.

— Si tu avais déposé cette créature plus tôt, aussi, marmottai-je, rien de tout ça ne serait arrivé.

— Contente-toi de faire ce que je te dis, lança-t-elle.

J'étais cruellement conscient de ne pas avoir envie de toucher cette chose. Ayant souvent tenu William, je savais manier les bébés, mais la créature, dès qu'elle fut dans mes bras, se mit à hurler. Je sentis son petit corps se raidir et ses membres battre furieusement. Ses yeux restaient fermés, ce dont je lui fus curieusement reconnaissant. Sans doute allait-elle bientôt uriner sur moi.

— Ah, Victor, tu vois, on dirait qu'il a le même tempérament que toi, commenta ironiquement Henry. Quelle surprise!

— Prends-la donc, toi, répondis-je sèchement.

Henry hésita un moment, les yeux grands ouverts, puis il me surprit en hochant la tête. Avec gratitude, je déposai la chose gesticulante dans ses bras et je reculai d'un pas pour profiter au maximum du malheur de mon ami. Enfant unique, il ne savait pas comme moi câliner et réconforter les bébés. Mais, aussitôt dans les bras de Henry, la créature cessa de hurler. J'avoue qu'il la tenait bien, serrée contre sa poitrine, et la balançait doucement en bredouillant des propos incompréhensibles. *Chou-ba-laba-chou-ba-laba-chou-chou*, me sembla-t-il.

— Chou-ba-laba-chou-ba-laba-chou-chou? fis-je d'un ton moqueur.

— Je ne sais pas d'où c'est venu, répondit-il, un peu honteux. Un air que me chantait ma mère, peut-être.

— En tout cas, c'est efficace, constata Elizabeth en me foudroyant du regard.

Elle avait un bocal rempli de lait à la main.

— Tu as le doigté d'un père, Henry, déclara-t-elle.

Le compliment fit si plaisir à Henry que son visage s'empourpra. Elizabeth dévissa le couvercle du bocal, y trempa un linge et introduisit un coin humecté entre les lèvres de la créature. En grognant, celle-ci se mit à téter avec avidité. Pendant que Henry la tenait, Elizabeth la nourrit jusqu'à ce que sa bouche se fatigue et que son corps s'apaise.

Observant la scène en silence, je remarquai qu'Elizabeth souriait à Henry et que celui-ci lui rendait son sourire, comme s'ils partageaient un instant d'une grande profondeur, infiniment satisfaisant.

— La créature dort, dis-je avec brusquerie. Dépose-la.

Elizabeth baissa les yeux sur le trou en se mordant la lèvre.

— Laisse-moi au moins lui mettre une couche.

— Tu as apporté une couche ? demandai-je.

— Et aussi une couverture.

Je soupirai.

— Franchement...

— Il risque de prendre froid, protesta-t-elle. Ce n'est qu'un bébé. Comment peux-tu avoir le cœur aussi dur ?

— Inutile de lui mettre une couche, expliquai-je. D'ici quelques heures, elle risque d'être trop petite et de lui faire du mal.

— Ah, fit-elle. Tu as raison, je suppose.

Puis elle se tourna vers Henry, les bras tendus.

— Tu permets ?

En souriant, elle prit le bébé avec soin. Puis, à contre-cœur, elle le déposa dans le trou. Je dus moi-même admettre que la scène faisait peine à voir. Henry, qui était allé chercher la couverture dans le panier, la disposa délicatement autour du bébé.

— Est-il en sécurité, ici ? demanda Elizabeth, inquiète.

— Oui. On ne lui fera aucun mal.

Je fermai les yeux pour mieux me remémorer les images de la caverne.

— Même les animaux évitaient de s'en approcher. Ils avaient... peur.

Elle s'agenouilla quand même au bord du trou.

— Nous pourrions peut-être l'emmener au château.

Horrifié, je baissai les yeux sur elle.

— Trop dangereux! Quelqu'un risque de s'en rendre compte!

— Mais s'il se réveille en pleurant? demanda-t-elle, l'air sincèrement affligée. Je voudrais être auprès de lui pour le réconforter.

— Si la créature s'est réveillée, c'est uniquement parce que nous l'avons dérangée.

Je me grattai le front. Je sentais que nous avions commis une erreur, mais nous ne pouvions plus revenir en arrière.

— Elle est conçue pour dormir et croître. Elle n'a pas besoin de nourriture. Elle n'a pas besoin de nous.

— Pourquoi t'obstines-tu à parler de «la créature»? demanda-t-elle, furieuse. C'est de ton frère qu'il s'agit, Victor.

Pas encore, songeai-je.

— Demain, nous viendrons… *le*… voir, dis-je dans l'espoir de la calmer. Et tous les jours par la suite. Tout ira bien. Promis.

Je tendis la main pour l'aider à se relever et elle l'accepta.

— Désolée de t'avoir apostrophé ainsi, dit-elle en souriant d'un air contrit. C'est seulement que je suis un peu… dépassée par tout ceci.

Je lui pressai brièvement la main et elle fit de même avant de se dégager.

— Ce soir, nous devrons retourner dans le monde des esprits pour dire à Konrad que tout va bien, lança Henry.

Je le regardai et, à la vue de son impatience, je souris. L'idée de n'être pas seul à avoir envie du monde des esprits me réjouissait. Sur le visage d'Elizabeth, cependant, je lus l'hésitation.

— Il faut que tu viennes, lui dis-je. Pour tranquilliser Konrad. Là-bas, le temps se comporte de façon bizarre. Il s'imagine peut-être qu'une éternité s'est écoulée et que nous l'avons abandonné.

L'argument eut raison des atermoiements d'Elizabeth.

— Oui, c'est d'accord. Ce soir.

Et nous laissâmes derrière nous la cabane et notre étrange création de boue endormie.

Chapitre 9

UNE CÉLÉBRATION

— Ton corps grandit, Konrad! s'écrie Elizabeth, au comble de l'excitation. C'est réussi! Nous allons te ramener!

— Pour le moment, tu as une tête un peu bizarre, dis-je avec un sourire impertinent, mais je suis sûr que tout va s'arranger.

— Tu es déjà adorable, lance Elizabeth pour le rassurer. Je te reconnais à la forme du visage.

— Il semble grandir vite, observe Analiese.

— Demain, il sera déjà beaucoup plus gros, ajoute Henry.

Nous sommes là, les trois vivants et les deux morts, réunis dans la salle de musique.

— Nous nous sommes déjà laissé égarer par d'anciennes écritures, souligne Konrad.

Il s'efforce de rester calme, mais, à l'angle de ses épaules, je devine son excitation.

— Ces écritures-ci n'ont rien à voir avec les autres. En les lisant, j'étais *témoin* des événements eux-mêmes! C'est du solide, Konrad.

Il soupire. D'émerveillement ou de découragement pur et simple? Je ne saurais le dire.

— J'espère que tu as raison. Quand... Quand cette chose sera-t-elle prête?

Elles sont bizarres, tout de même, ces conversations obliques. Le regard de Konrad ne peut pas croiser le mien. Je peux le détailler, tandis que lui doit se contenter de me deviner. Je suis conscient de cette inégalité, mais elle ne m'inspire aucune pitié. Pendant toutes nos années de vie commune, je n'ai jamais réussi à l'égaler. Lorsque je l'aurai ramené à la vie, cependant, les choses seront sans doute différentes. L'échiquier de nos vies sera transformé à jamais.

C'est moi qui te ramène, Konrad. Ne l'oublie pas.

— Difficile à dire, réponds-je. Mais c'est imminent.

Puis il me surprend en se tournant du côté d'Elizabeth.

— Tu es certaine de ne pas t'opposer à ce projet?

Elle secoue la tête.

— Tu devrais la voir cajoler le bébé, dit Henry. À ton retour, tu risques d'être gâté.

Konrad rit.

— J'ai du mal à croire que c'est possible.

— C'est possible, dis-je.

J'observe les nombreux papillons noirs qui vont de l'un à l'autre, dévoilent brièvement leurs couleurs avant de s'élancer. Ils ont tant de pouvoir, tant de connaissances à révéler.

— Tu entends encore ces sons venus des profondeurs? demande Elizabeth avec appréhension.

— De temps en temps, répond Konrad.

Je vois dans son visage qu'il s'efforce de se montrer brave pour elle.

— Mais ils ne sont pas plus forts qu'avant. Leur auteur, qui qu'il soit, ne bouge pas.

— Oublions-les, dis-je. Ce soir, c'est le moment de célébrer! J'ai ralenti la montre occulte. Nous devrions faire de la musique et danser. Je jouerais bien du piano, mais…

Puis, en esquissant un sourire, je me rends compte que j'ai tous mes doigts. Ravi, je cours vers le piano et m'y assois. Je n'ai jamais été aussi doué qu'Elizabeth ou Konrad, mais mes mains, avec une confiance nouvelle sur les touches, font naître une valse.

En levant les yeux, je vois Henry danser avec Elizabeth. Autour d'eux gravitent Konrad et Analiese, comme s'ils avaient leur propre système solaire. Leurs rires se mêlent à ma musique et je joue plus vite. Quand ai-je pour la dernière fois connu un tel bonheur empreint d'insouciance? Des mois plus tôt? Peut-être jamais. Tout ce que je désire est ici, maintenant.

— J'aimerais bien pouvoir danser avec toi, Konrad, lui dit Elizabeth.

— Moi aussi, répond-il.

Puis il ajoute poliment :

— Bien que ma partenaire actuelle me donne entière satisfaction.

— Vous êtes trop aimable, réplique-t-elle. Je suis horriblement maladroite.

— Pas du tout. Mais ce serait peut-être plus facile si tu me laissais mener, affirme Konrad en riant.

Je me demande ce qu'ils ressentent en se touchant. Sont-ils froids et comme couverts de rosée ? Possèdent-ils une forme de chaleur humaine ? Je me demande aussi combien de temps ils ont passé ensemble en ce lieu. Ils recherchent sûrement sans cesse la compagnie l'un de l'autre, peut-être même davantage. Elle est très jolie, Analiese. Konrad la tient-il vraiment dans ses bras pour la première fois ?

Je sens une vague de plaisir parcourir mon bras et je constate qu'un papillon noir s'est posé sur ma main droite, se promène sur mes doigts qui caressent les notes, améliorant sans doute mon jeu.

Derrière les fenêtres, je vois le mystérieux brouillard blanc tourner lentement, comme s'il observait nos activités. Les vitres frissonnent légèrement, mais je joue plus fort pour étouffer le bruit.

Je lève les yeux une fois de plus et là je frôle la fausse note. Henry et Elizabeth sont étroitement lovés dans les bras l'un de l'autre et jamais je n'ai vu Henry aussi droit et imposant. Elizabeth semble se soumettre à lui à chacune de leurs rotations. Elle sourit et il prononce quelques mots que je ne saisis pas. Elizabeth rit et c'est un son si adorable que je voudrais l'enfermer quelque part pour en profiter seul.

Se peut-il qu'elle tente de nous rendre jaloux, Konrad et moi ? Le punit-elle parce qu'il danse avec Analiese ? Je jette un coup d'œil à mon frère et constate qu'il est distrait. Par-delà la mort, je peux encore lire dans ses pensées. Il ne peut pas les regarder directement, mais il semble sentir l'étrange gravité qui lie Elizabeth et Henry. Son front se creuse d'un sillon.

Ma propre jalousie a vite raison de ma loyauté envers mon frère. À la vue du regard qu'Elizabeth porte sur Henry en ce moment, mon cœur se comprime froidement, car il me rappelle celui dont elle m'a gratifié à l'occasion de notre première visite dans le monde des esprits. Se peut-il qu'ici, le toucher d'un jeune homme, n'importe lequel, suffise à lui soutirer un tel regard ?

Je veux qu'elle me regarde ainsi, moi, et je veux ce qui vient après, l'abandon animal avec lequel nous nous sommes touchés.

Je vais à mon tour danser avec elle.

Je me lève. Mes doigts se détachent du clavier et le piano continue de jouer. Sidéré, je vois par le couvercle entrouvert quelques papillons poursuivre en voletant de corde en corde l'air que j'ai amorcé.

Riant de ravissement, je saisis un violon et un archet posés sur une tablette. Je n'ai jamais étudié cet instrument avec sérieux, mais un papillon se pose sur la main qui tient l'archet et, dès que j'effleure les cordes, de la musique s'en détache.

— Ah! Regardez!

Elizabeth jette un coup d'œil et pouffe de rire.

— Tu es un prodige, Victor!

Compliment ou moquerie? Je ne saurais le dire. Au bout d'un moment, je dépose le violon et prends une flûte traversière. Un papillon plane au-dessus des clés et, à l'instant où je souffle dans l'embouchure, la plus délicieuse mélodie s'envole.

Au lieu de réagir à ce nouvel exploit, Elizabeth chuchote à l'oreille de Henry. Il la gratifie d'un sourire secret, celui d'un homme à qui on a promis quelque chose de précieux.

C'est intolérable. Je dois interrompre leur danse. Je range la flûte et m'avance vers Henry dans l'intention de m'interposer. La valse jouée par le piano se poursuit, s'accélère. Chacun danse, les rires et les notes s'enroulent follement autour de moi. Jusqu'aux murs de la pièce qui semblent battre, colorés, au rythme de la musique ou de mon cœur affolé. Qu'arrivera-t-il lorsque je la prendrai dans mes bras?

Se dégagera-t-elle ? A-t-elle appris à maîtriser son désir pour moi, même en ce lieu ? Ou me serrera-t-elle dans ses bras, m'embrassera-t-elle devant tout le monde ?

Je m'en moque.

Je tape sur l'épaule de Henry.

— Tu permets ?

Avec une exaspérante assurance, il s'écarte en inclinant la tête. Je tends la main et Elizabeth hésite, la crainte et le désir mêlés dans ses yeux noisette. Sa main se soulève vers la mienne.

— Tu t'occupes de la musique pour nous, d'accord, Henry ? dis-je avec dédain.

— Bien sûr. Tu auras sans doute besoin de l'aide des papillons pour danser.

Je me retourne en arquant les sourcils.

— Tu envies mes exploits, à présent, Henry ?

— Tes exploits ? Mais tu n'as rien fait. Tu me fais penser à Wilhelm Frankenstein en train de peindre son autoportrait avec le concours de ces papillons.

Je hausse les épaules.

— Ils ont choisi leur maître, Henry.

— Pourquoi choisissent-ils de n'aider que toi ? demande-t-il.

Je suis surpris de voir son visage transformé par la colère.

— Je n'y suis pour rien, Henry, et...

— Tu y vois sans doute une nouvelle preuve de ton génie.

Je me proposais d'apaiser Henry, mais l'insulte a vite fait d'effacer mes bonnes intentions.

— Pourquoi pas? dis-je. Ils semblent pourvus d'un très bon discernement, ces petits papillons. Au nom de quoi n'auraient-ils pas choisi le maître le plus compétent?

— Ton arrogance est sans limites, n'est-ce pas? fait Henry en s'avançant vers moi d'un pas menaçant.

Instinctivement, je le repousse.

— Je ne te connaissais pas un tel tempérament, Henry Clerval!

Insouciant, le piano joue à toute vitesse, fort et désaccordé dans ses rythmes. Toute la pièce semble s'incliner légèrement.

— Il est grand temps que quelqu'un te rabatte le caquet, ajoute Henry, furieux.

Je crois entendre le rire d'Elizabeth. Je me sens imprudent, ivre. Konrad et Analiese ont cessé de danser et nous observent avec confusion et inquiétude.

— Un assaut d'escrime, peut-être? m'exclamé-je à l'intention de Henry.

— D'accord! hurle-t-il à son tour. Mais tu te bats seul, sans tes petits amis ailés!

— Entendu! Rendez-vous dans la salle d'armes!

— Ça suffit, vous deux! s'écrie Konrad. Quelle mouche vous a piqués?

Mais je l'entends à peine. À grandes enjambées, Henry et moi fonçons dans le couloir. Avec leurs tableaux, leurs tapisseries et leurs plâtres peints, les murs, qu'on dirait sensibles à notre humeur sauvage, palpitent et brandissent leur histoire à notre passage. Nous dévalons le grand escalier, courons dans le couloir principal. À quelques reprises, un nouveau mur se dresse devant nous ou encore un passage inconnu nous fait signe. Chaque fois, j'élève la main et je crie :

— Je vais passer!

Et le château familier réapparaît devant mes yeux.

Pour ainsi dire transportés, nous aboutissons soudain dans la salle d'armes. Mon sang bouillonne. D'un souffle, je déloge le papillon qui s'attarde sur mon doigt et je m'empare d'un fleuret, jette l'autre à Henry.

Il ne m'arrive pas à la cheville. Le combat sera inégal, mais je suis si impatient d'effacer son petit air méprisant que je m'en moque.

— Ça suffit, Victor, répète mon frère.

— Si Henry accepte de retirer ses…

— *En garde** ! crie Henry.

— Qu'est-il donc arrivé à notre doux petit Henry Clerval ? demandé-je avec un étonnement feint. Il est devenu un guerrier sans peur !

— Messieurs, je vous en prie, supplie Analiese. Nous devions célébrer.

Je jette un coup d'œil du côté d'Elizabeth, surpris de ne l'entendre ni protester ni pousser des cris de consternation, et je suis renversé de la voir nous observer en silence, sa poitrine se soulevant et s'abaissant avec rapidité. Elle a sur le visage l'expression d'une indéniable excitation animale. Pour un peu, je ne la reconnaîtrais pas.

Je suis si désarçonné que Henry arrive à me frapper la poitrine du bout de son fleuret moucheté.

— Tu vois ! Sans les papillons, tu n'as rien de si extraordinaire !

Sur les murs de la salle, toutes les armes entreposées depuis le début – massues, hallebardes et sabres – défilent. Cet acier froid et dur m'enflamme.

— *En garde** ! dis-je d'une voix grondante.

Puis je le frappe à la poitrine. Sans lui laisser le temps de parer, je le frappe de nouveau à plusieurs reprises, au mépris des règles. Mon seul but est de l'humilier.

---

* Les passages en italique suivis d'un astérisque sont en français dans le texte. (*N.d.t.*)

— Allez, dis-je en écartant l'arme qu'il brandit en guise de parade, frappe-moi!

— Que fais-tu des règles d'engagement? hurle-t-il.

— Invente les tiennes! lui dis-je sur un ton de défi avant de le frapper une fois de plus à la poitrine.

Fou de rage, il jette son fleuret et se met à me marteler le visage de coups de poing. Je vacille et pose un genou par terre.

Lentement, rageusement, je me relève. Il attend, les poings dressés devant le menton, à la façon d'un pugiliste, le regard incendiaire. Jamais je ne l'ai vu ainsi, rempli de fureur. Tout ce que je sais, c'est que j'ai envie de lui taper dessus. Des papillons voltigent au-dessus de ma tête, comme pour me proposer leur aide, mais je les écarte d'un geste. J'ai dans la bouche un goût de venin.

On sent l'angoisse dans la voix de Konrad. Il s'approche le plus possible, une main tendue.

— Henry, Victor, ça suffit!

Mais ses mots sont sans effet. Pour lui, nous sommes inatteignables, à l'égal de dieux, et je me rue sur Henry en hurlant. Il se penche et m'assène un coup de poing sur l'oreille. La douleur résonne bruyamment dans mon corps, aussi aiguë qu'un cri. Instinctivement, je porte la main à ma tête, tends le bras pour parer un autre coup.

— J'ai suivi des leçons de boxe, explique-t-il en souriant d'un air méchant. Et il se trouve que je suis plutôt doué.

J'essaie de le frapper à mon tour, mais il s'esquive avec agilité.

— J'ai dû travailler fort pour en arriver là, Victor. Je n'ai pas pu compter sur l'aide de petits papillons.

Il me frappe à l'épaule, au ventre, au côté droit, puis je m'écroule enfin. Je porte la main à mon visage, mais n'y trouve aucune trace de sang.

— « Comment des héros sont-ils tombés au milieu du combat ? », s'écrie-t-il.

Et tandis qu'il me regarde sur le sol, un petit sourire suffisant aux lèvres, deux esprits ailés se posent sur mon épaule et je sens un terrible pouvoir me traverser de part en part.

— J'ai travaillé, moi aussi, Henry, et j'ai beaucoup *risqué* pour obtenir ce que j'ai aujourd'hui.

À la vue des papillons, sa belle assurance l'abandonne.

— C'est injuste !

Mais je n'ai pas l'intention de me laisser humilier et je m'avance vers Henry, dont la confiance s'effrite, malgré ses poings brandis. Il me frappe, mais j'écarte sa main comme un insecte, tandis que mon bras droit lui porte un coup si violent que ses pieds quittent le sol. Il part à la renverse et heurte le mur.

Elizabeth accourt.

— Ça va ? demande-t-elle.

Sa voix trahit non seulement l'inquiétude, mais aussi l'admiration. Se méprendrait-elle sur l'identité du vainqueur, par hasard?

Henry se hisse sur ses coudes et me foudroie du regard.

— Espèce de lâche! hurle-t-il.

— Lâche, moi?

J'ignore si c'est à cause de l'insulte ou de la vue d'Elizabeth à genoux à côté de lui, mais je suis éperdu de rage. Dans ma tête, il n'y a plus que du bruit: à l'étage, le piano désaccordé continue de jouer follement, les vitres tremblent et, dans les profondeurs du château, une plainte agonisante, qui pourrait aussi bien être la mienne, résonne.

— Je ne me laisserai pas traiter de lâche! dis-je d'une voix rugissante.

Sur le sol, je récupère mon fleuret, que je démouchette.

Je fonce vers Henry. Me voyant venir, il tente de s'éloigner en rampant, mais je pose un pied sur sa poitrine et pointe mon épée sur sa gorge. La peur que je lis sur son visage me transporte.

Ici, je suis invincible!

— Retire ce que tu as dit, craché-je.

— Ja-mais, répond-il, les dents serrées.

Je hurle et soulève le fleuret, prêt à l'enfoncer profondément dans sa chair.

— Victor! crie Elizabeth.

Je me retourne. Elle tient à la main le fleuret de Henry qui, sans trembler, me vise le cœur.

— Dépose ton épée !

— Tu n'oserais pas me frapper, dis-je.

— Tu veux parier ?

Je ris et fais un pas en arrière en abaissant mon arme.

— Allez, dis-je. C'était seulement pour rire. On s'est peut-être un peu énervés. Et alors ?

Elizabeth refuse de me regarder dans les yeux et j'éprouve un vif sentiment de trahison et aussi de rage. De quel droit ose-t-elle faire de ma force et de ma satisfaction une chose froide et honteuse ?

Je mets un moment à comprendre que la montre occulte vibre dans ma poche. Tout indique que nous sommes là depuis longtemps.

— Notre temps est écoulé, dis-je en brandissant l'objet.

Nous nous disons au revoir sans entrain. Je sens mon talisman m'entraîner ; il me presse de regagner ma chambre, où nos corps nous attendent. Dans le couloir, nous nous hâtons vers le grand escalier, le château étrangement calme après le déchaînement de formes mouvantes de tantôt. Dans ma chambre, je m'étends et mon corps du monde des esprits épouse avec une précision surnaturelle sa contre-partie du monde réel et...

De retour, je frottai mon visage et mon cou, certain d'y trouver des ecchymoses, mais il n'y en avait pas. En m'étirant, je n'éprouvai aucune douleur aux côtes ni au ventre. Selon toute apparence, les blessures subies dans le monde des esprits ne se transposaient pas dans l'autre.

Je jetai un coup d'œil furtif à Henry et à Elizabeth. Pendant un long silence malaisé, nous évitâmes de nous regarder.

— J'ai l'impression que nous nous sommes laissé emporter, dis-je au bout d'un moment.

Henry souffla d'un air moqueur.

— Je te rappelle, Henry Clerval, que tu m'as donné un coup de poing au visage pendant un assaut d'*escrime*.

— Tu m'as invité à inventer mes propres règles.

— Vous vous êtes comportés en brutes, tous les deux, lança Elizabeth. Surtout toi, Victor.

— Et toi? répliquai-je. Tu as pointé une épée sur mon cœur!

— Seulement pour t'empêcher de tuer Henry!

— Tu n'avais quand même pas l'intention de m'embrocher? demanda Henry.

— Bien sûr que non, répondis-je en espérant que ma voix ne trahirait pas mon incertitude.

— Vous étiez l'un et l'autre déchaînés, constata Elizabeth.

— Ce qui est bizarre, ajoutai-je, c'est que je ne t'ai pas vue t'interposer. En fait, tu semblais plutôt *électrisée*.

En guise de réponse, je n'eus droit qu'à un soupir d'impatience, mais elle savait que j'avais raison. Elle avait assisté à notre duel avec l'impatience crispée d'une femelle attendant l'issue de la bagarre entre candidats à l'accouplement.

Cette possibilité m'arrêta tout net dans mes réflexions. Avais-je mis dans le mille ? Avions-nous fait la *parade*, Henry et moi, afin de permettre à Elizabeth de choisir le mâle le plus accompli ? J'étais indigné à cette seule idée. Je ne m'étais tout de même pas senti obligé de *faire mes preuves* ? Par rapport à Henry, par-dessus le marché ? Il était inimaginable qu'Elizabeth puisse avoir un penchant romantique pour lui. Depuis des années, il était notre ami bien-aimé, un être studieux, nerveux et un tantinet ridicule. Elizabeth n'avait jamais fait montre du moindre intérêt amoureux pour lui, du moins pas à mes yeux, lesquels, je devais bien l'admettre, se montraient souvent aveugles à de telles considérations. Elizabeth et mon jumeau n'étaient-ils pas tombés amoureux sous mon nez sans que je m'en aperçoive ?

Mes certitudes s'effondraient une à une. Henry maniait les mots à merveille et c'était une qualité que prisait Elizabeth. Et je n'avais pas non plus oublié l'aura de force paternelle qui l'avait entouré lorsqu'il avait tenu le bébé de boue dans ses bras. Puis il y avait eu, sur mon corps, la force et la vélocité des coups portés par ses poings nouvellement entraînés. Pouvait-il être mon rival ?

— Tu as vraiment suivi des leçons de boxe ? demandai-je.

Il hocha la tête.

— Après notre rencontre avec Julius Polidori, je me suis dit qu'il serait sage que j'apprenne à me défendre sans épée.

— Tu as du talent, admis-je à contrecœur.

Il brandit les poings.

— On remet ça ?

Il laissa entendre un rire timide. Pendant un moment, le Henry d'antan fut de retour. Lorsque nous nous serrâmes la main, cependant, je constatai que sa poigne était plus ferme que dans mes souvenirs et je me demandai s'il serait facile d'oublier les mots et les coups que nous avions échangés.

— Je ne remettrai plus les pieds là-bas, lança Elizabeth. Cet endroit fait de nous des fous méchants et dangereux. Je frémis à la pensée de ce que nous risquons de faire la prochaine fois. Prêtons serment, tous les trois. Nous ne retournerons dans le monde des esprits que quand le bébé aura grandi et sera prêt à accueillir l'esprit de Konrad.

À contrecœur, Henry hocha la tête.

— Ça vaut peut-être mieux pour nous tous.

— Victor ? fit Elizabeth.

— C'est injuste pour Konrad, répondis-je. Vous savez que, dans ce monde, le temps se comporte de façon erratique. Faites comme vous voulez, tous les deux, mais, pour ma part, j'ai l'intention d'aller là-bas de temps en temps pour lui donner des nouvelles et lui tenir compagnie. Lui éviter le désespoir, en somme.

Elizabeth me dévisagea, manifestement sceptique.

— C'est très noble de ta part, Victor.

Cette nuit-là, je rêvai que je venais de me réveiller dans mon lit. La femme de chambre était déjà passée : elle avait tiré les rideaux et m'avait laissé de l'eau fraîche. Comme c'était une belle et chaude journée parfumée, elle avait aussi ouvert la fenêtre.

Couché sur le dos, les mains derrière la tête, je poussai un soupir de contentement, puis je remarquai un moineau perché au sommet d'un des poteaux de mon lit. Je l'observai. Il m'observa. Soudain, j'eus peur de lui, de ce qu'il risquait de faire. Il s'élança alors et se glissa sous le col de ma chemise de nuit. Je sentis sa silhouette affairée et compacte prendre place sous ma clavicule gauche. L'oiseau s'immobilisa et moi aussi, car je sentais ses petites griffes pointues piquer ma chair nue. Si je bougeais ou tentais de l'agripper, je le sentais, l'oiseau se débattrait, son bec donnerait des coups et ses griffes se serreraient.

Je restai figé, indécis, ce petit moineau installé sur ma poitrine, tel un second cœur.

Chapitre 10

LA FOSSE

Je m'éveillai très tôt (il était, proclamait mon horloge, cinq heures du matin), mais frais et dispos. Par-dessus tout, j'éprouvais un formidable sentiment de bien-être. Je serrai ma main droite, en fis un poing. Pas la moindre douleur fantôme dans mes doigts absents.

J'avais envie d'être debout. Je retirai ma chemise de nuit et une petite ombre contourna ma poitrine en vitesse avant de disparaître derrière mon dos. Osant à peine respirer, je restai parfaitement immobile.

Il y en a un sur moi.

Lorsque j'étais rentré la veille, sans doute s'était-il accroché à moi à mon insu. Un malaise me traversa l'esprit, aussitôt emporté par une vague d'excitation.

Je m'habillai en hâte et fonçai vers le salon de l'aile ouest, où père avait établi notre bibliothèque provisoire. J'allumai une lampe et saisis sur une tablette le volume le plus épais et le plus obscur possible.

Je l'ouvris au hasard et parcourus la page, couverte de pattes de mouche minuscules. Du grec, de loin ma langue la plus faible. Penché, je touchai le texte du bout des doigts.

Dans mon esprit calme et ordonné, les lignes se tradui-saient toutes seules, les unes à la suite des autres : c'était l'histoire du grand héros Ulysse, à son retour de la guerre de Troie.

Je retirai ma main et me calai dans mon fauteuil, hale-tant. Incroyable ! C'était comme quand le papillon m'avait aidé à lire dans la Bibliothèque obscure du monde des esprits. Avec agitation, je refermai le livre et me mis à faire les cent pas, retenant mal un sourire. L'esprit affûtait mon intellect. Il guérissait ma main. De quoi était-il encore capable ?

Spontanément, je descendis le grand escalier et sortis dans la cour. Les parfums terreux de la nuit saturaient l'air.

Ne tenant pas en place, je fonçai vers l'allée incurvée. Puis j'empruntai le chemin du lac, mû par une énergie sans limites. Ma foulée s'allongea : mes genoux montaient bien haut, mes bras fendaient l'air. Le ciel se colorait. Le chemin s'étirait devant moi et j'aurais voulu qu'il soit sans fin. Mon souffle était profond, infatigable. J'aurais pu tenir indéfi-niment.

Je perdis la notion du temps, mais, quand je m'arrêtai enfin de courir, je m'aperçus que j'avais gagné le village de Bellerive, trajet que nous mettions une bonne dizaine de minutes à accomplir dans une voiture tirée par un cheval ! Le soleil dévoila les sommets du côté du levant et la lumière miroitait sur les eaux du lac Léman. J'éclatai de rire, en proie à une joie sans mélange.

Avec cet esprit à mes côtés, j'étais invincible.

De retour au château, je m'arrêtai tout net dans l'entrée de la cour, car j'avais reconnu des voix qui murmuraient tout bas. De l'autre côté du mur de pierre, je vis Elizabeth et Henry se promener ensemble.

Mon sentiment d'euphorie se dissipa aussitôt. Henry, ayant remarqué qu'elle se levait de bonne heure, était-il descendu dans l'espoir de passer un moment en tête-à-tête avec elle ? Je n'avais surtout pas oublié les regards qu'elle avait posés sur lui, la veille, non plus que l'empressement avec lequel elle s'était précipitée vers lui pendant notre duel. Henry croyait-il vraiment avoir une chance de faire sa conquête ?

Je le vis lui remettre un bout de papier plié et lui dire quelques mots que je ne pus saisir. Elizabeth hocha la tête et le mit dans sa poche, puis Henry entra dans le château.

J'attendis qu'Elizabeth l'ait suivi pour pénétrer dans la cour. N'ayant pas déjeuné, mon corps avait très faim, mais je sentais dans mon cœur un appétit d'un tout autre genre.

— Il y a une question dont nous devons discuter, dis-je.

Avec notre panier à pique-nique, nous nous dirigions vers la cabane pour jeter un coup d'œil à notre création de boue.

— Laquelle ? demanda Henry.

Depuis le matin, je sentais qu'il me battait froid. Après notre duel, sans doute restait-il sur ses gardes. Et, pendant le déjeuner et la leçon écourtée de père, Elizabeth m'avait aussi semblé plus réservée que d'ordinaire.

— Qu'arrivera-t-il une fois Konrad de retour? demandai-je.

Elizabeth fronça les sourcils.

— C'est-à-dire?

— Comment les autres vont-ils réagir? Konrad rentre et dit: «Coucou, c'est moi, je suis de retour.» J'ai du mal à imaginer la suite. Mais elle est remplie de cris et d'horreur.

Elizabeth inspira à fond et je sus qu'elle n'avait pas permis à son esprit d'aborder cette question troublante.

— Naturellement, ils seront surpris, au début, mais…

— Surpris? répétai-je en riant. Ils croiront voir un fantôme ou un démon!

— Tes parents ne prêtent aucune foi à ce genre de choses. Tu le sais très bien.

— Je ne pensais pas tellement à mes parents. Dans un premier temps, ils seront saisis, mais leur joie aura vite fait d'effacer leurs doutes. Quelle mère ne se ferait pas une joie de retrouver son fils bien-aimé, quelles que soient les circonstances? Non, je songeais plutôt à nos domestiques et aux Genevois en général.

— Ils ne se montreront pas aussi larges d'esprit, concéda Henry. Quand la nouvelle sera connue, on nous accusera de frayer avec le diable.

— Peut-être pas, dit Elizabeth avec espoir. Ceux qui ont la foi y verront un miracle. Pour les autres... Ce sera un merveilleux mystère. Au bout de quelques semaines...

Désemparée, elle laissa la phrase en suspens.

— Notre famille sera vilipendée, dis-je avec fermeté. Je ne serais pas surpris de voir la populace tenter de mettre le feu au château, de préférence avec nous dedans. Nous devrons quitter Genève, abandonner notre demeure ancestrale et commencer une vie nouvelle dans une lointaine contrée peuplée de barbares.

Henry me dévisagea d'un air sévère, sans doute alarmé à l'idée de perdre Elizabeth.

— C'est plutôt radical, comme hypothèse, dit-il.

Je faillis sourire.

— En effet.

Après un moment de silence, j'ajoutai :

— Mais il y a peut-être une autre possibilité.

Le matin même, pendant le déjeuner, la solution, lumineuse et idéale, s'était imposée à mon esprit aux facultés décuplées.

— Laquelle ? demanda Elizabeth avec enthousiasme.

— Nous devrons tout de suite l'envoyer au loin. Ce n'est pas si draconien, m'empressai-je d'ajouter à la vue de la surprise et de la consternation qui se peignaient sur son visage. À son retour du monde des esprits, nous préviendrons père et mère, mais nous ne dirons rien à nos domestiques, sauf peut-être aux plus fidèles, et encore… Konrad partira sous un nom d'emprunt. En Italie. Ou, de préférence, encore plus loin. En Grèce, peut-être, où il sera généreusement pourvu, logé et éduqué. Il se laissera pousser la barbe, décolorera ses cheveux et se fera bronzer. Au bout de quelques mois, il rentrera dans la peau d'un cousin éloigné. Il portera un nouveau nom, évidemment, mais ce sera toujours notre Konrad et il vivra heureux avec nous jusqu'à la fin des temps. Nous serons les seuls à connaître le secret !

Elizabeth et Henry ne dirent rien pendant un moment. Puis, tristement, Elizabeth laissa tomber :

— Ça me semble si cruel… Le renvoyer au moment même où nous le ramenons à la vie…

— À titre provisoire seulement. Après, il restera avec nous *pour toujours.*

— Oh, mais je comprends parfaitement la froide logique du projet, répliqua-t-elle en me dévisageant, le menton incliné d'un air dubitatif.

Elle me connaissait bien. Je parvins néanmoins à rester calme. Doucement, je dis :

— Je sais que c'est pénible. Mais, après tout ce que nous avons enduré, ce n'est qu'un petit chagrin de rien du tout. C'est aussi le seul moyen de faire que Konrad puisse nous rejoindre sans difficulté. À moins, bien sûr, que l'un de vous ait une meilleure idée.

Elle hocha la tête à contrecœur.

— Je n'en vois pas. Tu as raison, Victor. Il n'y a pas d'autre issue. Merci.

En déverrouillant et en ouvrant la porte de la cabane, j'entendis un petit bruit furtif, suivi d'un silence coupable. Vite, nous entrâmes avec notre panier et refermâmes derrière nous. J'allumai une lanterne. De quoi ma créature de boue aurait-elle l'air aujourd'hui? Nous contournâmes la table. Dans le trou, il n'y avait qu'une couverture emmêlée, tachée de sang.

— Où est-il? demanda Elizabeth, le souffle court.

Soulevant sa lanterne, Henry illumina la cabane tout entière.

— Et si un animal l'avait dévoré? cria Elizabeth.

— Impossible, dis-je. Les animaux ont peur de la créature.

— Où est-il, dans ce cas? demanda-t-elle, au bord de l'hystérie.

— La créature s'est déplacée, voilà tout. Elle s'est réveillée et a rampé…

Se pouvait-il que j'aie tort ? Un renard avait-il pu l'emporter à la faveur de la nuit ?

— Tu as dit qu'il ne se réveillerait pas ! hurla-t-elle en jetant un coup d'œil derrière des poutres.

Un bruit se fit entendre dans un coin encombré et je me précipitai de ce côté. D'instinct, je m'emparai d'une fourche. Ma lanterne se balança follement. Sinistrement, des yeux réfléchissaient la lumière. Derrière une brouette détraquée, une créature de petite taille détala à quatre pattes. Avec prudence, je m'approchai, ma lanterne brandie bien haut, la fourche prête à frapper. Tassée contre le mur se tenait la créature de boue, toute nue, son petit visage de goule parsemé de taches de sang.

— Il est blessé ! s'écria Elizabeth, à côté de moi.

— Non, répondis-je d'un ton morne. Il a mangé.

Éparpillées sur le sol de terre battue se trouvaient les carcasses atrocement mutilées de petits animaux. Quelques souris avaient été dévorées, avec leur pelage, et il ne restait d'elles que leurs têtes écrasées. Un rat avait été éventré à coups de dents et ses entrailles presque entièrement consommées. Dans ses mains, la créature de boue tenait les restes rouges et tendineux de ce qui, à en juger par sa queue, avait dû être un tamia.

— Doux Jésus, fit Henry qui, dans la lueur de la lanterne, semblait nauséeux.

— Il avait faim ! lança Elizabeth.

Elle s'approcha et, d'un ton apaisant, dit :

— Tout va bien, Konrad. N'aie pas peur.

C'était la première fois qu'elle l'appelait par son prénom et, contre toute attente, j'en eus la chair de poule. Vite,
elle écarta la brouette et se mit à genoux.

— Allons, allons, mon petit.

La créature laissa entendre un léger couinement et
s'avança vers Elizabeth en rampant. Elle la prit dans ses
bras d'un air protecteur et se leva.

— L'un de vous aurait-il l'obligeance de m'apporter un
linge avec un peu d'eau ?

Aussitôt, Henry fonça vers le panier et revint avec un
linge humide. Quant à moi, je tins la lanterne pour leur
permettre d'enlever la bouillie sanglante qui maculait le
visage et les mains de la créature de boue.

— Là, c'est mieux, non ? fit Elizabeth.

La créature avait désormais la taille d'un enfant de trois
ans. Sa peau avait pâli, pris la teinte de l'argile cuite dans un
four, mais il n'y avait plus sur elle la moindre trace de boue.
Sa peau était aussi lisse et souple que celle d'un humain et
elle avait toutes les apparences d'un enfant normal. Elle
bâilla et je ne fus pas surpris de constater que ses dents de
lait avaient poussé.

— J'ai du mal à croire que cette créature ait pu attraper
autant de proies, dis-je en parcourant des yeux les vestiges
du carnage derrière la brouette.

Avait-elle attendu patiemment, embusquée là, que des petits animaux viennent renifler de ce côté, tendu le bras, vive comme l'éclair, et serré le poing jusqu'à ce qu'ils cessent de gigoter ? Ou les avait-elle pourchassés en rampant à une vitesse surnaturelle pour se jeter sur eux, gueule grande ouverte ?

— Il était affamé, Victor, expliqua Elizabeth avec impatience. Comme je le craignais.

— En principe, cette créature ne devait pas se réveiller.

— Eh bien, il l'a fait.

— Voilà ce qui arrive quand on se mêle de ce qui ne nous regarde pas, répliquai-je sèchement.

— Inutile d'en discuter à présent, fit-elle. Nous avons sur les bras un enfant qui grandit très, très vite, et il a faim.

— Je vais chercher du lait dans le panier, dit Henry. Il doit aussi avoir soif.

Je poussai un soupir d'exaspération. J'en voulais à Henry de jouer les bonnes d'enfants parfaites et je m'en voulais aussi à moi-même, car je n'acceptais pas facilement de m'être trompé. J'étais persuadé que la créature n'allait pas se réveiller. Et elle ne l'aurait sans doute pas fait si Elizabeth ne s'en était pas mêlée.

À la vue de la bouteille de lait, la créature tendit avidement les mains, s'en empara et la porta à sa bouche. Une bonne quantité de liquide éclaboussa son visage et son corps, sans oublier la robe d'Elizabeth, mais elle vida la

bouteille en deux temps, trois mouvements et, encore assoif-
fée, regarda autour d'elle d'un air suppliant en laissant
entendre une plainte angoissée.

Henry disposa notre couverture et notre panier sur le
sol en terre battue et Elizabeth s'assit avec l'enfant sur ses
genoux. Elle l'entortilla dans une couverture et sortit les
victuailles. Avec ses doigts, elle lui tendit des morceaux
de pain, de jambon cuit et de poisson salé. La créature
dévora tout.

Je l'examinai avec attention, cette créature façonnée
avec de la boue, cette créature que j'avais contribué à créer.
En l'espace d'un jour et d'une nuit, le bébé était devenu un
petit enfant. Cette croissance accélérée, la force des os,
l'épanouissement des tendons et des muscles, dépassaient
l'entendement. Déjà, cette créature était beaucoup plus
grande que notre petit William.

Mais le plus troublant, c'est que j'éprouvais de plus en
plus de difficulté à concevoir cette créature comme… une
créature, justement, car déjà je reconnaissais en elle mes
traits et ceux de mon frère. Quand nous avions trois ans,
mère avait fait peindre un portrait de Konrad et de moi et
la ressemblance était frappante.

L'enfant rota, régurgita un peu de lait et de nourriture,
puis repoussa le morceau de pomme que lui tendait
Elizabeth. L'odeur aigre me fit grimacer, mais Henry essuya
la bouche de l'enfant sans le moindre dégoût.

— Pomme, dit Elizabeth en faisant sauter un fruit dans
sa main devant la créature.

L'enfant de boue suivit l'objet des yeux, mais son regard semblait curieusement vide.

— Il est uniquement mû par la faim et l'impulsion, lançai-je. Inutile de tenter de lui apprendre quoi que ce soit.

Elizabeth me dévisagea en fronçant les sourcils, comme si je risquais de vexer la créature.

— Il possède tous les attributs d'un être humain, l'âme en moins. Apprendre des choses lui sera sûrement profitable. Et, de toute façon, je ne vois pas où est le mal.

Elle entonna une comptine idiote et la créature écarquilla légèrement les yeux.

— À mon tour, dit Henry.

Il récita un poème enfantin sans queue ni tête dont j'avais moi aussi gardé le souvenir.

À force de gigoter, l'enfant, soudain agité, descendit des genoux d'Elizabeth. Une seconde plus tard, il grimpait sur Henry en rampant et en lui tendant les bras. Henry rit, manifestement aux anges.

— Il apprécie déjà la bonne poésie, dit-il.

— Comme bon nombre d'entre nous, ajouta Elizabeth en pouffant.

Henry saisit les mains de l'enfant et tira pour le mettre debout.

— Ses jambes sont fortes, constatai-je.

Mais je n'aurais pas dû m'en étonner. Cet étrange enfant avait pourchassé des souris et des rats, les avait tués à l'aide de ses poings minuscules.

— Il va bientôt marcher, déclara fièrement Elizabeth.

— Très bientôt, concédai-je en me demandant si l'enfant de boue aurait l'idée de s'échapper de la cabane.

— Tu crois encore qu'il est humain, ou même sûr, de le garder ici? me demanda Elizabeth, le menton incliné d'un air de défi.

J'observai avec soin l'enfant aux yeux inexpressifs et j'eus la certitude qu'il n'était qu'une coquille vide.

— La créature ne se réveille que pour manger, déclarai-je. Nous allons laisser toute l'eau et toute la nourriture au bord du trou. Si elle se réveille, elle aura largement de quoi tenir jusqu'à demain.

Comme pour corroborer mes dires, l'enfant, les paupières lourdes et déjà engourdies de sommeil, s'endormit dans les bras de Henry.

— Bon, dans ce cas, je vais l'installer confortablement, fit notre ami.

Avec précaution, il déposa le corps nu de l'enfant dans le trou.

Elizabeth, qui avait déjà la couverture à la main, la disposa avec soin autour de lui. Puis elle alla prendre dans le panier une vieille poupée d'Ernest, un homme en uniforme fait de feutre mou.

— Il n'a pas besoin de ça, décrétai-je.

Elle s'agenouilla au bord du trou et glissa la poupée sous la couverture, contre la poitrine de la créature.

Le front de l'enfant de boue se creusa d'un léger sillon, puis ses narines frémirent et s'évasèrent quand il inspira profondément. Il expira, paisiblement endormi sous sa couverture, tel un bienheureux.

De retour au château, nous vîmes Maria, notre gouvernante, traverser le hall à la manière d'un nuage orageux.

— Un problème ? lui demandai-je.

Elle arborait une mine d'enterrement.

— Il paraît qu'on a maintenant découvert autre chose sous la maison. J'ai entendu un des ouvriers bredouiller quelque chose à propos d'ossements. J'ignore pourquoi votre père autorise une chose pareille, surtout en ce moment.

— Où est le professeur ? demandai-je.

— À l'étage, je crois, en train de parler avec votre père.

Nous grimpâmes jusqu'au cabinet de père et frappâmes à la porte.

— Ah, fit père en nous ouvrant, vous tombez pile. C'en est presque troublant. Vous aurez droit à un auditoire enthousiaste, professeur.

Le visage du professeur était blanchi par le sable, mais, à travers la poussière crayeuse, je distinguais des traits de couleur vive sur ses joues. Il faisait les cent pas, sa poitrine d'ours gonflée par un emballement qu'il avait peine à contenir.

— Qu'a-t-on découvert ? demandai-je.

— Quelque chose de capital, répondit-il. Je m'apprêtais justement à y emmener votre père.

Pendant la descente, j'avais l'estomac noué par l'excitation. Par rapport à notre visite précédente, tout avait changé. Les lieux étaient aussi bien éclairés qu'une avenue de Genève. Dans les merveilleuses galeries ornées de chevaux, de taureaux et de béliers, nous vîmes des artistes en train de faire des croquis devant leur chevalet.

— Ils sont au septième ciel, déclara le professeur en riant. Ils disent n'avoir jamais vu d'images dotées d'une telle force vitale. Déjà, leurs œuvres suffiraient à remplir le Louvre.

Plus loin, un jeune savant tapait sur la pierre à l'aide d'un petit marteau et recueillait les éclats, tandis qu'un autre, debout sur une échelle, étudiait les taches de suie du plafond. Nous croisâmes l'ours et le tigre narquois, puis, devant l'embranchement, j'éprouvai une étrange absence de surprise en voyant le professeur choisir le chemin que j'avais emprunté dans le monde des esprits. Je remarquai qu'on avait fixé une corde à la paroi rocheuse, laquelle nous guida, de virage en virage, jusqu'à la chambre au haut toit en forme de dôme dominée par le géant esquissé à grands traits.

— Extraordinaire! s'exclama mon père.

Je poussai des oh! et des ah! d'émerveillement pour cacher le fait que je connaissais déjà cet endroit.

— Enfin une figure humaine! s'écria le professeur avec fierté. Et quel colosse!

La salle était brillamment éclairée. Et pourtant, Elizabeth, lorsque je lui jetai un coup d'œil, semblait mal à l'aise; quant à Henry, il fixait avec intensité le passage qui s'incurvait brusquement vers le bas.

— À votre avis, qui est ce personnage? demanda mon père.

— De toute évidence, un homme qu'on vénérait, répondit le professeur. Il ne fait aucun doute que les symboles gravés en dessous ont toute une histoire à raconter.

— Vous avez une meilleure idée de leur signification? demandai-je.

— Hélas, je suis toujours sans nouvelles de mon collègue français.

Du passage escarpé monta une plainte, suivie du grattement lent de pas lourds sur le sable. J'avalai ma salive en faisant un pas en arrière.

— Dieu du ciel! s'écria Henry d'une voix étranglée.

Aussitôt, une ombre géante s'encadra dans le passage et Elizabeth étouffa un cri. Un homme de grande taille fit son entrée dans la salle en se frottant la tête.

— Désolé de vous avoir fait peur, mademoiselle, s'excusa-t-il d'un ton contrit. Je me suis cogné la tête en montant. La pente est diablement raide.

Il s'avança vers Neumeyer et lui tendit un carnet de notes.

— Les mesures que vous avez demandées, professeur.

— Merci, Gerard. Vous avez laissé des lanternes allumées ?

— Oui.

— Qu'y a-t-il en bas ? demanda Elizabeth, la voix rauque.

— Ah ! répondit le professeur. La merveille des merveilles. Sauf que, si vous avez l'âme sensible, vous feriez mieux de rester ici.

— Je suis certaine que je m'en sortirai, riposta Elizabeth.

Je me rendis compte qu'elle faisait de gros efforts pour ne pas trahir son irritation.

— Très bien.

Le professeur s'arma d'une lanterne et en tendit une autre à mon père.

— Le passage est abrupt et sombre, mais on a taillé des marches grossières dans le sol. Comme elles sont glissantes, je vous prie de faire attention.

Je brûlais d'une curiosité dévorante. Depuis que j'avais entendu les sons surnaturels qui émanaient de ce passage, il me tardait d'en découvrir davantage à leur sujet. La descente était effectivement périlleuse, les murs suintants, les marches aussi glissantes que du savon. Plus bas, l'atmosphère, décidément plus humide, avait un parfum terreux, comme un sol fraîchement retourné.

— Ça va ? entendis-je Henry demander à Elizabeth.

Elle hocha la tête et je souris pour moi-même. Je la savais plus coriace que Henry le pensait.

Je détectai une faible lueur dans les profondeurs, mais le passage ne se redressa abruptement qu'au bout de longues minutes. Nous avions abouti dans une salle longue et étroite.

Des squelettes s'alignaient dans des niches grossières creusées en profondeur de part et d'autre. La lumière de nos lanternes enflamma les ossements, les anima à la façon de goules. Près du plafond, certains squelettes, presque recouverts d'une mousse minérale de couleur blanche, s'étaient calcifiés, leurs mâchoires béantes laissant s'échapper d'étranges floraisons épineuses.

— Une chambre funéraire, constata doucement mon père.

Il avait parlé à voix basse et je ne pus m'empêcher de me demander si la scène lui avait rappelé, comme à moi, la crypte familiale et le corps que nous y avions récemment abandonné.

— C'est une grande découverte, déclara le professeur. À ma connaissance, on n'a jamais rien trouvé de tel sur le continent.

— Ces os sont anciens ? demandai-je.

J'en touchai un du bout du doigt. Aussitôt, j'eus la sensation d'un âge immense, incompréhensible.

— Très anciens, répondit le professeur, à en juger par l'étrangeté des squelettes.

— En quoi sont-ils étranges ? demanda Elizabeth.

Le professeur s'avança vers l'un des squelettes les mieux préservés et approcha sa lanterne.

— Remarquez les articulations des genoux et, là, le crâne. Prenez note de leur épaisseur. Je n'ai jamais rien vu de tel chez les humains.

Un froid glacial se répandit sur ma peau à la façon d'un fantôme.

— Vous dites que ce type était un géant ?

— Ce type était une femme, dit-il avec un sourire qui, dans la lueur vacillante des lanternes, sembla sinistre. Un géant, non. Bien que de constitution fruste, ces êtres étaient en gros de la même taille que nous. Mais je me demande si ceux que nous voyons enterrés ici étaient effectivement humains.

— Qu'auraient-ils pu être d'autre ? demanda Elizabeth, très surprise.

— C'est une question très controversée, répondit le professeur en se tournant vers mon père, non sans un certain malaise. Mais je sais, Alphonse, que vous êtes un homme aux vues larges et libérales.

— Parlez librement, dit père.

— Il existe des théories, toujours impopulaires, selon lesquelles nous n'avons pas toujours été tels que nous sommes aujourd'hui. Certains estiment que l'homme, avant d'être homme, a été autre chose. Que, il y a des milliers, voire des millions d'années, nous nous sommes transformés. Les squelettes ici présents sont peut-être ceux des êtres que nous avons été autrefois. Avant de devenir véritablement humains.

— Les premiers Frankenstein, peut-être, dit Henry en risquant un rire nerveux.

— Diriez-vous qu'il s'agit de la tombe d'un clan tout entier ? demanda père.

— Peut-être, répondit le professeur. Mais ces squelettes ne sont qu'une sorte de prélude.

— Que voulez-vous dire ? demanda Elizabeth.

— Vous allez voir.

Nous suivîmes le professeur jusqu'à une autre salle, celle-ci beaucoup plus grande. En son centre s'élevait un tertre, qu'entouraient et recouvraient entièrement une profusion d'ornements sculptés dans l'os et la pierre. Plus près, je me rendis compte qu'il s'agissait dans certains cas de figurines, de la taille d'un poing, représentant des hommes et des femmes. D'autres étaient des sculptures d'animaux, les bêtes de grande taille dépeintes sur les murs. Émerveillé, je m'agenouillai pour mieux les admirer.

— Dans de nombreuses cultures anciennes, expliqua le professeur, il n'était pas rare qu'un chef, un chaman ou un roi se fasse inhumer avec des membres de sa famille ou des dignitaires choisis pour partager sa sépulture.

— Les squelettes du passage ? risqua Henry.

— Précisément. Mais, compte tenu de leur nombre et de l'abondance d'ornements qu'on voit ici, sans parler de l'image sur le mur, là-haut, je crois que la personne enterrée ici était considérée comme un dieu.

Chapitre 11
UNE PORTE S'OUVRE

J'avais eu l'intention de m'introduire dans le monde des esprits après minuit, mais sans doute m'étais-je endormi en lisant dans mon lit, car je m'éveillai en sursaut. La chandelle s'était presque consumée. Vite, je me levai, me dirigeai vers mes tablettes et ouvris mon jeu d'échecs. À côté de la reine se trouvait la clé du dernier tiroir de ma commode. En traversant de nouveau la pièce, j'hésitai. Dans l'air, semblable au souvenir d'un parfum spectral, persistait la sensation, toute récente, d'une présence dans ma chambre.

Inquiet, j'ouvris le tiroir et, en proie à la panique, jetai un coup d'œil. La montre occulte et le flacon vert avaient tous deux disparu. Avions-nous été découverts ? Père s'était-il introduit dans ma chambre pour dérober ces objets ?

Je pris de profondes inspirations. Non. Père n'y était pour rien.

Furtivement, je suivis le couloir jusqu'à la chambre d'Elizabeth. De quel droit avait-elle confisqué mon élixir ? De quel droit cherchait-elle à me dicter ma conduite ? Dans ma tête, des mots enflammés se bousculaient. Sa porte était verrouillée, mais j'avais tout prévu : je sortis de ma poche un mince dispositif à deux pointes que j'avais mis au point à l'âge de douze ans. En quatre secondes, la porte était ouverte et j'entrai. Mentalement, j'avais déjà répété le sermon que j'entendais servir à Elizabeth.

Elle était allongée sur son lit, habillée de pied en cap, les yeux clos. Dans chacune de ses mains, elle tenait un objet ; dans la droite, j'aperçus le contour de la montre occulte.

Elle était entrée !

Après tous ses beaux discours, sa volonté maintes fois réitérée de ne plus mettre les pieds là-bas, elle était entrée. Sans moi, par-dessus le marché !

Sur sa table de chevet se trouvait le flacon vert. Sans perdre un instant, je laissai tomber une goutte du liquide sur ma langue. Puis je remis tout en place et m'assis dans un fauteuil. Je retirai ma bague familiale pour la serrer dans ma main. Je n'eus que quelques secondes à attendre pour…

… j'ouvre les yeux dans la chambre déserte d'Elizabeth. Tout de suite, je vois un papillon coloré se détacher de mon corps et, avec un grognement de désarroi, je me rends compte que c'est l'esprit, *mon* esprit, qu'il a été sur moi toute la journée, que c'est lui qui m'a communiqué une telle force, une telle agilité mentale. Je me lève et je le suis dans le couloir, je tends la main, mais il volette hors de portée.

— Reviens, dis-je à voix basse, un peu paniqué.

Mais il croise presque aussitôt un papillon noir qui descend vers moi en décrivant des spirales gracieuses ; il se pose sur moi, ses ailes musicales émettant un doux trille. Je retrouve aussitôt l'énergie et le calme qui me sont désormais familiers.

J'entends des voix et je me dirige à pas furtifs vers la chambre de Konrad. Par la porte entrouverte, je jette un coup d'œil à l'intérieur. Konrad et Elizabeth, assis le plus près possible l'un de l'autre, bavardent avec tendresse. Mon frère baisse la tête pour éviter l'éclat aveuglant d'Elizabeth et il est clair qu'il n'a pas remarqué le mien.

Je pousse la porte et entre à grandes enjambées.

— Espèce d'hypocrite ! lancé-je à Elizabeth.

Alarmés, ils se retournent tous deux, Elizabeth la main sur sa poitrine.

— Victor ! Je te croyais profondément endormi.

— C'est sans doute pour mon propre bien que tu es venue me voler ? dis-je d'un ton moqueur.

Sur son visage, la surprise cède la place à un air de défi.

— Tu n'y es pas du tout, même si, à la réflexion, j'aurais peut-être dû ! Tu ne résistes pas facilement à la tentation.

— Toi non plus, de toute évidence.

— Pourquoi gardes-tu ces objets sous clé dans ta chambre comme s'ils t'appartenaient à toi tout seul ?

— C'est moi qui les ai trouvés.

— Pas plus que Henry ou moi.

— Ils sont à moi. Et comment savais-tu où je cachais la clé de mon tiroir ?

— Tu la gardes dans ton jeu d'échecs depuis tes douze ans ! J'avais l'intention de remettre les choses à leur place dès mon retour. Et, de toute façon, qu'y a-t-il de mal à vouloir passer du temps avec la personne qu'on aime le plus au monde ?

— Rien du tout, dis-je avec dédain, malgré la douleur que m'ont infligée ses mots. Nous avons eu la même idée, toi et moi.

Elle rit.

— Non, c'est faux. Tu es venu voir ce que renferme le tertre funéraire.

— Eh bien, dis-je, décontenancé à l'idée d'avoir été si vite démasqué, j'avoue que ma curiosité a été un peu piquée. Tu as parlé à Konrad de la découverte du professeur ?

Dès que j'avais entendu la plainte monter du passage à pic et senti l'étrange énergie qui s'en dégageait, j'avais compris que, tôt ou tard, je descendrais à la recherche de sa source.

— N'y va pas, Victor, implore Konrad.

— Si vous avez peur, rien ne vous oblige à m'accompagner, dis-je, conscient que cette remarque va les piquer au vif. Mais je vais devoir manipuler la montre pour me donner plus de temps.

À contrecœur, Elizabeth me la tend et, par la force de ma volonté, j'oblige les rouages surnaturels à ralentir, tellement qu'ils s'immobilisent presque.

— Victor, lance mon frère. Cette chose, quelle qu'elle soit, est dangereuse.

— Nous n'en savons encore rien. Mais si tel est le cas, mieux vaut en avoir le cœur net.

— Tu as sans doute raison, admet Konrad avec difficulté.

Mais je me fais aussi la réflexion suivante : *Une force existe en ce lieu, et je dois savoir de quoi il s'agit.*

Sur le seuil du passage incliné, Konrad hésite.

— Je me demande si je dois descendre, déclare-t-il lorsque je me retourne pour voir s'il nous suit, Elizabeth et moi.

— Avec nous, tu es en sécurité, dis-je. Nous sommes vivants. Tant que nous sommes là, rien ne peut te faire de mal.

La peur est gravée sur son visage, mais il s'avance résolument à notre suite, l'épée à la main.

Pendant notre descente, nous n'entendons aucun son menaçant. En fait, les cavernes semblent étrangement paisibles, les peintures éteintes. À présent, le passage incliné se redresse et je vois les squelettes de part et d'autre de la pièce étroite, exactement comme dans le monde réel. Mais, dans la grande salle, le tertre et ses ornements ont disparu. Au centre se trouve plutôt une énorme fosse ouverte, sur laquelle plane une énergie silencieuse.

— Les squelettes sont les mêmes. Pourquoi le tertre n'est-il pas là ? demande Elizabeth.

Je m'approche.

— Aucune idée.

Je ne sais pas du tout à quoi m'attendre. Près du bord, je jette un coup d'œil dans la fosse. Elle est extrêmement profonde. Au fond repose une grosse pierre blanche.

Je me concentre dans l'espoir de voir plus profondément dans le temps, de deviner ce qui se trouvait là autrefois, mais, pour une raison que j'ignore, cette chose défie ma clairvoyance, malgré la présence du papillon sur mon épaule.

— Ce n'est rien, dis-je, curieusement déçu. Seulement un rocher.

— Non, réplique Elizabeth, stupéfaite. Regarde comme il faut.

Elle a raison. Buriné à la surface de la pierre se trouve le contour à peine discernable d'une silhouette humaine roulée en boule. Comme si un sculpteur avait tracé avec désinvolture l'œuvre qu'il envisageait de produire pour ensuite abandonner son projet.

Jetant à son tour un coup d'œil prudent, Konrad déclare :

— Ça me fait penser aux images que père nous a un jour fait voir des victimes de Pompéi, fossilisées par la cendre volcanique.

— Sauf que, si le professeur a raison, cette chose est beaucoup, beaucoup plus ancienne, dis-je.

La pierre semble si lourde et si inerte qu'on l'imagine mal émettre les sons étranges que nous avons entendus. Et pourtant, cet objet est indéniablement entouré d'une aura, semblable à la chaleur que dégage un pavé chauffé par le soleil.

— Si elle est si vieille, comment expliquer qu'elle soit encore ici? demande Konrad. Pourquoi ne s'est-elle pas volatilisée?

— On dirait qu'elle a été abandonnée, là, au fond, constate Elizabeth. Elle a quelque chose de pitoyable. Voyez ses genoux remontés. On dirait un bébé dans un utérus de pierre.

— Un bébé, c'est fait pour naître, déclare Konrad, hébété.

L'énorme pierre tressaille légèrement, comme mue de l'intérieur. Au même moment, une plainte torturée s'échappe des pores du roc et, en s'élevant, nous enveloppe. Je sens qu'Elizabeth et Konrad s'écartent du bord, mais je suis figé sur place. Non par la peur, mais bien par la fascination.

— Elle veut sortir du sommeil, lance Konrad. Cette chose va se *réveiller*!

Et il s'enfuit dans le passage en courant.

— Nous devons l'accompagner, crie Elizabeth en se lançant à ses trousses. Il risque de se perdre.

À contrecœur, je m'éloigne de la fosse et les rattrape pour les aider à sortir des cavernes.

En haut de l'escalier secret qui s'ouvre sur la bibliothèque, nous trouvons Analiese qui nous attend.

— J'ai vu la porte entrouverte, explique-t-elle, et j'ai cru entendre vos voix, là, en bas.

— Il faut la tuer, cette chose, affirme Konrad, toujours affolé. Y a-t-il un moyen de le faire? Tu possèdes une force et un pouvoir particuliers, Victor. Crois-tu pouvoir y arriver?

— Qu'avez-vous vu? demande Analiese, les yeux écarquillés.

Konrad fait les cent pas.

— Dans les cavernes sous le château, il y a une chose monstrueuse, emprisonnée dans la pierre. Il faut la détruire.

— Comment être sûr qu'elle est maléfique? demandé-je calmement.

— Cette chose empeste la malveillance!

— Je ne sens rien de tel, dis-je avec franchise. Nous ne savons même pas à qui ou à *quoi* nous avons affaire. Qui dit même que cette chose, quelle qu'elle soit, peut être tuée?

— C'est peut-être simplement une âme qui attend d'être cueillie, risque Analiese. Seulement, elle a été condamnée à passer un long moment ici pour expier une très grande méchanceté.

— Oui, assez pour justifier des milliers d'années de pénitence ! s'exclame Konrad. Je frémis à l'idée de ce qui arrivera le jour où cette chose sortira de l'utérus de pierre !

— Tu seras parti depuis longtemps, répond Elizabeth d'un ton rassurant. Ton nouveau corps sera prêt dans quelques jours.

Konrad se détend, momentanément apaisé, mais alors il secoue la tête d'un air affligé.

— Et Analiese ? Et si la chose se réveillait avant qu'elle ait été cueillie ?

Mon frère se tourne vers moi.

— Peux-tu faire pousser un corps pour elle, Victor ?

— Oh non, monsieur, déclare humblement Analiese. Je préfère m'en remettre à la miséricorde de Dieu.

— Nous ne pouvons pas t'abandonner ici, Ana !

— Ana, répète à voix basse Elizabeth, surprise par ce diminutif empreint de tendresse.

— Vous allez sans doute me trouver vieux jeu, ajoute la servante, mais j'ai en Dieu une foi absolue. De toute façon, trop d'années se sont écoulées. Je n'ai plus de chez-moi, plus de famille. Où irais-je ?

— Eh bien, nous te trouverions une place dans notre famille, répond Konrad impulsivement. Ça ne poserait aucun problème, n'est-ce pas, Victor ?

Pendant ce temps, j'observe Elizabeth, perçois la jalousie que, dans le monde réel, elle aurait réussi à dissimuler. Ici, elle embrase son visage. Elle se lève et se dirige avec agitation vers la porte à double battant de la bibliothèque.

Et je me rends compte que Konrad m'a fait un cadeau, d'autant plus merveilleux que je n'y aurais peut-être pas pensé moi-même. Il veut que je crée une rivale pour Elizabeth.

— Eh bien, je n'y avais pas pensé, dis-je.

J'essaie de paraître réticent.

— Ce n'est pas facile, tu sais, mais, si tu y tiens beaucoup, je pourrais trouver sa tombe et prendre…

Analiese pousse un cri à glacer les sangs et je la vois en train de regarder Elizabeth. En me retournant vivement, je fais, sidéré, le constat suivant : semblant avoir perdu pied, Elizabeth a agrippé la poignée d'un des battants de la porte et l'a ouvert.

Aussitôt, un brouillard crépitant envahit la pièce et se transforme en un tentacule épais. Avec une vitesse ahurissante, il fonce droit vers Analiese en ondulant au ras du sol. Il s'enroule trois fois autour de sa cheville, la fait tomber et l'entraîne vers la porte ouverte. En hurlant de terreur, elle distribue les ruades, griffe le parquet.

Impulsivement, je fonce vers la porte, d'où Elizabeth observe la scène, paralysée, et appuie dessus de tout mon poids. Je sens une résistance forte, presque charnelle, et ce n'est qu'au prix d'un autre effort surhumain que je parviens à refermer le battant. Dehors monte le rugissement strident et furieux d'un grand vent. Il cogne sur la vitre, fait trembler la porte.

À mes pieds, le tentacule blanc se débat, son extrémité coupée crachant une vapeur sinistre. Mais la chose, encore débordante de vie, continue de secouer Analiese sur le sol, malgré ses cris.

Avec son épée, Konrad frappe à répétition le centre de la chose, mais la pointe pénètre à peine sa peau brumeuse.

— Laisse-moi faire, dis-je.

Après un moment d'hésitation, il me lance son sabre. À deux mains, je l'enfonce dans le tentacule. Je l'empale à plusieurs reprises et à la fin ses mouvements faiblissent et il commence à se dissoudre sous mes yeux. Son emprise sur Analiese se relâche et, avec une sorte de soupir haletant, il se désintègre d'un coup.

Analiese tente de se relever, mais ses bras fléchissent et elle gémit. Pendant une fraction de seconde, sa robe noire tremblote et, brièvement, sa magnifique silhouette s'effiloche et se gauchit, comme si son esprit avait complètement oublié l'ancienne forme de son corps. Même sa crinière de cheveux clairs s'assombrit, se contracte comme si elle avait brûlé. Mais elle prend une profonde inspiration, ferme hermétiquement les yeux et redevient aussitôt elle-même. Tout arrive si vite que je me demande si c'est mon imagination qui me joue des tours.

Konrad se précipite vers elle et passe les bras autour de ses épaules pour l'aider à s'asseoir.

— Dieu merci, dit-il. Tu vas bien, Ana?

Tremblante, elle répond:

— Je pense que oui. Merci, messieurs… de m'avoir tirée des griffes de cette vile chose.

En proie à la confusion, Konrad demande à Elizabeth:

— Que s'est-il passé?

Ses yeux me semblent presque accusateurs.

— J'ai agrippé la poignée pour me retenir, explique Elizabeth, sur la défensive. La porte s'est ouverte brusquement…. Je suis désolée.

— Non, non, mademoiselle, dit Analiese. C'était un accident. Ne vous faites surtout pas de reproches.

De l'autre côté de la vitre, nous regardons le brouillard, prédateur agité, se tordre et se détordre.

— Une force aussi maléfique… marmotte Konrad en aidant Analiese à se remettre sur pied. Tu es sûre que ça va?

— Oui, je vous remercie.

— Vous voyez bien que ce lieu est dangereux pour *nous deux*, dit Konrad d'un ton plein de sous-entendus. Il faut aussi que vous fassiez un corps pour Analiese.

— Non! s'écrie Analiese avec une force qui ne lui ressemble pas. Je ne veux pas que ma sépulture soit profanée. C'est mal.

— Mais... commence Konrad, l'air peiné.

— J'aime mieux attendre d'être cueillie, dit la servante d'une voix plus douce. Mais je vous suis reconnaissante de votre sollicitude.

Je sens la montre vibrer et la sors de ma poche.

— C'est terminé, dis-je.

— Au revoir, lance sèchement Elizabeth à Konrad.

Elle sort rapidement de la pièce.

— Je reviens demain, dis-je à mon frère.

Comme souvent déjà, je regrette de ne pas pouvoir le serrer dans mes bras. Dans l'espoir de le réconforter, je lui dis :

— J'ignore ce qu'il y a dans cette fosse, mais il s'agit d'une créature qui est là depuis des millénaires et qui y sera encore pendant des millénaires. Rien à craindre de ce côté.

Sur mes talons, il franchit la porte de la bibliothèque.

— Un instant, Victor.

Il baisse la voix pour éviter qu'Analiese nous entende.

— Elizabeth semble troublée. Qu'est-ce qui ne va pas ?

Je souris presque de le voir si obtus, mais je ne peux me résoudre à lui mentir carrément.

— Elle est jalouse, Konrad. Elle pense que tu t'es épris d'Analiese.

Je m'attends à ce que cette idée le fasse rire, mais il prend un air triste, légèrement coupable.

— Tu ne peux pas t'imaginer à quel point je me sens seul ici, dit-il doucement.

Je hoche la tête pour montrer que je comprends.

— Elle est si adorable.

Il a l'air affligé.

— Non, écoute-moi. Personne ne remplacera jamais Elizabeth dans mon cœur.

Mais il donne plutôt l'impression de chercher à se convaincre lui-même.

— Bien sûr que non, dis-je. Il faut que je me sauve. Je repasse bientôt.

Dans le couloir, je me lance aux trousses d'Elizabeth. Au passage, j'aperçois un second papillon noir et je tends la main. Comme répondant à un signal, il se pose sur ma paume et je referme délicatement mes doigts sur lui.

Avec le sentiment d'être légèrement ivre, j'entre dans la chambre d'Elizabeth, où je la trouve couchée sur son lit. Les émotions qui m'assaillent font littéralement palpiter les murs. Pendant un moment, je suis déconcerté, étourdi, tel un amant qui, à la faveur de la nuit, a un rendez-vous galant. Nos regards se croisent. Je m'avance vers elle, mon désir fait comme un roulement de tambour insistant dans mes oreilles, mais elle détourne les yeux et disparaît.

En soupirant, je vérifie que j'ai toujours mes papillons, l'un sur mon épaule, l'autre dans ma main. Je m'assois dans le fauteuil et…

De retour dans mon corps, je trouvai Elizabeth assise au bord du lit, ses yeux féroces dans la lueur des chandelles.

— Tu as vu cet esprit fondre droit sur elle? demanda-t-elle.

— Je n'y avais pas pensé, répondis-je, perplexe. Il a peut-être senti le pouvoir que nous avons en tant qu'êtres vivants et…

— Mais il n'a montré aucun intérêt pour Konrad!

Je fronçai les sourcils.

— Que cherches-tu à dire?

— Je me méfie de celle-là. Depuis le premier instant. Toutes ses belles paroles au sujet de l'esprit maléfique… C'est peut-être elle qui est mauvaise, non?

— Elizabeth… commençai-je.

Elle m'interrompit.

— Pourquoi est-elle encore là ? Pourquoi n'a-t-elle pas encore été cueillie ?

Une pensée me vint alors avec une force soudaine.

— Tu n'as tout de même pas fait exprès d'ouvrir cette porte ?

— Bien sûr que non ! répondit-elle avec beaucoup trop de véhémence.

Elle détourna les yeux et secoua la tête.

— Franchement, je ne me souviens plus…

— Tu aurais pu nous détruire, tous ! m'exclamai-je.

Une telle insouciance était sidérante, même à mes yeux à moi.

— Mais c'est elle que je voulais détruire ! s'écria Elizabeth avec la sourde incrédulité née d'un terrible constat. Là-dedans, je ne suis pas maîtresse de mes passions, Victor. J'ai été folle d'y retourner. Tout ce que je voulais, c'était être seule avec Konrad, sans distractions.

Elle posa sur moi un regard accusateur.

— J'avais besoin de le voir, surtout après cette nuit de danse et de combat, sans parler de mon comportement… Et j'ai pris beaucoup de plaisir à bavarder avec lui, en tête-à-tête, et je me suis sentie tellement proche de lui et puis… quand il a commencé à l'appeler Ana…

— Tu ne dois pas être jalouse d'elle, dis-je.

— Toujours à se caresser l'oreille pour être certaine qu'il remarque combien elle est jolie… Elle a essayé de conquérir son cœur. Et je crois qu'elle a réussi.

— Ne sois pas ridicule, fis-je, en proie à un élan de joie coupable.

— N'est-ce pas évident ? Il veut lui faire fabriquer un corps ! La ramener au château, chez nous !

Je soufflai, feignant une intense réflexion.

— Il se montrait tout simplement aimable. Et il faut bien admettre qu'il est horrible d'abandonner quelqu'un…

Elle hocha courageusement la tête.

— La bonté a toujours été une des qualités les plus attachantes de Konrad.

— Exactement, fis-je.

Mais je ne voulais pas trop la réconforter.

— Et n'oublie pas qu'ils ont été seuls au monde pendant des semaines et que cette période leur a paru beaucoup, beaucoup plus longue. Ce que je veux dire, c'est qu'on ne peut tout de même pas leur reprocher de…

Je me mordis la lèvre pour m'obliger à me taire.

— Il t'a confié quelque chose ? demanda-t-elle.

— À quel propos ? répondis-je innocemment.

— Il est amoureux d'elle, n'est-ce pas ?

Lentement, je secouai la tête.

— Elizabeth, je n'imagine pas qu'on puisse avoir plus d'amour pour une autre que pour toi. Ce serait de la folie.

Dans la lueur des chandelles, je vis que ses yeux étaient humides.

— Va-t'en, maintenant, Victor, s'il te plaît. Il faut que je dorme.

— Bien sûr.

Je me levai, mais, avant de sortir, je repris la montre occulte et le flacon d'élixir.

— Bonne nuit, Elizabeth.

Et je quittai sa chambre, certain que son cœur était lourd, alors que le mien, rempli d'un espoir inattendu, exultait.

Chapitre 12

DENTS

Dans ma chambre, j'allumai une unique chandelle et je me déshabillai. Je posai un flacon vide sur mon bureau et je m'y installai. Respirant calmement, j'attendis en promenant mon regard sur mon corps nu. Peu après, je vis deux petites ombres compactes glisser sur mes côtes et s'arrêter dans les sillons de mes muscles abdominaux.

Lentement, je fermai ma main gauche sur le flacon ouvert… puis je le plaquai sur ma peau. Au bout de trois essais, je réussis à emprisonner l'ombre contre ma chair tendue. Sans perdre un instant, je mis le bouchon et le fluide sombre de l'esprit éclaboussa la paroi de verre.

Je souris.

Et de deux.

— Victor ? Victor !

En sursautant, je levai les yeux, contrarié de voir ma concentration ainsi compromise. Elizabeth, debout devant moi, fixait d'un air ahuri la multitude de livres que j'avais empilés sur la table, dans le salon de l'aile ouest. À en juger par la lumière qui inondait à présent les fenêtres, j'avais perdu la notion du temps.

Une fois de plus, je m'étais réveillé de bonne heure. Avide de meubler mon esprit, j'étais venu là pour lire. Je m'étais plongé dans les merveilles de l'anatomie humaine, dans des volumes écrits dans toutes les langues possibles et imaginables. En dévorant les pages, je griffonnais de loin en loin des observations et des questions dans un petit cahier. Je refermai ce dernier, je posai ma plume et je levai aimablement les yeux sur Elizabeth.

— C'est l'heure du déjeuner ?

— Qu'est-ce que tu fabriques ? demanda-t-elle.

Et je vis ses yeux prendre note de mes doigts tachés d'encre, de la lampe que j'avais allumée en arrivant dans l'obscurité.

— Tu tournais les pages comme un fou furieux.

Je haussai les épaules.

— Je regardais les images, c'est tout.

— Ne me mens pas, Victor. Tu en as un sur toi, non ?

Je hochai la tête. À quoi bon insulter son intelligence ?

— Depuis quand ?

— Il y a deux nuits. Il a dû s'accrocher à moi à mon départ.

Henry passa la tête par l'entrebâillement de la porte.

— Ah, te voilà, Victor. Si tu veux manger, tu as intérêt à te dépêcher. On a commencé à débarrasser.

Sans doute alerté par la mine grave d'Elizabeth, il entra et, plus doucement, demanda :

— Que se passe-t-il ?

— Victor a un esprit sur lui, murmura-t-elle.

Henry me dévisagea avec inquiétude.

— Est-ce bien raisonnable ?

Je ris.

— Il apaise la douleur dans ma main ! Et il aiguise mon esprit. J'arrive à comprendre ces livres avec aisance et rapidité, exactement comme dans le monde des esprits.

— Et qu'est-ce qui te fait croire que tu ne vas pas aussi te *comporter* comme là-bas ? demanda Elizabeth.

Je soulevai mes mains avec impatience.

— Vous ne comprenez donc pas ? Ces choses sont de petits paquets d'énergie vitale. Un seul papillon a le pouvoir de faire pousser un nouveau corps pour Konrad. De le ressusciter d'entre les morts ! Qui sait jusqu'où nous pourrions aller avec leur aide...

Je m'interrompis.

— Vous pourriez aussi en avoir un, Henry et toi.

Avec un esprit sur elle, Elizabeth verrait peut-être la passion surnaturelle qu'elle éprouvait pour moi se prolonger dans le monde réel.

Je vis Henry se mâchouiller l'intérieur de la lèvre. L'idée lui souriait. Mais Elizabeth secoua la tête.

— Ils ont de grands pouvoirs, j'en conviens, et tu as raison : nous ignorons de quoi ils sont capables. C'est justement pour cette raison que nous devons faire preuve de la plus grande prudence. Qui sait ce qu'ils risquent de faire dans le monde réel ?

— Ah, je vois, dis-je. Tu veux bien qu'ils te rendent ton Konrad bien-aimé, mais pas qu'ils m'aident, moi.

— Nous étions tous d'accord pour ramener Konrad. Le pacte n'allait pas plus loin. Dans cette affaire-ci, Victor, tu es tout seul.

— Comme vous voulez, lançai-je. Mais je n'ai pas l'intention de laisser passer une telle occasion.

Je parcourus des yeux les livres qui m'entouraient.

— Il y a trop à apprendre.

— C'est bien ce qui me préoccupe, dit-elle. Tu es trop ambitieux. Et le monde des esprits exerce sur toi une trop grande fascination.

— Et sur toi aussi, on dirait, répliquai-je. As-tu raconté à Henry les événements de la nuit dernière ?

Henry nous dévisagea tous les deux avec surprise, manifestement blessé.

— Quoi ? Vous y êtes allés la nuit dernière ? Ensemble ?

Mon estomac grogna bruyamment.

— Elizabeth te racontera tout en détail, dis-je en prenant plaisir au malaise qu'elle ressentait de toute évidence. Avec votre permission, je vais aller déjeuner avant qu'il soit trop tard.

La créature avait encore grandi. La veille, nous avions laissé derrière nous un bambin de trois ans et là, il en avait six ou sept. Il dormait dans le trou, la couverture entortillée autour de son torse et de ses jambes. Sa peau, qui avait encore blêmi, ressemblait en tous points à de la chair humaine. Elle avait même la pâleur caractéristique des Frankenstein. Seule la cicatrice couleur glaise au centre de sa poitrine rappelait que la créature était issue de la boue.

La nourriture que nous avions laissée avait été dévorée, sans trop de manières. Et parmi les restes du repas se trouvaient des objets que je mis un certain temps à reconnaître.

— Des dents, dis-je en m'agenouillant pour en prendre une entre mes doigts.

— Ses dents de lait, fit Elizabeth. Il les a toutes perdues en l'espace d'une seule nuit.

Sans que je puisse m'expliquer pourquoi, cette idée me rendit légèrement nauséeux et je laissai tomber la dent par terre.

— Laissons-lui de la nourriture et du lait et allons-nous-en, murmurai-je. Avec un peu de chance, le corps pourra dormir et grandir seul jusqu'au moment où il sera prêt.

Pourtant, Elizabeth me regarda de travers, comme si j'avais proposé de mettre la créature dans un panier en osier et de la lancer sur les eaux du lac.

— C'est l'idée que tu te fais des soins à prodiguer à un enfant? demanda-t-elle.

— Il a un abri et des provisions, ripostai-je. Que lui faut-il de plus?

J'essayais de ne pas faire de bruit, mais Elizabeth parlait sur un ton normal, dans l'espoir, me sembla-t-il, de réveiller l'enfant. Je fus heureux de constater qu'il ne donnait aucun signe d'émerger du sommeil. Je n'avais pas du tout envie de m'éterniser auprès de cette chose. Je préférais de loin regagner la bibliothèque et tous ses livres.

— On s'en va, dis-je à Henry en touchant Elizabeth à l'épaule.

Mais c'était peine perdue. Henry ne fit pas mine de bouger, pas plus qu'Elizabeth, du reste, et évidemment la petite créature remua en reniflant et ouvrit les yeux. Elle les posa d'abord sur Elizabeth. Pendant un moment, elle se contenta de la fixer, comme si elle cherchait à se souvenir de son identité. Elizabeth lui sourit de toutes ses dents.

— Coucou, petit, fit-elle.

La créature renifla de nouveau et baissa le regard sur la poupée que nous lui avions laissée la veille. Elle écarquilla les yeux, saisit la poupée, la huma, la porta à sa bouche comme pour la goûter, puis l'éloigna pour mieux examiner ses petits traits humains. Sans doute cet objet ne signifiait-il rien du tout pour l'enfant et je n'aurais su dire s'il avait l'air perplexe ou si c'est moi qui plaquais un sentiment sur son visage dénué d'expression.

— C'est juste une poupée, un jouet, expliqua Elizabeth.

L'enfant leva les yeux et coinça la poupée sous son bras en rampant vers elle. Elizabeth le prit sur ses genoux, l'enveloppa dans ses bras.

Je me demandai si, au moment où elle sentait l'amour de mon jumeau lui échapper, elle cherchait à se réconforter en s'accrochant à cette réplique du corps juvénile de Konrad.

— Il a besoin de prendre l'air, décréta-t-elle.

— Excellente idée, renchérit Henry.

Je secouai la tête.

— Auriez-vous perdu la raison, par hasard? Et si quelqu'un nous voyait?

— Ici? Il ne vient jamais personne de ce côté, répondit-elle.

— Nous sommes presque en vue du château. Et si Justine promenait Ernest ou William…

— Il n'a jamais connu que l'intérieur d'une cabane sombre, lança Elizabeth. Il a besoin de voir le soleil et le ciel.

— Non, c'est faux, dis-je.

— Je ne vois pas où est le mal, glissa Henry. Quelques minutes, pas plus.

Je le foudroyai du regard. Je savais qu'il approuverait tout ce que dirait Elizabeth, sans égard à ses véritables sentiments. Croyait-il l'impressionner en se comportant comme un petit chien ?

Examinant l'enfant, je tirai ma dernière cartouche.

— Il est tout nu, laissai-je tomber.

— J'ai apporté de vieux habits d'Ernest, fit gaiement Elizabeth.

Elle alla les chercher dans le panier. L'enfant se laissa docilement vêtir. La transformation était spectaculaire. Habillé, il ressemblait tellement à Konrad, et donc à moi, que je fus saisi et un peu honteux. Je savais pertinemment que cette créature n'était pas encore tout à fait humaine, mais, selon toute apparence, nous avions affaire à un beau garçon de sept ans enfermé dans une cabane sans fenêtres, tel un prisonnier. Et pourtant, je ne pouvais me résoudre à considérer cette créature comme un être humain.

— Quel beau petit ! s'écria Elizabeth. Et costaud en plus !

Elle le hissa sur sa hanche en grognant sous l'effort.

Je les obligeai à attendre pendant que j'ouvrais la porte pour jeter un coup d'œil. Je ne vis personne.

— Une brève sortie, dis-je.

Sous le soleil, nous étendîmes la couverture. Serrant toujours sa poupée d'un air possessif, la créature l'approcha de son nez et inhala à fond, puis elle tourna la tête dans la direction exacte du château.

— Vous avez vu ? demandai-je.

— Quoi donc ? fit Henry en sortant des victuailles du panier.

— Elle a reniflé la poupée et elle s'est tournée vers le château. On aurait dit qu'elle avait senti l'odeur de notre foyer.

— Il a probablement juste entendu un bruit, dit Elizabeth en tendant un peu de jambon à l'enfant, qui l'avala avec enthousiasme.

— Il est sûrement assez fort pour marcher, fit observer Henry.

Je remarquai qu'il n'avait aucune difficulté à dire « il » plutôt que « elle » pour « la créature ».

Il prit la main de l'enfant et tira doucement. Vite, celui-ci se mit debout. Henry l'imita et, penché sur lui, l'encouragea à faire un pas. Il me rappela un montreur de marionnettes cajolant un pantin. Pendant un moment, l'enfant ne fit rien, puis il souleva son pied gauche, le planta fermement et, en chaloupant, fit de même avec le droit.

— Ha ! Son premier pas ! s'écria Henry.

— Bravo, Henry ! lança Elizabeth.

— Hourra ! marmottai-je distraitement, aux aguets.

Je songeais à une explication plausible à fournir dans l'hypothèse où on nous surprendrait.

L'enfant fit encore quelques pas grotesques, mais avec encore plus de rapidité et de confiance. Henry le guida vers Elizabeth, qui l'accueillit les bras grands ouverts et l'embrassa sur la tête. Mais l'enfant, visiblement agité, se tortilla pour échapper aux bras d'Elizabeth. Debout, il se tourna pour jeter un coup d'œil à la forêt qui bordait le pré. Peut-être un détail avait-il attiré son attention, un écureuil dans les branches, par exemple, ou un oiseau qui s'envolait. Quoi qu'il en soit, il se mit à marcher, tout seul, chancelant, mais déterminé.

— Regardez-le aller ! s'exclama fièrement Elizabeth.

De crainte qu'on ne le voie s'il s'éloignait, je me levai et lui emboîtai le pas dans l'herbe. Il faillit trébucher, mais il poursuivit, de plus en plus vite. Décidément, il avait de l'instinct à revendre, celui-là.

— On fait demi-tour ? demandai-je lorsque la créature arriva à la hauteur des arbres.

Je me plaçai devant elle pour lui bloquer le chemin et, soudain, un air d'indignation remplaça l'expression neutre que l'enfant arborait habituellement. J'avais vu Ernest et William piquer des crises lorsqu'on les contrariait, mais ils restaient eux-mêmes. Ce qui me frappa le plus, dans ce cas, ce fut la transformation totale du visage de l'étrange enfant. Dans ses yeux, je vis s'allumer quelque chose d'ancien et d'intelligent, puis sa gorge émit une sorte de grognement bas. Son front se plissa et ses lèvres, en se retroussant, révélèrent brièvement ses dents, dont l'une avait une forme bizarre.

— Reviens, Konrad, dit Elizabeth en s'approchant par-derrière, la main tendue.

Le visage de l'enfant retrouva aussitôt son expression habituelle.

— Qu'est-ce qui ne va pas ? demanda Elizabeth en me regardant d'une drôle de façon.

— Rien, répondis-je.

Était-ce mon imagination qui m'avait joué un tour ?

J'avais pourtant été troublé par ce rictus tout en dents de même que par la furie et la résolution rageuse qui, pendant une fraction de seconde, avaient animé le visage de la créature.

Ce soir-là, père invita le professeur Neumeyer à souper avec nous.

— En ce qui concerne le tertre funéraire, nous avançons très lentement, déclara-t-il en marquant une pause pour boire une gorgée de vin. Pour éviter d'endommager les restes, mes collègues ne sont autorisés qu'à utiliser de toutes petites pelles. Nous avons atteint quatre pieds de profondeur et toujours rien. J'ignore ce qui est enterré là, mais on a beaucoup creusé avant de l'enfouir.

— Et les curieux symboles gravés sur les murs? demanda père. Du progrès du côté de leur interprétation?

— Ah, mais oui, absolument, répondit le professeur.

Je détournai les yeux de crainte de sembler trop passionné. Voulant aussi éviter Elizabeth et Henry, je me concentrai sur mon rosbif.

— Toujours rien de la part de mon ami français, poursuivit le professeur, mais aujourd'hui mon collègue Gerard, qui se spécialise dans les langues, croit avoir réussi à élucider certains motifs en utilisant d'autres formes d'écriture primitive comme modèle.

— Il a donc réussi à traduire certains passages? demanda Elizabeth en feignant à merveille un mélange d'intérêt et de détachement.

— Ce ne sont que des suppositions éclairées, remarquez, lança le professeur, mais il y serait question d'une sorte de cérémonie funéraire.

J'avalai consciencieusement et portai une autre bouchée à mes lèvres.

— Un rite funèbre primitif? demanda père.

Le professeur secoua la tête.

— Il s'agirait plutôt d'une résurrection.

— Ah, fit père en se tournant pour me dévisager.

Je soutins son regard aussi longtemps qu'il me sembla naturel de le faire.

— Fascinant, déclarai-je en soulevant mon verre pour boire.

Je regagnais ma confiance.

Il ne se doute de rien, songeai-je.

Ce que nous faisons dépasse l'entendement.

Après le souper, je me couvris d'un manteau et sortis marcher sur le quai. Un de nos canots à rames y était amarré. J'y montai et je m'allongeai au fond pour assister au coucher du soleil et à l'apparition des premières étoiles. Quand Konrad était encore de ce monde, cette activité avait toujours été l'une de nos favorites.

Mon esprit se détacha du château pour s'élever dans la voûte céleste. Je m'étais toujours imaginé dans la peau d'un grand homme, mais je n'en étais plus à le désirer sans espoir. Avec les papillons sur moi, ce rêve était à ma portée. Aucune connaissance ne me serait inaccessible. J'aurais tout ce que j'avais toujours souhaité. J'aurais Konrad. J'aurais Elizabeth. Et plus encore.

Des planches grincèrent et, en me retournant, je vis Elizabeth s'avancer sur le quai en lisant. Il faisait relativement noir à présent et elle était si captivée par son bout de papier qu'elle passa devant moi sans me remarquer. En marchant lentement vers le bout du quai, elle lut tout haut. Sa voix était basse, presque hésitante, comme si elle avait peur de laisser paraître trop d'émotion.

Elle marche pareille en beauté à la nuit

d'un horizon sans nuage, et d'un ciel étoilé.

Tout ce que l'ombre et la lumière ont de plus ravissant,

se trouve dans sa personne et dans ses yeux[*].

— Très joli, lançai-je en me redressant dans le bateau.

Elle laissa entendre un petit cri en se retournant et se mit à plier le papier d'un air coupable.

— Pourquoi le ranger ? demandai-je en prenant pied sur le quai. Continue !

— Je... balbutia-t-elle. Qu'est-ce qui te prend de venir rôder par ici ?

— Henry écrit des petits poèmes à ton intention, à présent ?

— Ne sois pas ridicule. Nous critiquons nos textes réciproques, voilà tout.

— Non, ces vers ont été écrits pour toi. À propos de toi.

J'en avais l'absolue certitude. Ces quelques vers avaient saisi son essence. Tandis qu'une fureur alimentée par la jalousie montait en moi, je me demandai comment Henry pouvait connaître aussi bien Elizabeth. Certes, il était son ami depuis bientôt dix ans, mais je croyais être le seul à

---

[*] Traduction de Paulin Pâris, *Œuvres complètes de lord Byron*.

avoir compris la part d'ombre et de lumière qu'elle recelait. Et, pendant tout ce temps, l'insignifiant Henry Clerval l'avait observée et aimée de loin avec ses pensées tachées d'encre.

— Il serait présomptueux de penser que ces vers ont été écrits à propos de moi, dit Elizabeth, guindée.

— Je t'en prie, voyons. Il est carrément subjugué. Il cherche à te séduire. Laisse-moi voir le reste.

Elle serra le parchemin de ses deux mains pour le protéger.

— Il est donc si bon que ça, ce poème ? demandai-je, sarcastique.

— C'est un poème extrêmement accompli, répondit-elle.

— C'est-à-dire « romantique ».

Sacré Henry ! Il avait un immense talent d'écrivain. L'été précédent, je lui avais demandé de griffonner quelques vers pour moi… J'aurais pourtant dû me douter qu'il finirait par les utiliser à ses propres fins. Quelle bêtise ! Et j'étais conscient du goût d'Elizabeth pour la poésie. Plus tôt, je m'étais creusé les méninges, j'avais supplié mon esprit aux facultés nouvellement décuplées d'accoucher de quelques tournures romantiques, mais c'était peine perdue. Selon toute vraisemblance, les affaires de cœur m'échapperaient à tout jamais.

— Je n'aurais jamais pris Henry pour un tel chenapan.

Elle rit.

— Elle est bien bonne, celle-là. Surtout venant de toi.

— On ne peut pas lui en vouloir, remarque. Avec tous les encouragements que tu lui as prodigués…

— Quand l'ai-je encouragé ? demanda-t-elle, en colère.

— Oh, peut-être pas dans ce monde-ci, mais dans l'autre, quand tu as dansé avec lui… Tu t'es comportée en véritable *tentatrice*.

— Si tu n'étais pas aussi loin, je te giflerais, dit-elle.

— Laisse-moi t'aider, dis-je en me rapprochant.

Sans un moment d'hésitation, elle me frappa, ce qui ne me surprit qu'à moitié.

Nous nous dévisageâmes dans la quasi-obscurité. Ce fut elle qui détourna les yeux.

— Excuse-moi de t'avoir giflé, fit-elle.

— Je t'en prie. Ça m'a plutôt plu.

— Je suis consciente de ce que j'ai fait là-bas, cette nuit-là. C'est pour cette raison que j'ai dû y retourner seule. Pour voir si j'avais fait du mal à Konrad.

Elle laissa entendre un rire amer.

— Évidemment, tout indique que c'est lui qui s'est attaché à une autre.

— Non, je suis sûr que c'est faux, répondis-je sans conviction.

— Au nom de quoi faudrait-il que, moi, je lui reste fidèle ? lança-t-elle avec un air de défi.

À cela je ne répondis rien.

Elle se détourna en secouant tristement la tête.

— La vérité, c'est que, quand je lis le poème de Henry, ce n'est pas à Henry que je pense.

— Pauvre lui, murmurai-je.

Même ses mots magnifiques ne lui étaient d'aucune utilité.

— Pourtant, il s'enhardit, insistai-je. Il croit vraiment avoir une chance de faire ta conquête. En le laissant écrire des poèmes pour toi, tu risques de lui faire du mal.

— L'admiration me manque, je suppose, dit-elle.

— Je t'admire, moi, déclarai-je avec impétuosité. Et je donnerais cher pour pouvoir écrire pour toi des paroles romantiques.

Il y eut un silence et je regrettai mes propos. Elizabeth pivota pour me faire face.

— Tu ne m'aimes pas, Victor, dit-elle doucement. Tu te méprends sur tes sentiments.

— Ne me dis pas ce que j'éprouve.

— Pour toi, je ne serais jamais qu'une possession, une chose de plus à *dominer*.

— C'est faux, ripostai-je. Je ne suis peut-être pas capable de pondre pour toi de jolis vers et je ne serai jamais aussi fiable et généreux et gracieux que Konrad. Je ne suis pas parfait. Mais toi non plus – et je ne t'en aime que davantage. Tu es têtue et tu as des désirs que tu préfères ne pas t'avouer à toi-même. Mais tu es belle et intelligente, et sur cette Terre il n'y a rien que je désire plus que toi.

Pendant que je parlais, elle ne détacha pas son regard de moi. Une petite vague souleva le ponton et nous nous rapprochâmes encore. Il faisait presque nuit noire à présent et je me souvins qu'un jour, dans l'obscurité la plus totale, j'avais réussi à lui voler un baiser en lui laissant croire que j'étais Konrad. Cette fois, cependant, elle savait à qui elle avait affaire et j'étais persuadé que je ne lui volerais rien du tout en penchant ma tête vers la sienne.

— Je veux que tu sois à moi, dis-je.

— Je serai à toi, murmura-t-elle.

Je sus que jamais de ma vie je n'entendrais de mots plus grisants. Je m'inclinai vers sa bouche, le corps embrasé.

— Mais d'abord, fit-elle en reculant doucement, tu dois me faire une promesse. Jure-moi que tu ne t'occuperas plus du monde des esprits. Débarrasse-toi du papillon. Et ne remets jamais les pieds là-bas, sauf pour ramener Konrad. Fais-le pour moi, Victor, et je serai à toi.

Debout devant moi, d'une beauté indicible, elle attendit patiemment ma réponse.

— Pourquoi m'obliger à faire un tel choix? demandai-je.

— Si tu m'aimes autant que tu le prétends, il ne devrait pas te coûter.

— Je ne peux pas faire une telle promesse.

Ses lèvres entrouvertes laissèrent échapper un soupir, comme si elle émergeait d'un rêve éveillé. Elle rit doucement, presque avec regret.

— Je crois, Victor, qu'il y a sur Terre une chose que tu désires plus que tout et ce n'est pas moi.

Chapitre 13
LENT RÉVEIL

Un papillon coloré repose sur ma tempe, un second sur ma main. La connaissance coule en moi en un torrent irrépressible. Je suis insatiable.

Dans la bibliothèque du monde des esprits, je suis assis parmi des piles de livres dont je perce les mystères, les uns après les autres. La montre occulte, ralentie par mes soins, ne laisse entendre qu'un tic-tac occasionnel et soumis. Peut-être ne serai-je ni poète ni amant, mais, ici, je suis ingénieur, explorateur, architecte de merveilles.

Un passage complexe traitant de la métallurgie m'arrête tout net. Je le relis, mais pas parce que j'ai du mal à comprendre de quoi il retourne. C'est plutôt le contraire, en fait. Je le saisis parfaitement et je sens monter en moi une immense excitation. Me levant brusquement, j'ouvre la porte du passage secret et je descends en hâte les marches qui conduisent à la Bibliothèque obscure.

À l'intérieur, je parcours sommairement les tablettes et je repère le petit volume vert d'Eisenstein sur l'alchimie. Je ne mets qu'un moment à trouver la bonne page. Mes yeux balaient le texte, mon cœur s'emballe et je souris.

— Victor?

La voix de Konrad, en haut de l'escalier.

— Oui.

— Depuis combien de temps es-tu ici? demande-t-il en entrant dans la Bibliothèque obscure. Pourquoi ne m'as-tu pas prévenu de ton arrivée?

— Je partais justement à ta recherche, dis-je.

Je me sens coupable, car je me rends compte que je l'avais complètement oublié. Mais, presque aussitôt, je m'en veux de ce sentiment de culpabilité. D'ici quelques jours, il vivra de nouveau – grâce à *moi*! – et, entre-temps, j'ai des tas de choses à apprendre.

— Un détail à vérifier, dis-je.

— Ici? s'étonne-t-il.

— Attrape, dis-je en lui lançant le volume vert. Tu reconnais ce livre?

Il consulte le dos et se met à le feuilleter.

— N'est-ce pas celui que tu as utilisé pour préparer le feu sans flammes?

Je hoche la tête. L'été dernier, parmi d'autres aventures, nous étions descendus dans un dangereux réseau de cavernes et j'avais trouvé dans cet ouvrage la recette d'une substance imperméable qui se consumait sans brûler. Le feu sans flammes nous avait sauvé la vie.

— Il contient une autre recette encore plus attrayante, dis-je. Continue.

En le voyant froncer les sourcils d'un air surpris, je sus qu'il était tombé sur la bonne page.

— C'est l'écriture de père dans la marge ?

— Il a tenté de transformer du plomb en or, l'un des plus anciens rêves alchimiques qui soient.

— Père a tâté de l'alchimie, dit Konrad, stupéfié. Et à en juger par ceci, il n'a pas qu'effleuré le sujet.

— Non, mais il a échoué.

Konrad lève les yeux.

— Comment le sais-tu ?

— Je lui ai carrément posé la question. Comme il avait eu recours à l'alchimie, je m'étais dit qu'il nous aiderait peut-être à terminer l'Élixir de Vie. Je me suis trompé.

— Pourquoi ne m'avoir rien dit ? demande Konrad.

— Il m'a fait jurer de ne pas en souffler mot à âme qui vive.

Je ne pus m'empêcher de sourire.

— Et je respecte ma promesse. Il était encore jeune, à l'époque, et sa famille était au bord de la ruine. Il a donc fabriqué une substance qui ressemblait à de l'or et l'a vendue dans de lointaines contrées.

— J'aurais préféré que tu ne m'en parles pas.

— C'est la vérité. Tu dois savoir.

— S'il ne contient que de telles absurdités, pourquoi ce petit livre est-il si important ? demande-t-il.

— Ce sont des absurdités, en effet, farcies d'élucubrations et d'erreurs. Mais je sais comment les corriger. En haut, je lisais sur la métallurgie et la chimie modernes et regarde...

Je fonce vers une table, je saisis une plume et du papier et je me mets à gribouiller des chiffres et des symboles. Mes pensées s'assemblent si vite que ma main arrive difficilement à suivre.

— Il suffit de joindre au rêve alchimique la rigueur de la science moderne pour que les miracles deviennent possibles.

Quand j'ai terminé, je pousse le papier vers Konrad. Il le prend et secoue la tête d'un air étonné.

— Je n'y comprends rien du tout, Victor.

— Grâce à cette formule, dis-je, nous pourrons fabriquer de l'or !

— Comment peux-tu en être si sûr ?

— Les papillons ont ouvert les portes de véritables caves aux trésors. Grâce à eux, j'absorbe d'un coup des connaissances que j'aurais mis des semaines, voire des mois, à assimiler. Et pas uniquement dans le monde des esprits. À l'extérieur aussi.

— Tu en as *sorti* ?

Je fais signe que oui.

— En plus de me procurer une énergie inépuisable, ils soulagent la douleur dans ma main et stimulent mon esprit. Il y en a un qui attend ton retour.

Il ne dit rien.

— Fais-moi confiance. Une fois qu'ils seront sur toi, tes réserves disparaîtront. N'avons-nous pas toujours rêvé de vivre de grandes aventures ? Imagine tout ce que nous pourrons faire, les endroits que nous visiterons ! Contrairement à père, nous ne craindrons jamais d'être pauvres. Mais l'or n'est qu'un début. Avec l'aide de ces esprits, nous n'aurons même pas à craindre la mort. Le monde tout entier nous appartiendra.

— À t'entendre, on croirait que nous sommes une nation en guerre, répond-il, mal à l'aise. Parfois, tu es trop passionné pour ton propre bien.

À ma surprise, son regard croise le mien et ne se détourne pas.

— Ta lumière n'est plus aussi vive qu'avant, lance-t-il.

Puis, d'un ton songeur, il ajoute :

— Et ta chaleur est moins intense.

Je hausse les épaules.

— C'est peut-être toi qui t'y habitues.

— Tu es sûr de bien te sentir ?

— Ne t'en fais pas pour moi, lui dis-je avec fermeté.

Des profondeurs du château monte un terrible cri, semblable à un haut-le-cœur. Le corps de Konrad se crispe.

— C'est un nouveau son, murmuré-je.

— Oui, et les bruits sont plus fréquents, réplique mon frère, visiblement angoissé. Je ne peux m'empêcher de redouter que cette chose ne…

— … s'évade? dis-je en secouant la tête. De toute cette pierre? Je ne crois pas.

Konrad hoche la tête sans conviction et j'éprouve pour lui un élan de pitié. Je déborde de force, tandis qu'il est impuissant.

— Laisse-moi aller jeter un coup d'œil en bas, dis-je. Je reviendrai te faire part de mes observations.

— Tu me trouveras dans la salle d'armes, répond-il. M'entraîner m'aide à faire le vide dans mon esprit. Sois prudent, Victor.

Je me mets en route, impatient d'apaiser les inquiétudes de mon frère, mais aussi mû par ma curiosité coutumière. Je souhaite revoir cette chose.

Je consulte la montre occulte. Il me reste du temps. Je descends dans les cavernes et je cours, traverse en coup de vent les galeries ornées d'animaux. Je passe devant le géant peint sur le mur et m'engage dans l'étroit passage qui conduit au tertre. Au bord de la fosse, je jette un coup d'œil en bas et ravale ma surprise.

Au fond, l'énorme masse ressemble moins à une pierre qu'à un cocon fait d'un dense tissu fibreux. La chose tout entière frémit. Sous la surface, je distingue une ombre légère, imprécise. Une portion du cocon gris se gonfle, révélant la forme d'une main, mais aux doigts plus longs et plus gros que ceux d'une main normale. Un hurlement déchirant retentit. On dirait le cri d'une créature soumise à des tourments indicibles.

Elle a changé. Impossible de le nier. La pierre a ramolli. Et la chose qu'elle renferme semble plus éveillée.

Soudain, à la surface, apparaît une étrange pousse foncée. Pendant que, médusé, j'observe la scène en silence, l'objet se déploie à la façon d'une plante surnaturelle, haute de quelques pouces. Puis elle s'épaissit, devient plus charnue. On dirait presque une pustule.

Au bout de quelques secondes, elle éclate et libère un papillon noir. Timidement, il tourne en rond et, sur ses ailes novices, s'élève lentement, mais sûrement. Stupéfait, je l'observe, mon excitation s'accentuant au rythme des battements de mon cœur.

Je sais désormais d'où ils viennent.

Je trouve Konrad dans la salle d'armes, occupé à s'entraîner sur un mannequin. Pendant un moment, je l'observe : sans opposition, son sabre transperce sauvagement l'épaule, le ventre et le cœur du mannequin.

— Il sera bientôt réduit en miettes, dis-je.

Il se retourne, s'efforce de sourire et me fixe d'un air curieux.

— Il y a du changement, mais pas beaucoup, dis-je.

— Tu mens. Je te connais trop bien, Victor.

— La pierre ne semble plus aussi… épaisse, avoué-je.

Il fait les cent pas, balaie impétueusement l'air du bout de son sabre.

— Et mon nouveau corps, il se porte bien ? demande-t-il.

— Évidemment. Il grandit vite.

— Dans combien de temps sera-t-il prêt ? demande-t-il.

J'ai déjà vu la peur en lui, mais là, c'est un désespoir si profond que sa voix se brise.

— Encore trois nuits.

— Qui te dit que cette chose ne va pas se libérer avant ?

— Je ne vois pas comment…

— Je veux la *tuer*, Victor !

À grandes enjambées, il se dirige vers un râtelier, où il choisit un arc et un carquois en cuir rempli de flèches.

— Qu'est-ce qui te permet de croire qu'elle peut être tuée ? demandé-je.

Frénétiquement, il s'empare d'une hallebarde, d'une longue épée, d'un bouclier.

— J'ignore si j'en ai le pouvoir. Mais toi, oui.

Il me regarde. Gravé sur son visage se lit un besoin puéril d'être rassuré.

— Tu as eu raison de l'esprit malin qui a tenté d'étrangler Analiese. Tu peux tuer celui-ci aussi. Fais-le pour moi, Victor.

Sa supplique me fend le cœur.

— Je ne peux pas, dis-je.

— Bien sûr que si. C'est toi, le vivant. Tu disposes de lumière et de chaleur et…

Je bredouille une excuse.

— Je… Je ne crois pas que la chose mérite d'être tuée. J'en serais incapable.

Je refuse de le faire.

Mais cela, je ne le dis pas. La créature de la fosse, quelle qu'elle soit, engendre des papillons. Et j'ai besoin du pouvoir qu'ils me confèrent.

— Dans ce cas, je m'en charge, affirme Konrad en se dirigeant vers la porte, un arc à l'épaule.

— Je ne peux pas te laisser faire ça, dis-je en lui bloquant le passage avec ma lumière et ma chaleur. C'est dangereux.

Il grimace.

— Écarte-toi, Victor.

Du bout du couloir nous parvient la voix inquiète d'Elizabeth.

— Tu es là, Konrad?

— Ici! crie-t-il.

En la voyant entrer en coup de vent dans la salle d'armes, nous avons tous deux un mouvement de recul, étonnés.

— Qu'est-ce que tu fabriques ici? demandé-je. Tu es entrée en douce dans ma chambre?

— Non, je suis dans la mienne.

— Où as-tu pris l'élixir?

— La dernière fois, j'ai songé à en prélever une petite quantité pour moi, répond-elle, incapable de dissimuler le plaisir que lui procure ma stupéfaction. Au nom de quoi devrais-tu le garder pour toi tout seul?

— Mais tu es venue sans la montre occulte, lui dis-je. Et si je n'avais pas été ici? Comment peux-tu faire preuve d'une telle insouciance?

— Depuis quand l'insouciance te dérange-t-elle, Victor?

— Tu aurais pu perdre la notion du temps et laisser périr ton corps!

— J'avais seulement l'intention de faire un saut, dit-elle, sur la défensive, mais j'ai eu du mal à te trouver, Konrad.

— Que se passe-t-il? demande mon frère, plus inquiet que jamais. Il y a un problème avec mon corps?

— Non, non, tout va bien. Analiese est dans les parages ? demande Elizabeth en baissant le ton.

— J'ignore où elle est, répond Konrad. Pourquoi ?

— Il a tellement été question de fabriquer un corps pour elle que j'ai décidé de me renseigner à son sujet, explique Elizabeth. Il se trouve que nous avons un dossier sur tous les domestiques qui ont travaillé au château depuis cent ans.

— Où as-tu trouvé ces documents ? demandé-je, stupéfait.

— Dans le bureau de Maria, répond-elle. Je m'y suis introduite il y a une heure.

— Et ? fait Konrad.

— Je n'ai rien trouvé sur une jeune femme du nom d'Analiese qui aurait travaillé au château et y serait morte de la fièvre.

Mon frère reste un moment silencieux.

— Quelqu'un aura commis une erreur et oublié de l'inscrire.

— Les dossiers me semblent plutôt bien tenus, dit Elizabeth.

Konrad fronce les sourcils.

— Tu insinues donc qu'elle n'existe pas ?

Jamais je ne l'ai entendu parler aussi sèchement à Elizabeth.

— Elle n'est pas celle qu'elle prétend être ! s'écrie Elizabeth.

— Pourquoi mentirait-elle ? demandé-je.

— Je ne sais pas, mais je me méfie d'elle, répond-elle. Elle doit avoir un secret.

Un petit nuage de papillons noirs entre dans la salle d'armes en voletant. Ils se posent sur Elizabeth et moi, puis ils s'éloignent, portés par leurs ailes aux couleurs vives.

Konrad secoue la tête.

— Je n'y crois pas, Elizabeth. Depuis que je suis ici, elle n'a eu pour moi que des égards.

— Tu parles comme si tu étais ici depuis la nuit des temps.

— Mais j'ai bel et bien l'impression d'être ici depuis la nuit des temps ! rétorque Konrad.

Les yeux d'Elizabeth jettent des éclairs.

— Alors pourquoi ne lui ferions-nous pas pousser un corps, à elle aussi ? Ainsi, à votre sortie, vous pourrez passer une autre éternité ensemble !

Konrad semble sincèrement affligé.

— Tu fais fausse route, Elizabeth. Je ne suis pas amoureux d'elle. Tout ce que je voulais, c'était la sortir de cet endroit et l'arracher des griffes de la chose qui vit dans la fosse, laquelle, soit dit en passant, se réveille ! Dis-le-lui, Victor !

— Elle semble plus active, conviens-je.

Je plonge la main dans ma poche, car la montre s'est mise à faire tic-tac, de façon léthargique d'abord, comme au sortir d'un long sommeil, puis avec une insistance courroucée.

— C'est fini, dis-je.

Pour la première fois, Elizabeth semble remarquer les armes dont s'est muni Konrad.

— Tu vas attaquer la chose ?

Il fait signe que oui.

— C'est trop dangereux, trop téméraire, dis-je.

Il laisse entendre un rire creux.

— Si j'avais cru que tu m'accuserais un jour de témérité, toi !

— N'y va pas, je t'en supplie, dis-je. S'il te plaît.

Mon jumeau fronce les sourcils.

— Que me caches-tu ?

— Écoute-moi, dis-je. La créature de la fosse, cette chose qui te terrifie, est la *source* ! C'est elle qui crée les papillons. J'en ai vu un naître d'elle et s'envoler !

Konrad secoue la tête avec colère.

— Ah, je vois. C'est pour toi, Victor. Je sais que tu convoites ces esprits en raison du pouvoir qu'ils te confèrent.

— Tu as raison, avoué-je. Mais c'est aussi pour toi, Konrad. L'un de ces esprits est en train de te fabriquer un nouveau corps. Si nous détruisons la créature de la fosse, qui sait ce qui risque d'arriver aux esprits qui émanent d'elle?

Konrad garde le silence, haletant.

— Je suis d'accord avec Victor, lance Elizabeth à mon grand étonnement. Nous ne pouvons pas courir un tel risque. Et tu sortiras d'ici dans quelques jours. Jure-moi que tu ne feras aucun mal à la chose.

Konrad la dévisage d'un air incertain, puis il hoche la tête.

— Elle ne tentera rien contre toi, affirme Elizabeth d'un ton rassurant.

Et, avant de sortir, elle ajoute:

— Moi, c'est plutôt Analiese que j'aurais à l'œil.

Chapitre 14

DÉPENDANT

À mon réveil, le lendemain, je fus étonné de ressentir de nouveau les élancements familiers dans mes doigts absents. Vite, je retirai ma chemise de nuit et, m'efforçant à la patience, je m'assis au bord de mon lit jusqu'au passage d'une ombre fluide et preste sur ma chair.

Le papillon était toujours avec moi. Comment expliquer, dans ce cas, la douleur qui m'affligeait ? Pendant trois jours de béatitude, j'avais été complètement guéri, débordant d'énergie. Mais, à présent, en ouvrant les rideaux, je me rendis compte que, même si j'avais dormi plus longuement que d'habitude, mon corps était las. Je sentis un premier bourgeon d'inquiétude naître en moi. Se pouvait-il que le papillon, à la façon d'un médicament terrestre, se révèle moins efficace avec le temps ?

Plus. Il m'en faut plus.

En toute hâte, je déverrouillai mon tiroir et baissai les yeux sur les flacons qui renfermaient mes papillons supplémentaires, y compris celui que j'avais subrepticement recueilli la veille, au moment où nous étions sortis de la salle d'armes, Elizabeth et moi, laissant derrière nous un Konrad très angoissé.

Je n'hésitai qu'un instant à ouvrir le flacon et à y glisser mon doigt. Aussitôt, la tache d'ombre foncée tourbillonna autour du flacon et vint se plaquer sur ma peau. Je pris une profonde inspiration, en proie à un léger vertige. Je retirai mon doigt et l'esprit s'avança sur ma main et remonta mon bras, laissant dans son sillage une fraîche et délicieuse sensation de bien-être.

Je restai assis pendant un moment, occupé par ma seule respiration. Quelques secondes plus tard, la douleur dans ma main droite s'apaisa, puis s'évapora. Mon pouls ralentit ; mon esprit me faisait l'effet d'un merveilleux mouvement d'horloge, aux rouages et aux engrenages bien huilés et prêts à tout.

Au déjeuner, je trouvai une fois de plus la chaise de mère vide.

— Comment va-t-elle ? demandai-je à père.

Il avait l'air épuisé.

— Elle a toujours le sommeil agité, répondit-il. Et, la nuit dernière, elle a fait des rêves atroces.

Il se frotta le front.

— Je regrette d'avoir laissé le professeur entreprendre ses travaux dans les cavernes. Dans l'immédiat, c'est trop morbide. Mais j'ai une nouvelle qui, je l'espère, saura nous égayer.

Elizabeth, Henry et moi le regardâmes, surpris.

— J'ai décidé que nous irions passer l'hiver en Italie. Il y a à Sorrente une villa libre et j'ai l'intention d'entreprendre le voyage le plus rapidement possible.

— Quand? demanda Elizabeth.

— Dans trois jours, répondit-il.

— Si tôt? fit-elle d'une voix que le saisissement fit trembloter.

Je compris tout de suite à quoi elle pensait. Aurions-nous assez de temps? Le corps juvénile de Konrad aurait-il d'ici là atteint l'âge requis?

— Je sais que c'est rapide, concéda père. Mais j'en ai discuté avec le Dr Lesage et il est d'accord pour dire qu'un changement radical nous fera à tous le plus grand bien. Nous avons trop de souvenirs, ici. Votre mère a besoin d'un nouveau décor et d'un peu de soleil italien pour dissiper son chagrin. Quant à vous deux… commença-t-il en nous examinant, Elizabeth et moi, j'ai l'impression qu'un changement ne vous fera pas de tort non plus. Malgré vos sorties, je vous trouve pâlots et fatigués. Surtout toi, Victor. Tu dors bien?

— Comme un loir, répondis-je en mâchant studieusement mon œuf à la coque.

— Tu as perdu du poids, mon garçon.

Je secouai la tête.

— Je me sens très vigoureux.

— Tu as l'air hagard. Le Dr Lesage sera bientôt là pour voir ta mère. Je vais lui demander de t'examiner aussi.

— Mais je me porte à merveille, insistai-je.

Mon père me décocha un regard indiquant clairement que la discussion était close. Je me hâtai de finir mon repas. Je devais me débarrasser des deux esprits avant l'arrivée du médecin. Pour m'examiner, il risquait de me demander de me dévêtir.

Je surpris Henry et Elizabeth en train de me dévisager d'un air inquiet. Sans doute la même pensée leur était-elle venue.

L'un de nos valets entra dans la pièce.

— Le Dr Lesage est là, monsieur.

— Très bien. Dites à Maria de le conduire dans le salon de Mme Frankenstein.

Il se tourna vers moi.

— Et je vais lui demander de passer t'examiner dans ta chambre tout de suite après, Victor. Nous allons remettre les leçons à plus tard.

Je hochai la tête, puis je terminai d'avaler mon pain avec une gorgée de thé.

— Je vous prie de m'excuser.

Je sortis de la salle à manger d'un pas serein et, une fois dans le corridor, courus de toutes mes forces jusqu'à ma chambre. Je verrouillai la porte et me déshabillai en vitesse. Je pris deux flacons vides dans mon tiroir et les tins prêts à accueillir leurs pensionnaires. Puis, à la lumière du jour, je tournai et tournai sur moi-même, à la recherche de l'ombre des deux papillons. On aurait dit qu'ils essayaient de me confondre, car je ne les voyais nulle part.

— Venez, grognai-je tout bas.

J'en repérai un, niché derrière mon genou! Je faillis l'avoir du premier coup, mais il se faufila sous la bordure du flacon et se réfugia derrière mon dos. Je tournai mon postérieur du côté de la fenêtre pour forcer les deux ombres à se réfugier à l'avant de mon corps. L'une descendit en chatoyant le long de ma jambe et se lova entre mes orteils, où il était presque impossible de la capturer avec le goulot du flacon. Manœuvre diaboliquement rusée! Je me mis à sauter comme un fou dans l'intention de la déloger.

On frappa à ma porte. Je m'immobilisai. Le Dr Lesage, déjà?

— Un instant! criai-je.

En donnant dangereusement de la bande, je fis le tour de la chambre en sautant sur un pied et en tenant l'autre dans ma main pour tenter de déloger le papillon de son refuge entre mes orteils. Je perdis l'équilibre et heurtai la commode. Ma bassine tomba par terre et se fracassa en mille morceaux.

— Victor?

C'était Henry! Je me ruai sur la porte, la déverrouillai et l'entraînai à l'intérieur.

— Tu es tout nu, constata-t-il, interloqué.

— Oui. J'ai besoin de ton aide.

— C'est ce que je me suis dit, fit-il.

Je lui fourrai le flacon entre les mains.

— Il faut que tu l'attrapes. Je vais me mettre face à la fenêtre.

Sans dire un mot, il prit l'objet et je lui tournai le dos. Au bout d'un moment, je sentis le bord du flacon me frapper brutalement les épaules une fois, deux fois, trois fois.

— Tu l'as eu ? demandai-je.

— De peine et de misère.

Il me tendit le flacon refermé.

— Au suivant ! m'écriai-je.

— Tu veux dire que…

Il s'interrompit brusquement et je sus qu'il avait aperçu l'autre papillon.

— Tu en as deux, à présent ?

Je saisis le second flacon et le lui donnai.

— Contente-toi de le capturer, d'accord ?

On frappa de nouveau à la porte.

— Victor ? fit la voix d'Elizabeth.

— Un instant ! criai-je.

Une fois de plus, je fis face à la fenêtre, grimaçant chaque fois que Henry me frappait avec, me semblait-il, une force superflue.

— Il est sous ton bras, bredouilla-t-il. Lève-le... Non, l'autre !

J'obéis et je poussai un cri de douleur lorsque le col étroit du flacon s'enfonça douloureusement dans ma chair.

— Ça va, Victor ? fit Elizabeth d'un ton préoccupé.

— Ça y est ? demandai-je à Henry.

En signe de victoire, il agita le flacon bouché avec un sourire sinistre.

— J'entre, Victor, fit Elizabeth.

Lorsqu'elle franchit la porte, j'avais tout juste eu le temps de remonter mon caleçon. Elle aperçut Henry et hocha la tête avec soulagement.

— Vous l'avez eu ?

— Nous *les* avons eus, lui dit Henry.

Stupéfaite, elle écarquilla les yeux.

— Tu en as deux, à présent ?

— Et alors ? répondis-je en me rhabillant en vitesse.

— Pourquoi t'en faut-il deux ? demanda-t-elle.

— Un seul ne suffit pas, répondis-je, irrité, au moment où une douleur furieuse explosait dans mes doigts manquants.

Je la vis regarder Henry d'un air soucieux.

— As-tu songé, Victor, que ces choses pouvaient créer une… dépendance ?

— Je ne suis pas dépendant, répondis-je en boutonnant ma chemise.

Elle se dirigea vers mon bureau et son tiroir ouvert.

— Je constate que tu en as un troisième.

— Je t'ai dit que je les collectionnais.

Elle me fixa.

— Je pense que ton père a raison, Victor. Tu as l'air hagard. À mon avis, tu ne devrais plus les laisser sur ton corps.

— Ta sollicitude me touche, dis-je en riant, mais tout va bien.

— Tout ne va pas bien, dit-elle d'une voix où perçait la colère. Nous ne devions utiliser leur pouvoir que pour ramener Konrad à la vie. Et toi tu te lances dans un projet complètement différent !

— L'un n'empêche pas l'autre, déclarai-je en rangeant les flacons dans mon tiroir. Et quand il sera de retour, Konrad, contrairement à toi, en voudra peut-être un pour lui-même.

L'enfant gambadait dans l'herbe, poursuivi par Elizabeth qui, pieds nus, riait. Il avait encore grandi durant la nuit et les vêtements d'Ernest étaient déjà trop petits pour lui.

Nous nous trouvions dans une agréable clairière, à moins de dix minutes de marche de la cabane. Je n'avais pas voulu m'éloigner, mais Elizabeth était résolue à visiter les environs. Sans doute Konrad et elle avaient-ils fait des promenades romantiques de ce côté.

Assis sur la couverture, l'enfant avait avalé sa nourriture avec enthousiasme tout en serrant sa poupée contre lui. Il semblait avoir conçu un attachement remarquable pour cet objet. Puis il avait bondi et détalé dans la clairière, Elizabeth sur ses talons.

Allongés sur la couverture, Henry et moi les observions en finissant notre repas. Je n'avais pas faim, mais je m'obligeai à finir ma poitrine de poulet froid. Selon le Dr Lesage, j'avais bel et bien maigri. Il m'avait demandé si j'avais abusé du laudanum, mais je lui avais fait voir la bouteille qu'il m'avait laissée, inentamée. Il avait déclaré que je ne souffrais d'aucun mal physique et que le soleil de l'Italie ferait des merveilles pour ma constitution. Je l'avais remercié et, tout de suite après son départ, j'avais déverrouillé le tiroir de mon bureau. Les mains tremblantes, j'avais ouvert les deux flacons et laissé les esprits revenir sur moi.

Étendu sur la couverture à côté de Henry, j'étudiai avec soin l'enfant, ma création. Certes, il faisait penser à Konrad et donc à moi. Mais tandis que mon jumeau et moi étions plutôt minces, ce nouveau Konrad semblait bâti plus solidement. Son corps avait beau être celui d'un enfant de neuf ou dix ans, j'avais été surpris, en le voyant ce jour-là, par la fermeté de sa poitrine, de ses bras et de ses cuisses. Jusqu'à son ventre qui, sous les muscles en croissance, donnait l'impression d'être une masse compacte.

Je jetai un coup d'œil à Henry, qui mâchait un petit pain d'un air méditatif, tout en observant Elizabeth à l'autre bout de la clairière.

— Tu écris des poèmes d'amour pour elle, dis-je sur un ton désinvolte.

Surpris, il s'étouffa en avalant.

— C'est elle qui te l'a dit ?

Je secouai la tête.

— Je l'ai entendue en lire un. « Elle marche pareille en beauté. »

— Elle lisait tout haut ? demanda-t-il en s'efforçant de dissimuler son plaisir.

— Sur le quai, au clair de la lune. Un joli texte, vraiment.

Il me dévisagea d'un air incertain. Je savais qu'il voulait savoir ce que nous faisions ensemble, Elizabeth et moi, à la nuit tombée, mais il refusa de me donner une telle satisfaction.

— Pourquoi m'en parler, Victor ?

— Elle n'arrivait pas à croire qu'il avait été écrit pour elle, ce poème. À mes yeux, c'était pourtant évident.

Il ne dit rien.

— Je ne savais pas que tu avais le projet de faire sa conquête. Tu m'as un jour dit avoir l'impression d'être un faible papillon de nuit auprès de la flamme d'Elizabeth.

— Les papillons de nuit rêvent de devenir des papillons tout court, eux aussi.

— Je donnerais cher pour avoir ta maîtrise des mots, Henry.

— Tu ne peux pas tout avoir.

Il grogna.

— Mais peut-être que si, au fond. Encore un séjour dans le royaume des esprits et les sonnets vont te sortir par les oreilles.

Je laissai entendre un rire bref.

— Je crois que le monde des esprits s'est montré généreux envers toi aussi. Il t'a transformé, mon ami. Tu es courageux, à présent !

— L'expérience n'a servi qu'à me montrer celui que je pouvais être et celui que je pouvais cesser d'être. Peureux. Timide. Peu séduisant.

Il prononça ces mots d'un air confus, comme si l'ancien Henry était de retour, mais son regard croisa de nouveau le mien avec assurance.

— J'ai grandi à côté d'elle, moi aussi, tu sais, dit-il, et jamais je n'ai osé penser qu'elle pourrait me trouver attirant, qu'elle pourrait m'aimer. Mais pourquoi pas, au fond ? Qu'est-ce qui m'empêche de la conquérir ?

— Tu n'as pas le sentiment de manquer de loyauté envers Konrad ?

— Et toi, à l'époque où il dépérissait ?

J'ignorai cette pique, même si elle avait touché dans le mille.

— Je cherche juste à t'éviter d'être déçu. Son amour pour Konrad est aussi solide que le socle de la Terre.

— Il arrive que la Terre se déplace.

Je me demandai si Elizabeth lui avait dit que Konrad souhaitait que nous fassions pousser un nouveau corps pour Analiese.

— Écoute-moi bien, Henry. Pour toi, c'est sans espoir. Konrad revient.

— Pour repartir aussitôt, grâce à toi, dit-il, ses yeux plus perçants que jamais.

— Ah ! C'est donc ça, ton projet.

Calmement, il secoua la tête.

— Non, *c'est le tien*. Tu ne te souviens pas ?

Je feignis la stupéfaction.

— Mon projet, Henry, c'est de l'envoyer au loin pour lui permettre de changer d'identité avant de nous revenir !

— Mais, pendant son absence, tu espères gagner le cœur d'Elizabeth. On reconnaît bien là la marque de ton génie, Victor. Pendant que Konrad sera au loin, tout peut arriver. Il risque de tomber amoureux d'une magnifique princesse grecque. Elizabeth, en proie à la solitude, risque de son côté de succomber aux charmes d'un autre soupirant. C'est un projet brillant. Et qui me convient à moi aussi. Elizabeth n'aura qu'à choisir.

— Eh bien, eh bien... À combien évalues-tu tes chances ?

— Regarde-moi faire, dit-il.

Il s'interrompit. Elizabeth, souriante et couverte d'une légère pellicule de sueur, revenait main dans la main avec un enfant visiblement très fatigué.

— Je pense que courir lui a fait du bien, dit-elle. Vous avez vu son assurance ?

— Remarquable, déclara Henry.

— Il sera prêt à temps, fit Elizabeth avec enthousiasme. Il semble gagner trois ans par nuit. À ce rythme-là, il aura fini sa croissance après-demain.

Dernièrement, j'avais à peine songé aux aspects pratiques du transport du corps de Konrad dans le monde des esprits. Mais je concentrai à présent sur cette tâche mon intelligence décuplée par les esprits et un plan se déploya devant mes yeux.

— Dans deux nuits, nous allons le ramener au château...

— Où ça ? demanda Elizabeth. Dans sa chambre ?

— Certainement pas, répondis-je. Dans le donjon.

Je ne fus pas étonné de voir le déplaisir se peindre sur le visage d'Elizabeth.

— S'il fait du bruit, on ne nous entendra pas.

— Il ne risque pas tellement d'en faire, à moins d'avoir peur, déclara Henry.

Je fixai le visage étrangement impassible de l'enfant. Que comprenait-il à notre conversation?

— Nous allons devoir lui administrer la potion, ce qui risque de ne pas lui plaire. Et s'il se débat?

— Il fera ce que je lui demanderai, décréta Elizabeth.

— Possible. Mais le donjon est la seule solution. N'oubliez pas que Konrad devra rester caché tant et aussi longtemps que nous n'aurons pas prévenu père et mère. Il ne faut pas que les domestiques le voient. Et nous devrons préparer son passage rapide en Grèce.

— Il pourrait quand même nous accompagner en Italie, non? fit Elizabeth.

Henry et moi échangeâmes un regard.

— Je pense qu'il vaut mieux qu'il soit séparé de nous. Pour éviter les soupçons.

— Comment vas-tu t'y prendre pour expliquer à ton père ce que nous avons fait? demanda Henry.

— Ou à ta mère… poursuivit Elizabeth. J'ai peur que sa santé ne lui permette pas de résister à un tel choc.

Je m'étais fait la même réflexion. Si Konrad apparaissait devant elle, croirait-elle, dans son état actuel, avoir perdu la raison?

— Nous allons d'abord nous adresser à père et prendre conseil auprès de lui. Mais, ajoutai-je, vous êtes tous deux des orfèvres des mots. Commencez à préparer un discours apaisant pour mettre père au courant.

Henry laissa entendre un rire nerveux.

— C'est du jamais-vu.

— Dans ce cas, vous serez des précurseurs, dis-je. Je ne doute pas de vos capacités. Après-demain, je déposerai l'élixir et la montre occulte dans le donjon et tout sera en place.

— Nous devrons aussi choisir un talisman pour Konrad, fit Elizabeth.

— Naturellement, confirmai-je.

Au même moment, un lapin gris traversa la clairière. Les yeux de l'enfant, tels ceux d'un chasseur, le repérèrent aussitôt. Une seconde plus tard, il détalait en direction de la forêt.

Je me lançai à sa poursuite, car, comme toujours, j'avais peur qu'on le voie. L'enfant se déplaçait à une vitesse ahurissante. Dans les arbres, je ne le vis nulle part. Pris de panique, je fis un tour complet sur moi-même et je l'aperçus, accroupi, parfaitement immobile, les yeux rivés sur le lapin qui, quelques pas plus loin, grignotait stupidement quelque nourriture.

Je m'approchai de l'enfant par-derrière. Au moment où ma main allait toucher son épaule, il se retourna brusquement et le visage que je vis n'était pas celui de Konrad.

C'était plutôt le masque brutal et féroce que j'avais entrevu la veille, mais plus grand et plus fort. Tout arriva très vite. Sa bouche d'une taille surnaturelle s'ouvrit à une vitesse qui ne l'était pas moins, révélant ses dents, dont l'une formait quatre pointes. Lorsque ses mâchoires se refermèrent sur ma main, la douleur fut telle que je ne pus retenir un juron.

— Il t'a mordu ? demanda Elizabeth, surprise, en accourant.

— Oui, il m'a mordu !

J'examinai les traces de dents dans ma chair, deux courbes jumelles faites de petits traits, à l'exception de quatre creux. Au fond de chacun perlait une infime goutte de sang.

— Il ne faut pas mordre, Konrad, dit doucement Elizabeth.

Mais le visage de l'enfant avait retrouvé sa docilité caractéristique. Il bâilla et se frotta les yeux du poing.

— Petit monstre, bredouillai-je.

Elizabeth éclata de rire.

— La peau est à peine percée.

— Content de voir que tu trouves ça amusant, dis-je.

— Il tient de vous.

— C'est-à-dire ?

— Ta mère nous a un jour dit que vous aviez l'habitude de mordre, Konrad et toi, quand vous étiez petits. Toujours en train de vous entre-dévorer à belles dents. Ce comportement la consternait.

— Tu es tout pâle, Victor, dit Henry en se joignant à nous.

— L'une de ses dents, dis-je doucement, est aussi pointue que celles d'une scie.

— Ah, ça, dit Elizabeth avec insouciance. Je l'avais remarqué hier.

— Ce n'est pas naturel.

— C'est sûrement l'effet de deux dents trop rapprochées. À la vitesse où il grandit, ça ne m'étonne pas.

— Je n'ai jamais vu de dent comme celle-là, insistai-je, insensible aux propos d'Elizabeth. Et il n'y a pas que la dent. Son visage tout entier s'est transformé. C'est arrivé aussi hier. Vous n'avez jamais rien observé de bizarre dans son comportement ?

— Non.

Je me tournai vers Henry avec espoir, mais il secoua la tête.

— Il y a quelque chose d'anormal chez lui, dis-je.

L'enfant me fixait. Il avait beau ne rien comprendre, son regard me perturbait.

— Quand son visage se transforme de la sorte, on jurerait une autre créature. Ce n'est pas Konrad.

Elizabeth me dévisagea d'un air sévère.

— Bien sûr que si.

Et, à ce moment-là, la ressemblance de l'enfant avec Konrad était effectivement troublante.

— Regardez, dit Henry. Ses paupières se ferment déjà. Il ne tiendra pas beaucoup plus longtemps.

Sur ces mots, il prit l'enfant dans ses bras et mit le cap sur la cabane, Elizabeth à ses côtés.

— Tu ramasses le pique-nique, Victor ? cria-t-elle par-dessus son épaule.

— Mais comment donc, dis-je en les regardant remonter la côte en direction des arbres, telle une adorable famille dont j'étais exclu. Laissez-moi le plaisir de faire le ménage comme le dernier des domestiques.

En maugréant, je retournai dans la clairière et remis toutes les victuailles dans le panier. J'étais sur le point de partir quand je me rendis compte que j'allais oublier la poupée bien-aimée. J'étais sur le point de la fourrer dans ma poche lorsqu'un détail me coupa net dans mon élan. Je regardai de nouveau la poupée. Le quatrième et le cinquième doigts de la main droite avaient été sectionnés d'un coup de dent.

— Tu exagères, dit Elizabeth au moment où nous refermions derrière nous la porte de la cabane. Les enfants ont la manie de tout ronger.

— Ça ne te semble pas sinistre, ou à tout le moins *bizarre*, qu'il ait justement arraché les deux doigts qui me manquent?

Dans la chaleur inhabituelle de ce mois d'octobre, nous faisions route vers le château.

— Il est très observateur, avança Henry. Il a peut-être perçu la ressemblance entre lui et toi et a voulu t'imiter.

— Tu devrais être flatté, ajouta Elizabeth.

— Ha! Je ne crois pas qu'il soit particulièrement bien disposé à mon égard.

Elle souffla avec colère.

— Pas étonnant quand on considère que tu refuses de le traiter comme un humain!

— Parce qu'il n'est pas humain! Du moins pas encore! m'écriai-je.

Puis j'ajoutai:

— Peut-être ne le sera-t-il jamais.

— Que veux-tu insinuer, Victor? demanda Henry en fronçant les sourcils.

— Je me demande si cette créature n'est pas d'une certaine manière… anormale. Si vous l'aviez vue comme je l'ai vue, ces deux fois-là, vous vous poseriez la même question.

— Curieux, tout de même, que tu sois seul à t'en apercevoir, fit Elizabeth. T'es-tu demandé si tu n'hallucinais pas ? Au fait, combien de papillons as-tu sur toi, en ce moment ? Deux ? Trois ?

— Deux, répondis-je.

— Ils embrouillent peut-être tes perceptions, à la façon des opiacés.

— Je vois tout à fait clair, merci, répliquai-je.

— Ce qui est sûr, en tout cas, c'est que tu es aveugle à ta propre jalousie, dit Elizabeth.

— C'est-à-dire ?

— Je me demande parfois si tu acceptes sincèrement le fait que ton frère grandit en ce moment même et qu'il est sur le point de revenir pour de bon.

— Bien sûr que je l'accepte, répondis-je en me demandant si elle avait raison.

Et je la fixai, car je crus voir une ombre se mouvoir sur le magnifique cou d'Elizabeth et disparaître sous le col de sa robe. Incapable de me retenir, je déclarai :

— Tu en as un sur toi, toi aussi, murmurai-je.

— Quoi ? fit-elle.

— Il y avait… quelque chose sur ta nuque. On aurait dit un des papillons du monde des esprits.

— Je n'ai rien sur moi, dit-elle.

— Tu as vérifié ?

— Je l'aurais remarqué, Victor, en me déshabillant le soir.

— Tu devrais vérifier maintenant, dis-je. En plein soleil. C'est le meilleur moyen !

— Franchement, Victor ! Tu ne manques pas de culot !

— Je l'ai bien fait sur le bateau, moi. Regarde, nous allons nous détourner !

— Je n'ai aucune intention de me dévêtir au milieu de ce champ, merci quand même !

Henry me dévisageait comme si j'avais perdu la raison.

— De toute évidence, me dit-elle, tu as passé trop de temps dans le monde des esprits. Tu as toujours eu un orgueil démesuré, mais là tu dépasses les bornes !

Sur ces mots, elle s'éloigna. Sur le chemin du retour, elle ne m'adressa pas une seule fois la parole.

Chapitre 15
VISIONS NOCTURNES

Assis à mon bureau, je lisais en attendant que les cloches de l'église sonnent minuit, heure à laquelle j'entrerais dans le monde des esprits. Comme il ne restait que quelques nuits avant le retour de Konrad et notre départ pour l'Italie, je devais de toute urgence recueillir le plus d'esprits possible. J'en aurais besoin pour l'hiver. Dans l'immédiat, cependant, j'étais fiévreusement plongé dans ma lecture et je ne levais les yeux de mon livre que pour griffonner quelques notes dans mon cahier.

Soudain, dans le château, retentirent des cris saccadés suivis d'un hurlement déchirant, bruits d'autant plus effrayants que, je le savais, c'était ma mère qui les avait poussés.

Je me levai et sortis aussitôt, me dirigeai en courant vers la chambre de mes parents. Au passage, je vis Elizabeth surgir de la sienne. En tournant vers l'aile est, nous vîmes père qui se hâtait vers nous.

— Comment va mère ? demandai-je, haletant.

Il m'agrippa par les épaules, l'intensité de son regard presque insoutenable.

— Où étais-tu, là, il y a une minute ?

— Dans ma chambre, en train de lire, répondis-je, en proie à un froid glacial.

Qu'avait-il découvert ?

Il me dévisagea d'un air grave.

— Tu n'étais pas sur le quai ?

Je secouai la tête.

— Non.

Pendant un moment, il soutint mon regard, puis ses épaules s'affaissèrent et il me libéra. Les yeux clos, il secoua la tête.

— C'est ce qu'il me semblait. Ta mère… s'est réveillée. Elle est allée à la fenêtre et s'est mise à crier. Elle disait avoir aperçu Konrad. J'ai regardé à mon tour, mais je n'ai rien vu. Elle n'en est pas à ses premiers cauchemars du genre, mais elle semblait si sûre de son fait que j'ai cru bon de m'assurer que ce n'était pas toi.

— Pauvre tante Caroline, fit Elizabeth, dont les yeux ruisselaient de larmes.

— Elle est mal en point, concéda père. Mais elle est forte, elle s'en remettra. Je regrette seulement d'avoir attendu trop longtemps avant de l'éloigner d'ici, de tous nous éloigner d'ici.

Impatiemment, j'attendis que le calme se rétablisse, que les derniers domestiques désertent les couloirs et gagnent leur lit.

En déverrouillant le tiroir de mon bureau, je remarquai que ma main tremblait légèrement. Je pris la montre occulte et l'élixir. Lorsque la chandelle éclaira par-derrière le long flacon vert, je fus surpris de voir qu'il était presque vide. Je jetai un coup d'œil à l'intérieur, penchai le récipient pour tenter de déterminer combien de gouttes je pourrais encore en tirer. Pourquoi n'y avais-je pas pensé plus tôt ? Lorsqu'il n'y aurait plus d'élixir, je n'aurais plus accès aux papillons. À moins… de trouver la recette.

Sans doute était-elle l'œuvre de Wilhelm Frankenstein. Sinon, il l'avait découverte dans un vieux volume conservé quelque part dans le château.

Comme toujours, la Bibliothèque obscure s'imposa comme point de départ.

Furieux, je jette une autre pile de livres par terre afin de faire place à la suivante.

Penché sur la table, parcourant les volumes en succession rapide à la recherche de la recette, j'ai perdu la notion du temps. Satané Wilhelm Frankenstein avec sa manie du secret ! Pourquoi n'a-t-il pas noté la recette dans son cahier avec les autres directives ? Pourquoi ne l'a-t-il pas laissée dans le livre en métal avec le pendule de la planche de spiritisme ? Combien de cachettes lui fallait-il ?

Même avec trois papillons sur moi, je n'arriverai jamais à lire tous les livres en une seule visite.

Peut-être préférait-il l'avoir à portée de main.

À cette idée, je lève les yeux et une image oubliée me traverse l'esprit.

Quand Elizabeth et moi avons quitté ensemble le monde des esprits pour la première fois, j'ai compris que, trois cents ans plus tôt, ma chambre avait été celle de Wilhelm Frankenstein. Ses initiales sur les oreillers somptueux… Et, dans le mur, une petite armoire dans laquelle se trouvait un unique volume.

Comme si le château lui-même avait voulu me révéler quelque chose.

Aussitôt, je gravis les marches en vitesse, traverse la bibliothèque et cours dans le couloir jusqu'à ma chambre. À l'intérieur, je rive mes yeux sur le mur.

Montre-moi!

Les murs palpitent, le sol ondule et mon regard transperce des siècles de lattes, de plâtre et de briques jusqu'à l'apparition d'une petite alcôve secrète. Je tends la main et saisis le livre chatoyant, qui se solidifie à mon contact.

Je trouve la recette à la première page. Je reconnais l'écriture de Wilhelm Frankenstein. Je promène mes doigts dessus afin de consigner les ingrédients dans ma mémoire. C'est une recette simple, facile à suivre. Je la transcrirai dès mon retour dans le monde réel. Je tourne la page pour m'assurer de n'avoir rien oublié et je fronce les sourcils.

Sur deux feuillets se trouvent divers diagrammes illustrant une sorte de robe ou de toge à capuchon. Sur le tissu, je remarque un motif complexe rappelant les papillons. En tournant la page, je découvre d'autres illustrations du même vêtement, de plus en plus détaillées, et tout indique qu'il est en réalité *fait* de papillons. Des centaines et des centaines de papillons liés entre eux par les ailes pour former un tissage foncé et serré.

Comme si l'image leur inspirait la même étrange répulsion qu'à moi, les trois papillons qui m'accompagnent se détachent de mon corps, vibrant de couleurs.

— Attendez! dis-je.

Car je veux tous les ramener avec moi.

Mais ils traversent ma chambre en voletant avec une résolution telle que, pour la première fois, je me demande où ils vont. Vite, je m'élance derrière eux dans le couloir.

Ils retournent dans la bibliothèque déserte et, de l'autre côté de la pièce, se faufilent par l'entrebâillement de la porte secrète. Je descends les marches dans leur sillage, puis je m'enfonce dans le puits jusqu'aux cavernes.

Je traverse au pas de course les galeries, où les anciennes peintures sont plus lumineuses que jamais. Je me retourne vivement à quelques reprises, car il m'a semblé voir un bison frotter le sol de ses sabots ou encore donner un coup de tête. La moindre surface de mon corps palpite de vie: je goûte l'air du bout des doigts, mes narines inhalent les couleurs. En moi s'élève un curieux sentiment d'inévitabilité.

Bizarrement, je ne suis pas surpris de me retrouver dans la grotte où est peinte l'image du géant. Il me domine, son gros bras tendu devant lui, en dégageant une force telle que je sens les petits poils de ma nuque se soulever, comme s'ils attendaient la foudre.

Je suis toujours les papillons, qui s'engagent dans le passage étroit de la chambre funéraire. Ils foncent droit vers la fosse et y descendent en spirale, comme aspirés, me semble-t-il, par un fort courant. Je m'approche du bord, où le spectacle qui s'offre à mes yeux me pétrifie.

La forme vaste et étrange qui occupe le fond de la fosse n'est plus engoncée dans la pierre ni enveloppée dans un cocon. Elle occupe à présent un sac charnu ayant la forme d'un utérus.

Les trois papillons se posent sur elle et, aussitôt, leurs ailes et leur corps se décolorent et ils redeviennent noirs. Au même moment, le sac membraneux tremble et se fait brièvement translucide. Je distingue un tourbillon de mouvements sombres et rapides : des membres, un tronc et l'esquisse d'un crâne énorme qui se retourne, comme pour me regarder. Puis la membrane redevient opaque et est secouée de spasmes violents, comme si mille poings la martelaient de l'intérieur. Un hurlement de fureur et de frustration monte de la fosse.

Et, pour la première fois dans le monde des esprits, je sens la terreur, car je me rends soudain compte que les papillons prennent tout autant qu'ils donnent. Ils aiguisent mon esprit, mes instincts, mais ils me vident d'une chose qu'ils transmettent à la créature de la fosse : la vie.

Je fais un pas en arrière, soulagé par le tremblement de la montre occulte dans ma poche. Je tourne les talons et traverse les cavernes en courant, pressé de m'éloigner de la fosse et de la créature qui y repose et attend, agitée, sa renaissance.

Je réintégrai le monde réel avec d'atroces élancements dans ma main infirme, car je n'avais plus d'esprits sur moi. Dans ma hâte de quitter la chambre funéraire, je n'avais pas songé à en capturer. Plus encore, j'avais désormais peur d'eux.

Avec lassitude, je soufflai. Dehors, le vent secouait les branches et les fenêtres; en frissonnant, je songeai au brouillard blanc qui, dans le monde des esprits, tourbillonnait infatigablement autour de notre château.

Je remis la bague à mon doigt et me levai d'un bond pour enfermer à clé la montre occulte et le flacon d'élixir. À mi-chemin de mon bureau, j'entendis des pas furtifs dans le couloir. Ma porte (qui, je n'aurais pu expliquer pourquoi, n'était pas complètement fermée) s'ouvrit presque imperceptiblement.

Pendant un moment, je restai paralysé, couvert de sueurs froides: dans un cauchemar, j'avais déjà vécu ce moment, marqué par la certitude que quelqu'un attendait devant la porte. Muscles tendus, dents serrées, je gonflai mes poumons, fonçai vers la porte et l'ouvris brusquement, ma gorge prête à rugir.

Personne.

Mais j'entendis de légers bruits de pas dans le couloir. Je m'élançai.

Lorsque je l'aperçus, Elizabeth avait déjà atteint le premier palier du grand escalier incurvé. À sa démarche étrangement sereine, je compris qu'elle était somnambule. Depuis qu'elle était toute petite, elle avait l'habitude, lorsqu'elle était angoissée, de marcher dans son sommeil. Je n'osai pas l'appeler, car je ne voulais pas la réveiller en sursaut et risquer de la faire trébucher. Je la suivis donc en silence. Elle descendit avec grâce et aisance les marches de pierre qui conduisaient à la porte principale. Pieds nus, elle ne portait qu'une chemise de nuit.

Je la suivis comme une ombre en me demandant si, dans son esprit ensommeillé, elle se faisait du souci pour l'enfant dans la cabane et avait l'intention d'aller jeter un coup d'œil sur lui. Je ne pouvais pas la laisser s'aventurer ainsi dans la nuit. Elle me prit au dépourvu en détalant tout à coup. Se détournant de la porte principale, elle fonça dans le couloir, passa devant la chapelle et la salle d'armes. Je la perdis brièvement de vue lorsqu'elle s'engagea dans un couloir perpendiculaire. Puis je la vis entrer dans le vestiaire, dont la porte s'ouvrait près des écuries.

Dans la quasi-obscurité, les capes et les manteaux d'équitation pendaient, sombres, sur leurs crochets, semblables à des endeuillés. La lourde porte avait été verrouillée pour la nuit.

Elizabeth se planta devant elle, les bras ballants, immobile.

Je l'observais en me demandant ce qu'elle projetait. Son attitude traduisait l'expectative et je sentis les poils de ma nuque se hérisser. Dehors, le vent gémit. En moi monta la terrible crainte qu'on frappe à la porte.

— Elizabeth, fis-je doucement en me rapprochant. Nous irons le voir demain à la première heure.

Rien ne me permit de croire qu'elle m'avait entendu. Je me glissai à côté d'elle et, devant son grand sourire inconscient, mon sang ne fit qu'un tour. On aurait dit qu'elle attendait l'arrivée d'un être adoré.

Je fixai la porte et la terreur produisit un bruit strident dans ma tête, laissa un goût métallique dans ma bouche.

— Tu devrais retourner au lit, Elizabeth, dis-je en m'efforçant de ne pas laisser ma voix trahir ma panique.

Je posai une main sur son épaule et elle frissonna à mon contact. Son sourire s'évapora, remplacé par une angoisse que soulignaient ses yeux exorbités. Elle tressaillit.

— Tout va bien, murmurai-je. C'est moi, Victor. Tu marches en dormant. Tout va bien, maintenant.

Elle regarda autour d'elle d'un air égaré. Sa respiration se fit irrégulière et je vis son pauvre cœur battre dans sa gorge.

— Tu sais ce que tu avais l'intention de faire ? lui demandai-je.

On entendit le hennissement bas d'un cheval. Un chien aboya deux fois, puis ce fut de nouveau le silence.

Elizabeth fronça les sourcils.

— J'ai rêvé que…

On cogna un seul coup sur la porte.

Mes poumons se vidèrent, comme si un pêcheur avait capturé mon souffle à la ligne. Elizabeth serra ses bras autour de moi en pressant sa bouche sur mon épaule pour étouffer un cri.

— Il est devant la porte, dit-elle.

Je m'efforçai de combattre le tremblement de mes genoux.

— C'est impossible.

Je la sentis prendre une profonde inspiration. Elle dénoua ses bras et se détacha de moi, écartant avec calme ses cheveux de son visage.

— Nous devons ouvrir. C'est Konrad.

— La cabane est fermée à clé. Et comment… La créature n'a jamais mis les pieds ici.

— Il a trouvé le moyen de sortir, dit-elle avec une absolue certitude.

Elle tendit le bras vers le verrou. Je lui agrippai la main.

— Tu ne sais pas qui se tient derrière !

— Bien sûr que si, répondit-elle. À ton avis, qui était sur le quai ?

Une fois de plus, je sentis une paralysie de cauchemar entraver mes mouvements, tandis qu'Elizabeth déverrouillait la porte et l'ouvrait toute grande. Un vent froid déferla sur nous. Il n'y avait personne. Sur le pas de la porte se trouvait une branche arrachée au chêne de la cour.

— Voici l'explication du bruit, dis-je en la montrant du doigt.

Je fis mine de refermer, mais Elizabeth me prit de vitesse et sortit.

— Où vas-tu ? demandai-je.

Je la suivis, mais pas avant d'avoir agrippé un solide bâton de marche. Dans la lueur vacillante de la lune, je balayai la cour des yeux. Des nuages parcouraient le ciel. Des branches se balançaient. Elizabeth, nu-pieds, s'avançait sur les pavés recouverts de feuilles mortes. Des écuries émanait l'odeur rassurante de la paille et du crottin. L'un des chevaux hennit doucement.

— Il n'y a personne, dis-je, pressé de rentrer.

— Il est peut-être dans les écuries, fit-elle.

— Elizabeth, il n'est pas…

— Nous aurions dû ouvrir plus vite.

Était-elle encore somnambule ? Je lui pinçai le bras.

— Je ne dors pas ! fit-elle en me foudroyant du regard.

— Si nous ne rentrons pas, les chiens risquent de nous entendre et de réveiller toute la maisonnée.

Mais elle insista pour aller jeter un coup d'œil dans les écuries. En signe de bienvenue, les chevaux, qui nous connaissaient bien, s'ébrouèrent doucement. Après une nuit d'apparitions, je fus rassuré par leur présence solide, amicale.

— Personne, dis-je en parcourant rapidement les lieux pour jeter un coup d'œil dans les stalles et la sellerie.

Elizabeth fronça les sourcils et ressortit dans la cour en plissant les yeux pour mieux percer les ténèbres.

— C'est une branche qui a heurté la porte, dis-je avec impatience.

Je la pris par le coude et l'entraînai, mais elle se dégagea et pressa le pas. Dès que nous entrâmes, je fermai et verrouillai la porte sans tarder.

— Victor, chuchota-t-elle.

Quelque chose dans le ton de sa voix me glaça les sangs.

Elle montrait du doigt le sol de la sellerie. Des empreintes de pas boueuses se dirigeaient vers le couloir et donc le château.

Sans un mot, nous suivîmes la piste en nous hâtant. Mon corps me semblait étrangement léger et mon sang battait dans mes oreilles. Je me rendis compte que je tenais toujours le bâton de marche dans ma main gauche. Les empreintes nous conduisirent jusqu'au bas de l'escalier principal et, en levant les yeux, je crus voir une silhouette sombre s'esquiver. Je gravis les marches au pas de course, Elizabeth à mes côtés.

Les empreintes étaient moins visibles, à présent. On ne distinguait plus que les taches formées par le talon et le gros orteil. Nous passâmes devant la chambre d'Elizabeth, puis la mienne. Après, la piste disparaissait, mais, au bout du couloir sombre, j'entendis le bruit reconnaissable entre tous d'une porte qu'on ouvrait. Je m'élançai.

La porte de la chambre des enfants était entrouverte et je m'y glissai avec une appréhension qui affolait mon cœur. On avait laissé un rideau ouvert. Une clarté lunaire frénétique, filtrée par les branches d'un arbre fouetté par le vent, envahissait la pièce.

La créature était là, penchée sur le berceau de William, dans lequel elle plongeait les deux mains. Elle avait à présent la carrure d'un robuste garçon de treize ans. Elle était nue et, dans la lumière turbulente, le contour de son visage n'avait rien de celui de Konrad. C'était le visage brutal que j'avais entrevu dans la forêt : une mâchoire protubérante, un front bas et menaçant. Il arborait l'expression du prédateur ayant repéré sa proie. Mon pouls devint un tambour de guerre et je m'avançai jusqu'à la créature, le bâton brandi au-dessus de mon épaule. La créature, me voyant venir, se retourna en poussant une plainte basse qui me fit l'effet d'un hurlement affamé. Son bras musclé se leva pour parer le coup.

Elizabeth accourut et s'interposa entre nous.

— Tout va bien, Konrad, l'entendis-je dire en prenant la créature par les épaules.

Elle se tourna vers moi, la mine sévère.

— Pose ton bâton. Tu lui as fait peur !

Je ne le posai pas. Je me contentai de l'abaisser légèrement en m'approchant à toute vitesse du berceau de William. Mon petit frère dormait à poings fermés. Il semblait indemne, mais je m'assurai qu'il respirait normalement. À côté de lui, dans le berceau, se trouvait la poupée en feutre mou qu'Elizabeth avait donnée à la créature quelques jours plus tôt.

Mon regard croisa celui d'Elizabeth. Elle avait vu la poupée, elle aussi, mais elle ne dit rien. La créature avait passé ses bras autour d'elle et Elizabeth lui caressait les cheveux pour l'apaiser. Elle était de la même taille qu'Elizabeth, à présent, et sa ressemblance avec mon frère était troublante.

Entendant un murmure, je pivotai et vis Ernest se retourner dans son lit, à l'autre bout de la pièce. Dans la chambre adjacente dormait la bonne d'enfants, Justine. Elizabeth fit sortir la créature désormais docile et, dans le couloir, je refermai doucement. Nous nous éloignâmes à grandes enjambées.

— Que croyais-tu qu'il allait faire ? demanda Elizabeth.

Je ne répondis rien.

— Il rendait sa poupée à William, insista-t-elle.

Je n'avais le temps ni de parler ni de mettre de l'ordre dans le tourbillon de mes pensées.

— Il faut le faire sortir d'ici et le ramener dans la cabane, dis-je.

Pendant un moment, je crus qu'Elizabeth allait protester, mais elle hocha la tête. Nous redescendîmes dans le vestiaire, où nous nous couvrîmes de manteaux et de bottes avant de sortir dans le vent nocturne.

Nous marchions de part et d'autre de la créature. Elle avait beau ressembler à mon frère, me ressembler, son contact me répugnait. Je ne la quittais pas des yeux, de peur que, se transformant de nouveau, elle ne se jette sur moi. Mais elle se contentait de scruter les nuages illuminés par la lune, les étoiles, la silhouette ondulante de la lointaine forêt soumise aux assauts du vent. Lorsque nous eûmes accompli un peu plus de la moitié du trajet, elle se mit à tituber et je compris qu'elle dormait debout. Elle grandissait si vite qu'elle avait peine à rester longtemps éveillée.

En voyant enfin la cabane, Elizabeth déclara :

— Ça me semble si cruel. Il doit souffrir du froid et de la solitude. Pourquoi, sinon, aurait-il fait tout ce chemin ?

La créature, cependant, s'était endormie et nous dûmes la traîner entre nous. Devant la cabane, j'aperçus, autour d'un trou aux bords échancrés, un monticule de terre irrégulier.

— Elle a creusé un tunnel, dis-je en sortant la clé de ma poche pour déverrouiller la porte.

À l'intérieur, nous déposâmes le corps endormi dans son berceau de terre, qu'il remplissait désormais presque entièrement. Elizabeth desserra sa cape, car la créature continuerait sans doute de croître jusqu'au matin. Puis, tandis que le vent diminuait, elle posa la couverture sur elle.

Regardant autour de moi, je mis la main sur un bout de corde. J'attachai solidement une de ses extrémités à la cheville de la créature et l'autre à un anneau de métal fixé au mur.

— Est-ce bien nécessaire ? demanda Elizabeth.

— Tu veux qu'elle s'enfuie encore une fois ?

À l'aide d'une pelle, je bouchai le trou qu'elle avait creusé sous le mur.

La créature laissa entendre une faible plainte et, à tâtons, palpa la couverture.

— Il cherche sa poupée, dit Elizabeth, affligée. Nous aurions dû l'apporter.

La lumière se fit alors dans mon esprit.

— C'est comme ça qu'elle nous a trouvés, dis-je. Grâce à l'odeur de la poupée.

Elle me dévisagea d'un air dubitatif.

— Tu te souviens du jour où, dehors, je l'ai vue se tourner vers le château après avoir senti la poupée ? Elle a détecté l'odeur dans le vent. Comme un chien de chasse.

— Ça me semble tiré par les cheveux.

— Plus que donner naissance à un garçon à partir d'un peu de boue ?

Nous sortîmes et verrouillâmes la porte de la cabane. Comme nous avions le vent de face, nous remontâmes le col de nos manteaux. Pendant que nous marchions, la tête rentrée dans les épaules, les mots jaillirent enfin de ma bouche.

— Tu as vu la tête qu'elle avait dans la chambre des enfants ? demandai-je. Sa façon de dévorer William des yeux ? Elle avait faim !

— Simple curiosité ! Il lui rendait sa poupée.

— À moins que la chose ne l'ait laissée tomber en voulant s'emparer de William !

— Qu'avait-il l'intention de faire, à ton avis ?

Ma réponse ne se fit pas attendre.

— Le manger !

À sa manière de me dévisager, je compris qu'elle me croyait devenu fou.

— Tu parles de lui comme d'un monstre !

— Ne me dis pas que tu n'as toujours rien remarqué, Elizabeth. À notre arrivée, la chose n'avait même pas l'air humain. Son visage s'était complètement transformé et…

Elle secouait la tête.

— Tu as pris du laudanum, ce soir ?

Je fis des efforts pour respirer calmement.

— Je n'ai *jamais* pris de laudanum. Écoute-moi bien. Es-tu absolument certaine de vouloir que l'esprit de Konrad habite ce corps-là ?

— Ce sont les papillons ! fit-elle en élevant la voix dans le vent. J'en étais sûre ! Tu as abusé de leur pouvoir et à présent tu *hallucines*, Victor ! Combien en as-tu sur toi, en ce moment ?

— Aucun, répondis-je. Je les ai laissés derrière.

— Tu es encore retourné là-bas la nuit dernière ? Je t'ai pourtant dit qu'il valait mieux éviter cet endroit !

À la pensée de ma dernière visite, je sentis une vague de nausée monter en moi. Mon esprit trop plein me semblait sur le point d'exploser.

— Tu as peut-être raison. La chose de la fosse grandit. En fait, ce n'est pas exactement ça…

Le mot me vint, porté par une rafale glacée.

— Nous sommes en train de la *réveiller*.

— Quoi ?

Je lui racontai comment mes papillons s'étaient vidés de leurs couleurs dans l'énorme masse, qui avait semblé gagné en vigueur.

— Les papillons agissent un peu comme des abeilles ouvrières, ou des termites, qui nourrissent leur reine. Et la nourriture, c'est *nous*.

— Mon Dieu, murmura-t-elle.

Elle me prit les mains et me fixa avec insistance.

— Tu as passé trop de temps là-bas, Victor. Et je ne sais plus si je peux te faire confiance. Mais je sais au moins une chose. Nous devons sortir Konrad de là au plus vite. Le corps que nous avons fait pousser est pour lui la seule issue possible. Tel est notre objectif. Et, après-demain, tu dois dire adieu à cet endroit. Pour de bon. Tu m'entends ?

Elle inspira à fond et son regard s'adoucit.

— Je sais que tu as travaillé très fort pour ramener Konrad. Je regrette de m'être montrée si dure envers toi. C'est toi qui as eu l'idée de ce projet magnifique et je sais que tu auras la force d'aller jusqu'au bout. Mais il faut d'abord que tu te reposes. Tu as laissé ces esprits te vider de ta substance et embrouiller ton jugement. Quand on est à bout, on ne peut pas voir les choses clairement et prendre de bonnes décisions.

— Il m'arrive de ne plus me reconnaître, murmurai-je, accablé.

À travers champs, elle me guida jusqu'au château, comme si j'avais été un enfant. À mon grand étonnement, elle m'accompagna jusque dans ma chambre.

— Au lit, tout de suite, ordonna-t-elle.

J'obéis.

— Tu vas prendre un peu de laudanum pour t'aider à dormir, décréta-t-elle.

Je regardai la bouteille que le médecin m'avait laissée. Mes doigts manquants m'élançaient et je ressentais une fatigue intolérable. Je soupirai, prêt à capituler, désireux de dormir.

— Une dose, pas plus, dis-je.

— Là, fit-elle en laissant tomber sur ma langue une goutte de l'opiacé.

Elle se pencha pour m'embrasser et sa bouche, pleine de promesse, effleura la mienne. Puis elle se redressa et me souhaita bonne nuit.

Après son départ, je sentais encore l'empreinte de ses lèvres sur ma joue, la chaleur de son visage contre le mien.

Mais, tandis que mon corps et mes paupières s'alourdissaient, je ne pus chasser de mon esprit le visage monstrueux de la créature tel qu'il m'était apparu dans la chambre des enfants.

Et ensuite je dormis. Et je fis un rêve.

Sur un traîneau attelé à une meute de chiens, je parcours, euphorique, une plaine de glace. Le ciel, que le soleil embrase du côté ouest avant de disparaître, a la teinte du plomb en fusion. Je file vers le nord. Au sommet d'une petite colline, les chiens vacillent, épuisés.

Devant moi, une énorme plaque de glace, de la taille d'un champ, se dresse et racle le sol gelé. Je me rends compte que je suis non pas sur la terre ferme, mais bien sur la mer, durcie par un froid qui transforme la vapeur de mon haleine en cristaux de glace à mesure qu'elle sort de ma bouche.

Que fais-je dans un endroit aussi désolé? Je suis sûrement à proximité du pôle. Vivons-nous enfin les aventures dont nous avons rêvé, Konrad et moi? Et pourtant, après avoir balayé tous les horizons des yeux, je constate que je suis seul.

Impitoyablement, j'oblige les chiens à avancer, résolu à poursuivre vers le nord, à trouver Konrad. Chaque battement de mon cœur enfiévré déborde d'un désir ardent.

Au loin se découpe la silhouette de ce qui a l'apparence d'une cité gelée, où de grands remparts de glace échancrés se penchent et grincent et craquent. Mes mains gantées se cramponnent aux rênes du traîneau.

Avec l'imminence de la nuit, mon euphorie se fige, se transforme en désespoir. Mais alors je perçois un mouvement au milieu du désert blanc. En plissant les yeux, je distingue la forme caractéristique d'un traîneau qui file sur la neige et, debout, un personnage enveloppé de fourrures qui m'est si familier que je pousse un cri d'extase. Des larmes inondent mes yeux et menacent en gelant de les fermer de façon hermétique, mais je les essuie gauchement avec mon gant de cuir.

Je demande aux chiens de m'abandonner leurs ultimes forces, de me conduire vers ce que je désire le plus au monde.

J'ai l'impression qu'une promesse a été faite.

C'est Konrad. Mon frère revit.

Chapitre 16
QUELQUE CHOSE DE MONSTRUEUX

Je dormis comme une souche et, à mon réveil, trouvai une matinée si calme et si ensoleillée que j'eus du mal à croire à la réalité des événements orageux de la nuit précédente. Sans doute une femme de chambre était-elle déjà passée, car les rideaux étaient tirés et on avait déposé sur ma commode une bassine d'eau fraîche ainsi que du thé et des petits pains sur un plateau. En contemplant les montagnes et le ciel bleu, je me remémorai le rêve dans lequel nous nous étions retrouvés sur la banquise, Konrad et moi. Pour la première fois depuis longtemps, je me sentais calme et posé.

Consultant l'horloge, je constatai avec surprise qu'il était près de midi. Je m'habillai et, en sortant dans le couloir, tombai sur Maria qui passait par là.

— J'ai fait la grasse matinée, on dirait, lançai-je.

— Et j'en suis fort heureuse, répondit-elle en souriant d'un air satisfait. Mais je vous trouve encore mauvaise mine. Il faudra qu'on vous remplume.

— Avez-vous vu Elizabeth et Henry? lui demandai-je.

— Ils sont passés vous voir, mais vous dormiez du sommeil du juste. Je leur ai dit de ne pas vous réveiller.

— Où sont-ils ?

— Partis en pique-nique, il y a environ une heure. Ils ont dit que vous les trouveriez à l'endroit habituel. Mais laissez-moi vous préparer quelque chose pour vous aider à tenir.

— Merci, Maria, dis-je.

Nous nous dirigeâmes vers le grand escalier.

Un peu partout, des domestiques transportaient des valises et des housses, occupés à préparer l'hibernation du château en même temps que notre départ précipité pour l'Italie, dans deux jours.

Au moment où nous passions dans le couloir, le professeur Neumeyer émergea de la bibliothèque, particulièrement poussiéreux et manifestement très excité.

— Ah ! très bien, dit-il. Votre père est là ?

— Il est parti à Genève pour ses affaires, monsieur, répondit Maria avec raideur.

Elle avait peine à dissimuler l'antipathie que cet homme lui inspirait. À ses yeux, il avait ouvert un tombeau dans notre foyer familial et y avait semé une désolation encore plus grande.

— Et il ne faut pas déranger Mme Frankenstein.

— Bien sûr, bien sûr, fit-il en me regardant d'un air plein d'expectative.

— Qu'avez-vous découvert ? demandai-je, en proie au malaise.

— Des restes dans la fosse funéraire, répondit-il. Comme ils étaient enfouis très profondément, nous avons mis du temps à y arriver. Mais il y a là quelque chose de vraiment très intéressant.

Au souvenir de l'utérus de chair que j'avais vu hurler et se débattre, je sentis mon estomac se nouer. Je m'entendis pourtant demander :

— Je peux jeter un coup d'œil ?

— Mais bien sûr.

Le professeur me préceda dans le réseau de cavernes qui m'était désormais familier, dans notre monde comme dans l'au-delà. De nombreuses lanternes projetaient sur les murs une lueur ambre. Nous croisâmes quelques ouvriers poussiéreux, en maillot de corps, leurs bras forts tout luisants après l'effort.

Pour la première fois, je me sentis faiblir dans le couloir à pic qui descendait vers la chambre funéraire. À l'intérieur s'élevaient de vastes monticules de terre humide dégageant une riche puanteur qui rappelait à la fois la pourriture et les champs fraîchement labourés.

— Le corps, m'informa le professeur, n'était pas en un seul morceau.

J'eus la chair de poule.

— S'est-il simplement décomposé au fil des ans ?

— Non. On l'a démembré. J'ignore qui était ce personnage, mais les siens devaient avoir peur qu'il trouve un moyen de revenir. De toute évidence, on le craignait énormément. Venez voir.

Le professeur me conduisit au bord de la fosse. Je constatai qu'on y avait creusé un trou d'une profondeur de sept pieds environ. Une échelle allait jusqu'au fond, où on avait disposé avec minutie de nombreux fragments de forme variée. Le professeur me fit signe de descendre.

— Regardez bien où vous mettez les pieds, me recommanda-t-il en s'engageant à ma suite.

J'eus l'impression que sa voix me parvenait de très loin.

— Tout indique que, dans un premier temps, le corps a été enterré debout sur une sorte de bière complexe, une plate-forme sur laquelle on transportait souvent les morts. Les spécimens que j'ai vus étaient généralement en bois. Cette bière-ci, cependant, semble avoir été fabriquée avec des os.

Plus je descendais et plus je sentais la panique et la claustrophobie resserrer leur emprise sur moi. J'atteignis le fond boueux de la fosse et me poussai pour faire place au professeur.

— Vous voyez ces longs os appuyés contre la paroi ? Ils viennent de la cuisse ou du haut du bras, peut-être. Nous pensons qu'ils faisaient partie de la bière.

— Ils sont taillés en pièces, dis-je en remarquant leurs bouts brisés en éclats.

— Oui. À mon avis, on a ouvert la tombe peu après les funérailles. La bière a été fracassée et le cadavre lui-même taillé en pièces. Jusqu'ici, nous n'avons trouvé que des fragments.

Se penchant, le professeur ramassa un bout d'os arrondi et bien lisse. Il me le tendit.

— Qu'est-ce que c'est? demandai-je.

— Un morceau de crâne, répondit-il.

Je déglutis en songeant à la forme indistincte que j'avais entrevue dans la membrane charnue, au moment où elle s'était brusquement secouée comme pour se tourner vers moi.

— Ce crâne devait être… énorme.

Le professeur hocha la tête.

— Deux fois plus important que celui d'un homme de taille normale. Et voyez ceci.

Il saisit cette fois un gros morceau fait d'os liés entre eux.

— L'astragale, le tarse et les os naviculaires sont reconnaissables, mais les métatarses semblent soudés les uns aux autres et ne former qu'une seule masse.

— Pardonnez-moi, mais de quelle partie du corps s'agit-il? demandai-je.

Je sentis mon estomac à jeun se contracter de désagréable façon.

— Un pied, répondit-il. Un pied bot, curieusement.

J'avalai ma salive.

— Il est si gros qu'on croirait plutôt avoir affaire à un sabot.

— C'est, j'en conviens, très étrange.

— Dites-moi, professeur… Quelle est donc cette créature ?

Pendant un moment, il sembla aussi ébranlé que moi.

— Je n'ai jamais rien vu de tel, jeune monsieur. Il s'agissait peut-être d'un géant, même si, à ma connaissance, on n'en a jamais recensé d'aussi énormes. Dans mon champ d'études, il y a toujours des rumeurs, des phénomènes qui résistent aux explications scientifiques. Des créatures si étranges qu'elles ne peuvent être que des monstres.

Il se pencha pour ramasser un autre objet.

— Et voici le dernier fragment que nous avons récupéré jusqu'à maintenant.

Il me tendit un bout d'os en forme de « L » qui, je m'en rendis tout de suite compte, avait fait partie d'une très grosse mâchoire. Des dents étaient encore accrochées à sa portion inférieure.

Ces dents n'étaient pas celles d'un être humain. Mais elles m'étaient familières. Elles se divisaient bizarrement en quatre pointes, encore cruellement acérées.

C'était la réplique exacte de celle que j'avais vue dans la bouche de la créature qu'Elizabeth appelait déjà Konrad.

Je courus à travers champs, franchis les clôtures d'un bond. Aux abords de la cabane, je sentis la sueur se glacer sur ma peau. Ouvrant brusquement la porte, je trouvai les lieux déserts. Ils avaient dû retourner dans la clairière. En sortant, je m'armai d'une pelle.

Je me hâtai vers la forêt, mais la fatigue ralentissait mes pas. Comment avais-je pu devenir si faible, moi qui, peu de temps auparavant, m'étais senti si puissant ? Au pied de la petite colline, j'étais déjà hors d'haleine et je la gravis de peine et de misère en me pétrissant le côté à cause d'une crampe.

À travers les arbres, je voyais la clairière s'étendre à mes pieds. Sur une couverture étaient assis Elizabeth et... Konrad. Le temps de quelques respirations, je ne pus qu'observer la scène dans un état de confusion, car c'était comme si j'avais mon frère sous les yeux. En fait, la créature semblait même arborer des chaussures, un pantalon, une chemise et un veston ayant appartenu à Konrad. Ses cheveux abondants, assez longs à présent, étaient élégamment noués à l'arrière. Elizabeth versa du thé dans une tasse et la lui tendit ; il l'accepta et but.

Où était Henry ? Je balayai la clairière des yeux et je l'aperçus au fond, en train de cueillir des mûres.

La scène était si sereine que je sentis mon état de panique s'apaiser.

C'était Konrad et je n'avais que quelques pas à faire pour le voir. Mon frère. Elizabeth lui montrait des objets, comme elle l'aurait fait avec un enfant, les nommait sans doute. Un arbre. Un nuage. Des fleurs qui poussaient non loin de la couverture.

Konrad se leva et les examina d'un peu plus près, puis il les agrippa et les réduisit en pièces. Il les goûta et les recracha aussitôt. J'entendis le trille du rire d'Elizabeth. S'approchant, elle prit l'une des fleurs, la huma et la tendit à Konrad en lui chatouillant le nez. Il se pencha sur la fleur, puis la prit et la plaça sous le nez d'Elizabeth.

Et il l'embrassa sur la bouche.

Je les observai, paralysé. Pendant ce qui me fit l'effet d'un très long moment, elle le laissa l'embrasser. Peut-être aussi ne resta-t-elle pas passive, au contraire. Mais alors elle mit les mains sur ses épaules et le repoussa doucement en disant quelques mots. Il la fixa pendant un moment. Puis il la prit dans ses bras et l'embrassa de nouveau dans le cou, sans ménagement.

Je criai, mais j'avais la voix enrouée et je crois que ni elle ni lui ne m'entendirent. Je dévalai la pente. Elizabeth s'efforçait de repousser Konrad, mais, plus fort qu'elle, il la fit culbuter. Il se jeta sur elle et cloua ses bras au sol en continuant de la peloter, sa bouche sur sa gorge et ses lèvres.

Elizabeth cria et je vis l'une des mains de Konrad remonter sa jupe, dévoiler ses jambes gainées de bas.

Henry courait dans la clairière à présent, mais j'arrivai le premier.

— Lâche-la ! hurlai-je en brandissant la pelle.

Konrad et Elizabeth levèrent sur moi des regards surpris.

— Non, Victor! entendis-je Elizabeth crier.

Konrad fit mine de se relever et je le frappai violemment à l'épaule du plat de la pelle. Il tomba à la renverse en dardant sur moi ses yeux vides, qui ne l'étaient plus : ils débordaient au contraire de colère. Sa mâchoire fit saillie, son front se creusa de sillons, se comprima.

Mais alors, tout aussi brusquement, il redevint le sosie de Konrad, seulement un peu plus jeune. Il se tenait l'épaule, du sang sur les doigts.

— Tu lui as fait mal, Victor! cria Elizabeth.

— Il t'a agressée!

Sentant la main de Henry sur mon épaule, je me tournai vers lui.

— Tu es témoin, Henry!

Mon plus vieil ami était blême et il regardait tour à tour Konrad et Elizabeth.

— J'ai tout vu, moi aussi. Il t'a embrassée contre ton gré.

— Il ne se rend pas compte! protesta Elizabeth.

— De quoi? criai-je à mon tour, sans quitter la créature des yeux. Cette chose en sait déjà assez pour avoir tenté de te violer!

— Non. Il a des pulsions d'homme, mais il est encore dépourvu de conscience, expliqua-t-elle.

La créature se leva et, pendant un moment, son visage s'assombrit. Certain qu'elle allait se ruer sur moi, je la frappai de nouveau, cette fois à une jambe. En hurlant, elle tourna les talons et décampa. Nous l'entendîmes pousser des jappements de chien battu du côté des arbres.

— Regarde ce que tu as fait ! cria Elizabeth avant de se débarrasser de ses chaussures et de se lancer aux trousses de la créature. Konrad, reviens !

Je courus après elle, la pelle à la main, Henry sur mes talons.

— Écoute-moi ! dis-je en agrippant Elizabeth par le poignet dans l'espoir de l'obliger à s'arrêter.

Mais elle se dégagea d'un coup sec et poursuivit sa course. Je voyais Konrad à travers les arbres. Véritable concentré d'énergie et de volonté, il filait comme l'éclair, fendait les broussailles, cassait les branches. Même nu-pieds, Elizabeth n'avait aucune chance de le rattraper. Henry et moi non plus, du reste. Moins d'une minute plus tard, nous l'avions perdu de vue.

— Il risque de se perdre ! cria-t-elle, le souffle court, chancelante, mais toujours en mouvement. Il risque de se faire du mal !

— Ralentis ! Écoute-moi ! Le professeur a découvert quelque chose de monstrueux dans la fosse funéraire.

— Et alors ? demanda-t-elle en refusant de me regarder.

— Une créature énorme, qui n'a rien d'humain. Mais il y a aussi un maxillaire auquel sont restées attachées quelques dents, dont l'une est identique à celle que Konrad a dans la bouche !

Elle me rit en plein visage.

— Encore une de tes hallucinations, Victor ?

— Où veux-tu en venir, au juste, Victor ? demanda Henry à côté de moi.

J'agrippai une fois de plus Elizabeth et, cette fois, je parvins à l'arrêter.

— Tu ne vois donc pas ? Le corps que nous avons fait pousser n'appartient pas qu'à Konrad. C'est aussi celui d'un autre !

Henry fronça les sourcils.

— Comment est-ce possible ? Nous avons utilisé les cheveux de Konrad…

— … mêlés à un papillon ! Et ces esprits sont issus de la créature de la fosse. Et ce que veut cette créature, c'est un nouveau corps ! Celui de Konrad, en l'occurrence !

— Tu ne peux pas en être sûr, dit Henry.

Seul un silence hostile émanait d'Elizabeth.

— Si vous ne me croyez pas, venez au château et vous verrez par vous-mêmes comme la chose est grande ! Le professeur a dit que ses contemporains avaient peur d'elle.

Ils avaient peut-être pour tâche de la ressusciter, mais, à la place, ils ont exhumé et démembré son cadavre. C'était un monstre, peut-être même une sorte de démon !

— Nous n'avons pas le temps ! s'écria Elizabeth. Il faut trouver Konrad tout de suite !

— Cesse de l'appeler comme ça ! Je suis le jumeau de Konrad et je te jure que la créature que nous avons créée n'est pas mon jumeau !

— Il faut le trouver, dit Henry avec un calme surprenant. Imagine qu'il aille rôder du côté du village, lui qui te ressemble comme deux gouttes d'eau…

— Et ses habits seront bientôt trop petits pour lui, ajouta Elizabeth. Il va les enlever.

Je me passai la main sur le front. Ils avaient raison. L'idée que mon sosie batte la campagne, tout nu, en dévorant des chiens et des chats… Qui savait du reste de quoi il était capable ? Une situation aussi atroce dépassait l'entendement.

— Très bien, concédai-je à contrecœur. Mais la créature va sûrement revenir à la cabane. Ou au château. Ce sont les deux seuls endroits qu'elle connaît.

— Et il sait aussi que tu seras là à l'attendre avec ta pelle, fit Elizabeth.

— Elle est dangereuse ! m'exclamai-je. Comment peux-tu être à ce point aveuglée ! Qu'aurais-tu fait si je ne m'étais pas interposé ?

Elle rit d'un air dédaigneux.

— Faut-il donc toujours que tu joues les héros ? Je l'aurais arrêté, calmé. Il ne se serait pas enfui.

— Tu te trompes, dis-je.

— C'est toi qui te trompes, riposta-t-elle. Et en plus, tu es complètement incohérent. Au début, tu chantais les louanges des papillons ! « Ils sont l'intelligence, le pouvoir, la vie ! » Tu ne pouvais plus t'en passer. Je parie que tu en as encore sur toi ! Et tu voudrais maintenant nous faire croire qu'ils sont maléfiques.

— Ce corps, insistai-je, est destiné à une autre fin.

— Que proposes-tu ? demanda-t-elle. Que nous le détruisions ?

Je ne répondis pas, même si l'idée se répandit dans mon esprit comme une tache de sang.

— Je ne sais pas, avouai-je. Du moins pas encore. Dans l'immédiat, nous devons retrouver la créature et la cacher.

— Si tu veux nous accompagner, commence par te débarrasser de cette pelle.

Nos regards se croisèrent. Je me cramponnais à la pelle. Des pensées meurtrières envahirent ma tête (taper sur la créature qui ressemblait tellement à Konrad, la rouer de coups jusqu'à ce que mort s'ensuive) et mon estomac se souleva. Nous devions la ramener à la cabane. Il fallait qu'elle nous suive de son plein gré. Puis, une fois qu'elle serait enfermée à l'intérieur, je déciderais de la suite. La pelle ne ferait que l'effrayer. Je la laissai tomber.

— Bien.

Elizabeth se mit aussitôt en route, s'enfonça dans la forêt du côté où nous avions vu la créature pour la dernière fois. Le plan ne me semblait pas particulièrement inspiré, mais, n'ayant rien de mieux à proposer, j'emboîtai le pas à Elizabeth, Henry à mes côtés. Bizarrement, Elizabeth, la mine résolue, les yeux rivés sur quelque inévitable destination, donnait l'impression de savoir avec exactitude où elle allait.

— Regardez, fit-elle en montrant des chaussures abandonnées dans l'herbe.

C'étaient en effet celles de Konrad.

— Comment se fait-il que tu saches où aller ? demandai-je.

Puis je me rappelai que, même dans son sommeil, elle avait su que la créature attendait devant la porte du château.

— Je prends le sentier forestier le plus facile, expliqua-t-elle. N'est-ce pas ce que ferait n'importe qui ?

Je ne la crus pas. Au bout d'une demi-heure, nous trouvâmes un veston empêtré dans une branche et, juste un peu plus loin, une chemise aux boutons arrachés. J'espérai que la créature, ayant trop chaud, avait simplement voulu se défaire des vêtements qui l'entravaient, et non qu'elle avait connu une crise de croissance monstrueuse. Je regrettai d'avoir abandonné la pelle.

Le sentier que nous suivions grimpait dans la colline et, après une heure environ, nous trouvâmes la créature au bord d'un petit lac, alimenté par une cataracte qui prenait sa source dans les montagnes. Elle était à présent toute nue et de la même taille que moi, sinon plus grande. Sur l'une de ses épaules, là où je l'avais frappée avec la pelle, elle avait une vilaine lacération, sombre, où le sang avait séché. La créature qui ressemblait à Konrad nous tournait le dos, accroupie au bord de l'eau, le regard fixe. Au début, je crus qu'elle étanchait sa soif, mais elle scrutait la surface vitreuse de l'eau avec une férocité telle que je me rendis compte qu'elle devait observer son propre reflet. Se contemplait-elle pour la première fois ?

— Konrad, fit doucement Elizabeth en s'avançant.

Tressaillant, la créature se retourna et, à la vue de la joie et du soulagement absolus qui se peignirent sur son visage à présent sincère et innocent, je sentis fléchir ma brutale résolution. Elle se leva et s'approcha d'Elizabeth en se traînant les pieds, tête baissée, honteuse, eût-on dit. Aussitôt, Henry retira son veston et le noua autour de la taille de la créature pour cacher sa nudité.

Elizabeth posa la main sur son épaule indemne.

— Nous rentrons à la maison, dit-elle.

La créature la fixa, sans doute uniquement sensible à son visage et au ton de sa voix. Puis son regard se posa sur moi. Je m'attendais à de la méfiance, mais la créature écarquilla les yeux d'un air stupéfait. Elle se tourna pour se mirer une fois de plus dans l'eau immobile. Elle se toucha le visage d'un air étonné. Puis, se tournant de nouveau, elle me montra du doigt.

— Il sait que vous êtes jumeaux, expliqua Elizabeth avec calme.

Et soudain je m'en aperçus à mon tour. Mû par une force irrépressible, je m'approchai. Si semblable à Konrad. Si semblable à mon jumeau. Très doucement, la créature toucha mon visage. Je soufflai. Ses doigts s'attardèrent sur ma joue, caressèrent mes cheveux, puis les siens.

Elizabeth sourit.

— On jurerait des retrouvailles.

Je me dis que nous parviendrions peut-être à nos fins. Une fois l'esprit de Konrad à l'intérieur de ce corps, malgré la façon dont il avait été formé, peut-être aurions-nous vraiment affaire à Konrad. Le corps, après tout, n'est jamais qu'une enveloppe. Une fois habitée par mon frère, la créature serait-elle vraiment mon frère?

Elle tendit de nouveau le bras et prit ma main valide, la secoua, encore et encore. C'était une forme de salutation comique et je faillis éclater de rire. Petit, Ernest avait eu une manie semblable.

Puis elle appuya sur sa blessure en grimaçant.

— Désolé, dis-je.

Ensuite, avec une expression neutre déconcertante, elle posa ses doigts tachés de sang sur mon épaule et serra fort. Je mis ma main gauche sur celle de la créature et tentai de me dégager, mais ses doigts semblaient verrouillés. Soudain, j'eus conscience de la grande force latente que renfermaient ses membres. Je scrutai son visage impassible.

— Lâche-moi, dis-je doucement en sentant monter en moi les signes avant-coureurs de la panique.

De son autre main, la créature agrippa ma main infirme et la comprima, provoquant un spasme de douleur.

— Arrête ! criai-je.

Je la poussai de tout mon poids. Sans relâcher son emprise sur ma main, la créature qui ressemblait à Konrad tomba à la renverse dans le lac en m'entraînant avec elle.

L'eau était étonnamment profonde, même au bord, et nous nous enfonçâmes, emmêlés l'un à l'autre. Je fis surface en crachotant et en battant des bras. Je n'étais plus qu'à quelques pouces de la rive quand la créature, se cramponnant à moi, m'enfonça de nouveau sous la surface.

Suffoquant, je me tournai pour affronter la créature. Je n'aurais su dire si son visage trahissait la malveillance ou une terreur absolue.

— Il ne sait pas nager, Victor ! cria Elizabeth. Aide-le !

Du coin de l'œil, je la vis s'apprêter à se jeter à l'eau et j'eus tout juste le temps de lancer :

— Ne bouge pas !

La créature, cependant, était sur moi. Elle se débattait, se cramponnait à moi avec une poigne de fer. Je sombrai une fois de plus. Un meurtrier n'aurait pas agi avec moins de résolution.

Je fis brièvement surface, assez pour me rendre compte que nos gesticulations nous avaient éloignés du rivage. Malgré ma frénésie, je vis que Henry avait mis la main sur une longue branche et qu'il la tendait vers nous.

— Aide-le à s'accrocher, Victor! criait Elizabeth.

Mais, le visage rendu livide par la panique, la créature grimpa de nouveau sur moi. Nous fûmes une fois de plus submergés, cette fois pendant un long moment. Un grand froid contractait mon cœur, rétrécissait mon champ de vision. Battant mollement des bras et des jambes, j'atteignis l'entrecuisse de la créature d'un coup de genou et sa poigne se desserra. Luttant pour remonter, je crevai la surface, à bout de souffle.

La créature surgit à son tour, sa tête dépassant à peine la surface de l'eau. Un terrible cri s'échappa de sa gorge.

— Il se noie! cria Elizabeth.

Je vis que, s'étant jetée à l'eau, elle nageait vers nous.

— Reste au l…

Et la créature m'enserra de nouveau dans ses bras, son visage paniqué, sa bouche pleine d'eau près du mien. Ses jambes enroulées autour de moi, elle tenta de se hisser sur mes épaules. Je la frappai au visage une fois, puis une autre, toujours plus fort, mon poing engourdi semblable à un marteau. La créature eut un mouvement de recul. L'expression de son visage, mélange d'incompréhension morne et de panique, avant qu'elle sombre, se grava dans mon esprit à tout jamais.

— Konrad! hurla Elizabeth.

Je me ruai sur elle, l'interceptai et, en me cramponnant à ses bras et à ses jambes, tentai de la ramener vers le rivage.

Elle cria, griffa, mordit.

— Donne-moi cette branche ! criai-je à Henry.

Il me la lança. L'eau était trouble et je ne distinguais pas la créature sous la surface. Ma plus grande crainte était qu'elle ne soit sous moi et qu'elle ne m'entraîne jusqu'au fond une bonne fois pour toutes.

— Plonge, espèce de lâche, va le chercher ! hurla Elizabeth.

— On ne peut pas remonter des profondeurs un homme qui se noie ! criai-je à mon tour.

La créature ne réapparut pas. Ni après dix secondes, ni après vingt, ni après trente. Au bout d'une minute, je dis :

— C'est fini.

— Tu l'as tué ! haleta Elizabeth.

— Cette chose nous aurait tués tous les deux !

— Il… Il voulait que tu l'aides…

— Victor a raison, Elizabeth, dit doucement Henry. Il n'aurait rien pu faire.

— Et toi, Henry, où étais-tu ? cria-t-elle.

— J'ai trouvé une branche aussi vite que j'ai pu et…

— Vous êtes des lâches, tous les deux !

Nous sortîmes de l'eau, transis et épuisés. Assis sur le rivage couvert d'herbes, frissonnant, nous fixâmes pendant un long moment la surface de l'eau. Le silence était comme une geôle atroce, où j'étais prisonnier de mes pensées tachées de sang. Aurais-je pu sauver la créature ? Pourtant, il fallait la tuer, c'était inévitable.

Puis nous nous levâmes et entreprîmes le long trajet jusqu'au château.

Chapitre 17

UNE FUREUR
GRANDISSANTE

L'interminable trajet s'effectua en silence, exception faite des sanglots intermittents d'Elizabeth. Elle fuyait mon regard, refusait même de laisser Henry poser sur son épaule une main apaisante. Nous nous arrêtâmes brièvement dans la clairière, le temps de récupérer nos affaires et, pareils à des automates, de nous sécher à l'aide des couvertures que renfermait le panier à pique-nique.

C'était comme si nous avions de nouveau perdu Konrad. Je l'avais tué deux fois.

La veille seulement, j'avais rêvé que nous serions réunis. Le songe avait été empreint d'une telle solidité, d'un tel pouvoir de conviction.

Au château, Elizabeth gravit tout de suite les marches en direction de la bibliothèque.

— Je veux les voir, expliqua-t-elle. Les ossements du monstre.

Henry et moi lui emboîtâmes le pas. Dans la bibliothèque, il n'y avait pas d'ouvriers et nous n'en vîmes pas non plus dans les cavernes, désertes, malgré la présence de quelques lanternes allumées.

— Professeur Neumeyer? criai-je.

Pas de réponse.

Nous nous engageâmes dans le passage à pic qui donnait accès à la chambre funéraire et nous approchâmes de la fosse. L'échelle était à sa place, mais les fragments que j'avais vus au fond avaient disparu.

Désespéré, je me tournai vers une bâche sur laquelle on avait disposé quelques bouts d'os. Vite, je m'agenouillai devant, mais ces morceaux étaient si insignifiants qu'ils auraient pu venir de n'importe où.

— C'est tout? s'exclama Elizabeth en s'emparant d'un éclat d'os. C'est ça, ton monstre?

— On a dû emporter les autres fragments, murmurai-je, soudain étourdi.

— S'ils existent.

— Ils existent, répliquai-je. Un bout de crâne géant, un pied bot. Et le maxillaire auquel étaient accrochées des dents identiques à celle de Konrad!

— Une dent!

La voix d'Elizabeth tremblait de colère.

— C'est tout ce que tu as, comme preuve ? Avoue-le, Victor. Dès que tu l'as vu en train de grandir, bébé déjà, tu as perdu l'envie de le ramener.

À cause du chagrin, j'avais la voix enrouée.

— Tu mens ! Tu crois être la seule à avoir souffert, aujourd'hui ? J'ai vu se noyer l'espoir de récupérer mon frère, mon jumeau ! Je veux qu'il revienne, Elizabeth, encore plus que toi !

Elle secoua la tête.

— Ce qui t'intéressait, c'étaient plutôt les esprits que tu dérobais et le pouvoir qu'ils te conféraient !

— Comment oses-tu affirmer une chose pareille ? Après tout ce que j'ai fait…

— Tes motivations ne sont jamais claires, Victor.

Je brandis ma main mutilée et l'agitai sous son nez.

— J'ai… donné… mes… doigts !

Elle repoussa ma main avec dédain et, incapable de contenir ma rage, je la giflai.

Elle se jeta sur moi, me roua la poitrine de coups de poing. Je la repoussai, si fort qu'elle tomba à la renverse.

— Victor ! s'écria Henry avec fermeté, sa main se refermant sur mon bras.

— Lâche-moi, grognai-je.

Nous nous regardâmes pendant un moment, puis il retira sa main.

Nous entendîmes un bruit de pas derrière nous et, en me retournant, je vis Gerard, l'un des collègues du professeur, émerger du passage à pic.

— Que faites-vous ici? fit-il.

— Où sont passés les restes de la fosse? demandai-je.

— Le professeur les a emportés à Genève il y a moins d'une heure, répondit-il.

— Pourquoi?

— Il tient à ce qu'ils soient conservés dans de bonnes conditions.

— Le corps était-il vraiment celui d'un géant? demanda Elizabeth.

— Absolument, mademoiselle.

— Vous avez vu ses dents?

— Elles étaient inhabituellement acérées.

Il désigna la bâche d'un geste de la tête.

— Je suis seulement venu chercher les derniers fragments.

— Merci, dit Elizabeth en sortant, Henry et moi sur ses talons.

Pendant que nous parcourions les galeries voûtées, je lançai:

— Tu vois? Mon imagination n'y est pour rien.

Elizabeth fit comme si je n'avais rien dit.

— Je ne sais pas de quoi ou de qui il s'agit, mais cette chose ou cette personne veut un corps. Pas pour Konrad, mais pour elle-même. Tu ne peux pas m'imputer la responsabilité de ce qui est arrivé au lac.

— Ne t'en fais pas pour moi, répondit-elle. Inquiète-toi plutôt de ce que tu vas raconter à ton frère, ce soir.

En nous voyant tous les trois, Konrad a un large sourire. Il est dans la bibliothèque en compagnie d'Analiese. Avec effort, elle lui fait la lecture à haute voix. Sur la table est disposé tout un arsenal, emprunté à la salle d'armes. Il semble craindre d'être attaqué à tout moment.

— Sommes-nous prêts ? demande-t-il en bondissant sur ses pieds. C'est le grand soir, non ?

— Konrad… commencé-je.

Son visage se décompose.

— Que s'est-il passé ?

Ma voix est réduite à un croassement vaincu.

— Ton corps… Il y a eu un accident.

Analiese tressaille. Konrad s'effondre dans son fauteuil.

— Quel genre d'accident ?

J'avale ma salive, lutte pour rester maître de moi-même.

— Il s'est noyé.

— Comment ?

Je cherche encore mes mots lorsque Elizabeth répond :

— Victor s'est battu avec lui et ils sont tombés à l'eau. Il ne savait pas nager.

Konrad me dévisage, ses yeux sombres lourds de reproches.

— Écoute-moi, dis-je. Tu dois me croire. Le corps était corrompu, violent. Il a tenté de violer Elizabeth.

— Non ! s'écrie-t-elle. C'est faux. Il m'a embrassée et s'est enflammé, comme l'aurait fait tout jeune homme de son âge. Il n'avait pas encore de conscience et…

— Ce corps n'était pas le tien, Konrad ! crié-je pour noyer la tirade d'Elizabeth. Il était destiné à quelqu'un d'autre.

— Que veux-tu dire ? demande Konrad.

Debout à présent, il tourne comme un ours en cage.

— La créature de la fosse ! C'est à elle que ton corps était destiné !

— Comment est-ce possible ? s'exclame Analiese.

Je me rends compte que, encore maintenant, Elizabeth la fixe avec méfiance et une hostilité à peine voilée.

— L'esprit qui animait ton corps est issu de cette créature ! lancé-je à Konrad.

En regardant nerveusement les papillons qui tournoient au-dessus de nos têtes, j'ajoute :

— Comme tous ceux-ci, d'ailleurs. Ne les laissez pas se poser ! Ils se nourrissent de nous, surtout de moi, à chacun de nos passages, puis ils rapportent notre énergie à la créature, qu'ils tirent peu à peu de sa léthargie. La dernière fois que je l'ai vue, elle avait encore changé. On aurait dit un gros embryon.

— Pourquoi ne m'avoir rien dit la nuit dernière ? demande Konrad.

— Mon temps était écoulé. Je... Je devais partir, lui dis-je, incapable de soutenir son regard.

Sa voix trahit son irritation.

— Tu as le temps de lire et de recueillir tes spécimens, mais tu n'as pas une minute pour me mettre en garde contre cette *chose* !

— Je n'étais encore sûr de rien, dis-je. Et je ne mesurais pas encore le danger. C'est ce matin seulement que le professeur a exhumé les restes dans le monde réel. Il s'agit d'une monstruosité, peut-être même pas d'un être humain. Le corps que nous faisions pousser pour toi avait certaines de ses caractéristiques !

— Une seule ! proteste Elizabeth. Une toute petite dent pointue de rien du tout ! C'est l'idée que Victor se fait d'une preuve irréfutable.

— Non. À d'autres moments, tu... je veux dire le corps... est devenu étrange et effrayant. Il a mordu. Il a grogné. Son visage a pris un aspect brutal.

— Victor ne peut plus se passer des papillons, explique Elizabeth. C'est une dépendance. Ils embrouillent son jugement.

Konrad me dévisage longuement, d'un air dur. Puis il se tourne vers Henry.

— Je t'ai toujours pris pour un type raisonnable, Henry. Raconte-moi ce que tu sais.

— Il est vrai que le corps que nous avons fait pousser pour toi avait une dent bizarre.

Il soupire et regarde Elizabeth d'un air contrit.

— Et, aujourd'hui, j'ai vu les autres traits dont parle Victor. On aurait dit des ombres qui traversaient son visage.

J'éprouvai un élan de gratitude envers Henry.

— Je te jure, Konrad, que nous avons affaire à une sorte de projet infernal. Le professeur pense que la créature de la fosse a pu être considérée comme un dieu et il a peut-être raison. Comment expliquer, sinon, qu'elle ait pu créer ces papillons à partir de son propre cadavre?

Effrayée, Analiese secoue la tête.

— Les papillons sont ici depuis toujours. Et je n'ai jamais senti en eux d'intentions maléfiques.

— Jusqu'au jour où ils ont eu des êtres vivants à dévorer petit à petit. Regardez-les planer, ces parasites! Ils attendent l'occasion de nous prélever encore plus d'énergie.

Au-dessus de nos têtes, ils se rapprochent, foncent vers Henry, Elizabeth et moi, veulent nous toucher. Je les écarte d'un geste brutal.

— Ce sont de véritables sangsues! crié-je. Ces papillons nous vident de notre substance dans l'intention de réveiller la créature de la fosse!

— Mais tu avais une telle confiance en ces créatures! s'écrie Konrad. Tu soutenais qu'elles te conféraient d'immenses pouvoirs.

— Elles l'ont fait, avoué-je en en chassant un qui s'était posé sur le dos de Henry sans qu'il s'en aperçoive. Mais ils reprennent tout ce qu'ils donnent. Ne les laisse pas se percher sur toi, Elizabeth!

Soudain, je me rends compte qu'ils me regardent tous comme si j'avais perdu la raison. Et il faut dire que, avec les regards que je jette à gauche et à droite et les sauts que je fais pour éloigner les papillons, j'ai sans doute l'air d'un fou furieux.

— Victor, dit Elizabeth avec tristesse, tu te fais des idées. Le corps que nous avons fait pousser était parfait. Et tu l'as laissé mourir!

— La créature a essayé de me noyer!

— Il a fait de son mieux pour la sauver, renchérit Henry.

— *Fais-m'en un autre!*

Le cri est venu de Konrad et, en me retournant, je me rends compte que je ne l'ai jamais vu aussi en colère. Il fonce vers moi, les poings serrés.

— Fais-moi un autre corps ! crie-t-il.

— C'est impossible ! Ce serait encore une monstruosité !

— Tu as promis, Victor !

Ses mots me transpercent et je ne sais que répondre.

— Exactement comme la dernière fois, dit-il d'un ton railleur. Les promesses que tu fais ! L'Élixir de Vie ! La potion qui me guérira ! Qui me rendra invulnérable à toutes les maladies ! Puis tu me laisses croire que tu sauras me ressusciter ! Tes promesses ne sont que du vent, Victor ! Du vent !

— J'ai tout tenté, Konrad…

— Non. Fidèle à ton habitude, tu as cherché à te rendre grandiose et tout-puissant et tu as tout gâché !

Ce n'est que quand il me frappe que je prends conscience de la faible distance qui nous sépare. Son poing percute mon corps. C'est comme l'effleurement d'une plume, mais je suis estomaqué : comment peut-il se tenir si près de moi ?

— Je veux ravoir ma vie ! crie Konrad en me frappant.

Les coups me font l'effet d'une faible brise, mais je regrette qu'ils ne portent pas davantage. Ainsi, ils seraient proportionnels à ma détresse.

— Je ferais n'importe quoi pour toi, dis-je.

— Menteur ! Je me demande si tu ne m'as pas noyé exprès pour pouvoir séduire Elizabeth et la garder pour toi.

— C'est faux ! protesté-je faiblement.

Mais je m'interroge : se peut-il que les mots rageurs de mon frère, comme autant de flèches, touchent la cible ?

— Ton intention était de te lamenter et de l'avoir à l'usure, comme un chien ! s'écrie Konrad avec une cruauté que je ne lui connaissais pas.

Analiese pose sur lui une main apaisante, l'oblige à battre en retraite.

— On voit bien qu'il a des remords, Konrad. Arrêtez.

— Je t'interdis de le toucher ! lui crie Elizabeth. Nous ne savons même pas quelle sorte de créature tu es !

Un vent de folie souffle sur la pièce et les murs se mettent à palpiter au gré de nos émotions frénétiques.

D'un soulèvement d'épaules, Konrad se dégage d'Analiese et fond de nouveau sur moi.

— Je... veux... plus... de... *vie* ! Tu as fait miroiter cette possibilité devant mes yeux et à présent j'exige des résultats ! Trouve-moi un autre corps !

Henry se place devant moi. Ébloui par la lumière et la chaleur de mon ami, Konrad a un mouvement de recul. Pourquoi les miennes ne lui font-elles pas le même effet ?

Soudain, mon frère se laisse tomber dans un fauteuil et enfouit son visage dans ses mains.

— Victor, dit-il. Je suis...

— Vous voyez ? m'écrié-je. Ma lumière a pâli. Ces esprits me l'ont volée pour en faire cadeau à la créature de la fosse. Vous ne vous rendez donc compte de rien ? Sinon, comment Konrad aurait-il pu me toucher ?

Il y a un silence malaisé et, pendant un moment, j'espère avoir enfin réussi à les convaincre.

Mais Elizabeth secoue la tête avec obstination.

— Si tu es affaibli, c'est parce que tu as abusé des esprits et que tu as passé trop de temps ici.

— Mais ta lumière à toi a faibli, elle aussi, dit Konrad en l'examinant avec attention. Pas autant que celle de Victor, mais…

Henry et moi la considérons, étonnés, car nous ne voyons pas nos auras respectives.

— Tu es venue ici sans moi ? lui demandé-je.

Elle hoche rapidement la tête et je vois la mine contrite de Konrad.

Celui-ci se lève et empoigne les armes posées sur la table.

— Qu'est-ce que tu fais ? demande Henry.

— Ce que j'aurais dû faire il y a longtemps déjà, dit-il férocement. Je m'en vais de ce pas détruire cette chose !

— Non, Konrad ! s'écrie Elizabeth. C'est trop dangereux !

— Il a raison, dis-je en saisissant un arc et une épée. Il le faut.

— Dans ce cas, fait Henry, je me battrai avec vous.

Mais, au même moment, la montre occulte se met à vibrer dans ma poche et elle est secouée si violemment que je crains qu'elle ne vole en éclats.

— C'est impossible, marmotté-je en la sortant. Comment notre temps peut-il déjà être écoulé?

— Tu ne peux pas la reculer? demande Konrad, désespéré.

— Non… c'est trop tard. Je ne peux pas remonter le temps.

Il me dévisage, égaré, puis ses traits se durcissent.

— Je m'en occupe tout seul.

— Non, lui dis-je. Tu auras peut-être besoin d'un coup de main. De la part des vivants.

— J'en ai assez de l'entendre! crie-t-il. D'attendre sa venue!

— La chose ne viendra pas, lui dis-je. Elle n'a pas encore assez de vie pour se réveiller. Sans nous ici, elle ne peut pas sortir de sa léthargie.

Il secoue la tête en évitant mon regard.

— Qu'en sais-tu?

— Je ne vais pas t'abandonner ici, dis-je. Je vais revenir. Je vais tout arranger.

Il garde le silence.

— Je vais trouver une solution. Promis, lui dis-je. Mais n'attaque pas cette chose tout seul.

Il hoche la tête. Je ne veux pas le laisser, du moins pas ainsi, le visage sans espoir. Je veux rester, me racheter, mais la hâte de regagner mon corps fait de moi un lâche et je cours avec Henry et Elizabeth, dont le visage ruisselle de larmes, jusqu'à ma chambre et à la vie qui nous y attend, tandis que Konrad, une fois de plus, reste derrière, dans le pays des morts.

Chapitre 18
POSSÉDÉE

Revenus à nous-mêmes, nous évitions soigneusement de nous regarder. Du coin de l'œil, je devinai la colère d'Elizabeth au pli de sa bouche.

— Konrad ne risque rien pour le moment, dis-je pour me rassurer moi-même tout autant que les deux autres. Le démon de la fosse ne peut pas naître sans notre énergie.

J'inspirai avec lassitude.

— Je vais trouver une solution.

— Tes amis les esprits peuvent peut-être t'aider, dit froidement Elizabeth.

— Je n'en ai pas sur moi.

En quittant le monde des esprits, je m'en étais assuré.

Elizabeth me dévisagea.

— Tu en es sûr ?

— Tu vérifies ? demandai-je à Henry.

Elizabeth se tourna face au mur et je me déshabillai pour laisser Henry examiner mon corps.

— Rien.

— De toute manière, il en a quelques-uns dans un flacon qu'il conserve dans son tiroir.

— Un seul, dis-je. Tiens, au cas où tu ne me ferais pas confiance.

Je pris la clé dans sa nouvelle cachette et la lui tendis.

— Prends-la.

— Merci, Victor, fit-elle en saisissant l'objet.

Après avoir vérifié qu'il n'y avait pas de domestiques dans le couloir, elle partit vers sa chambre et nous restâmes seuls, Henry et moi.

— Merci d'avoir dit que tu avais vu le visage de la créature se transformer, dis-je.

Henry exhala nerveusement et je fus heureux d'entrevoir mon vieil ami.

— Franchement, je ne sais plus quoi penser.

— Ni moi non plus, murmurai-je.

— Tu ne nous facilites pas les choses, Victor, dit-il. Ton comportement…

Je préférai lui épargner la peine de me faire des réprimandes et à moi la douleur de les entendre.

— Je sais. J'ai agi de façon bizarre.

— J'ai parfois l'impression que tu es à moitié fou.

— Seulement à moitié?

Il rit faiblement et il me sembla impossible d'imaginer l'époque où nous pourrions vivre avec un cœur comblé et insouciant.

— Dormons, dis-je. La nuit porte conseil. Demain, rien ne nous semblera insurmontable.

Il se leva et posa la main sur mon épaule. Reconnaissant, je mis ma main valide sur la sienne.

— Bonne nuit, Henry.

— Bonne nuit, Victor.

Je dormis, mais la douleur dans ma main envahit mes rêves. Lorsqu'elle finit par me réveiller, je me redressai, en nage, et j'allumai une chandelle. Je fixai la bouteille de laudanum sur ma table de chevet ; je voulais l'oubli, ne fût-ce que pendant quelques heures. J'ouvris la bouteille et j'allais laisser tomber quelques gouttes du liquide sur ma langue lorsque je remarquai que le tiroir de mon bureau, en principe verrouillé, était ouvert.

Sautant du lit, je courus me rendre compte.

La montre occulte et le flacon vert étaient à leur place.

Mais le flacon renfermant mon dernier papillon avait disparu.

Je me vêtis rapidement, courus jusqu'à la chambre de Henry et le réveillai sans ménagement. Il ouvrit les yeux et se redressa, sa poitrine haletant sous l'effet de la surprise.

— Habille-toi vite, dis-je.

Il fixa mon visage fatigué, éclairé par la chandelle.

— Qu'est-ce qui s'est passé ? Quelle heure est-il ?

— Nous sommes amis, non ? demandai-je.

Après une très légère hésitation, il hocha la tête.

— Je sais que nous avons eu notre part de différends, ces derniers temps, mais, depuis l'enfance, tu es mon meilleur ami et, en ce moment, j'ai besoin de ta confiance.

— Qu'y a-t-il, Victor ? demanda-t-il.

— Elizabeth a dérobé le flacon renfermant le papillon.

— Elle l'a peut-être simplement confisqué pour t'empêcher de t'en servir.

— Elle a aussi pris la clé de la cabane et la brosse de Konrad, que j'avais laissée sur ma commode. Il devait y rester des cheveux.

Mon ami s'humecta les lèvres.

— Jamais elle ne tenterait une folie pareille.

— Elle ne croit toujours pas que le premier corps était corrompu. Nous devons l'arrêter.

— Je n'arrive pas à le croire.

— Si j'ai raison, nous allons trouver sa chambre vide et elle sera déjà à la cabane… en pleine action.

Sortant du lit, il passa à la hâte un pantalon et une chemise. À pas furtifs, nous suivîmes le couloir jusqu'à la chambre d'Elizabeth. J'ouvris la porte et nous nous glissâmes à l'intérieur. Je tirai les rideaux au pied du lit et, dans l'ombre, nous la vîmes, endormie.

Je jetai un coup d'œil piteux à Henry, mais il agrippa mon bras avec fermeté.

— Quoi ? fis-je.

Il se précipita vers le lit et secoua Elizabeth si violemment qu'elle se décomposa en une explosion d'oreillers et de draps enroulés.

Ensemble, nous dévalâmes les marches, enfilâmes bottes et capes et nous lançâmes tête première dans la nuit.

La douleur vrillait mes doigts manquants et mes membres tremblaient de fatigue. J'avais l'impression d'être un invalide aux prises avec les vestiges d'une forte fièvre. Mon corps avait besoin de l'élan vital que me procurerait la présence d'un papillon sur ma chair, même si je savais que c'était précisément eux qui avaient sapé mes forces. Avec effort, je traversai les prés, Henry à mes côtés.

La porte n'était pas verrouillée. J'éteignis ma lanterne et jetai un coup d'œil à l'intérieur. Une unique lampe vacillait sur la table grossière, où s'amoncelait de la boue humide. Nous étions arrivés à temps ! Elle n'avait pas encore créé la chose. À côté de la table, Elizabeth, assise sur un tabouret, nous tournait le dos. Tête penchée, vêtue de sa seule chemise de nuit, elle était d'une immobilité presque parfaite.

— Je crois qu'elle est somnambule, murmurai-je à l'oreille de Henry. Nous devons agir avec calme et fermeté.

— Et faire quoi, au juste ?

— Tu prends le flacon qui renferme le papillon et je l'escorte jusqu'au château.

Nous entrâmes. Elizabeth ne se retourna même pas.

— Qu'est-ce que tu fais, Elizabeth ? demandai-je aimablement en m'approchant.

Près de la table, je remarquai la brosse de Konrad et un flacon renversé, débouché.

Vide.

— Regarde-le, Victor, dit-elle rêveusement. Non, mais regarde-le.

Elle nous tournait toujours le dos, mais je me rendis compte qu'elle berçait quelque chose dans ses bras.

— Je l'ai fait renaître, murmura-t-elle.

— Ah, dis-je en avançant prudemment d'un pas.

Elle se retourna. Dans ses bras, elle tenait un bébé de boue, mais beaucoup, beaucoup plus imposant que celui que nous avions d'abord créé. Je n'aurais su dire si elle avait façonné un corps plus grand ou si le papillon dont elle s'était servie avait plus de vitalité que le premier. Le corps avait un aspect primitif, avec des bras vaseux difformes sculptés à la hâte par des doigts fiévreux, mais, de toute évidence, il était atrocement vivant. Ses jambes et ses bras grossiers gigotaient et sa tête se dressait contre la chemise de nuit d'Elizabeth.

Elizabeth semblait fixer quelqu'un derrière Henry et moi et je dus faire un effort pour ne pas me retourner. Quand elle était somnambule, elle avait toujours ce regard perdu.

— Tu as été très habile, dis-je en m'efforçant de garder un ton mesuré. Tu as sans doute trouvé quelques cheveux sur la brosse de Konrad.

Elle sourit d'un air secret.

— Quelques-uns, dit-elle. Mais en plus, j'ai utilisé autre chose.

— Quoi donc ? demandai-je, chancelant.

— Un fragment d'os de la fosse. J'ai pris les deux.

Je jetai un coup d'œil angoissé à Henry, dont le visage livide reflétait ma propre horreur. Je me souvenais d'avoir vu Elizabeth se pencher dans la chambre funéraire pour ramasser un infime éclat d'os. En revanche, je ne me rappelais pas l'avoir vue le remettre à sa place.

— Il attend depuis si longtemps, dit Elizabeth.

— Ah bon ? lançai-je poliment en faisant un pas de plus, les yeux rivés sur la créature qui remuait faiblement dans ses bras. Depuis combien de temps, au juste ?

D'une voix à peine audible, elle répondit :

— Des centaines de milliers d'années. Et je serai son épouse.

J'en eus la chair de poule. À cet instant précis, je vis une ombre semblable à un insecte sortir furtivement du col de la chemise de nuit d'Elizabeth pour se réfugier derrière son oreille. Le petit halètement que Henry laissa échapper me confirma qu'il avait tout vu, lui aussi.

Je compris alors qu'Elizabeth n'était pas simplement somnambule.

Elle était possédée.

— Que dirais-tu de mettre le bébé au lit, Elizabeth ? fis-je d'une voix tremblante.

Je me sentais totalement démuni. Dans ma tête, aucun plan ne s'échafaudait. J'étais réduit à mes propres ressources, sans l'aide de forces surnaturelles. Mon unique certitude, c'était qu'il ne fallait pas permettre à cette créature d'exister.

— Pas encore, répondit Elizabeth avec sérénité. J'ai envie de le serrer dans mes bras.

— Je peux l'emmailloter dans sa couverture, si tu veux, proposa Henry en s'approchant d'elle, les bras tendus.

C'était bien pensé de sa part. S'agissant de l'enfant, Elizabeth avait toujours eu confiance en lui.

Elizabeth sourit.

— Pour cela, vous devrez d'abord me détruire.

Et, à ce moment, la créature tourna sa tête de boue vers Henry et poussa un cri grinçant. Sa gueule était hérissée de dents tranchantes.

— Dieu du ciel, souffla Henry.

— Il faut nous laisser nous occuper du bébé, Elizabeth, dis-je.

— Le tuer, tu veux dire ? demanda-t-elle avec calme.

— Il doit être fatigué, dit Henry d'une voix apaisante. Ses paupières se ferment, tu vois ? Pour grandir, il a besoin de sommeil.

Elizabeth, dont les propres paupières tombaient, fit oui de la tête.

— D'accord.

Henry s'avança et la créature, se détachant du corps d'Elizabeth, bondit vers lui, les mâchoires béantes. Elle ne le mordit pas ; elle se contenta de le renverser avant de se ruer sur moi en sifflant comme un chat sauvage. Je tendis un bras. Au moment où je la repoussais violemment, je sentis ses dents se refermer sur ma cape et chercher à s'enfoncer plus profondément. Elle traversa la cabane et atterrit quelque part dans l'ombre.

Haletant, Henry, terrorisé, s'efforça de suivre ses mouvements rapides sur le sol. Il y avait tant de cachettes possibles.

— Konrad ! cria Elizabeth. Où es-tu ?

Faisant fi de mes instincts, j'eus la sagesse de me ruer sur la porte et de la fermer hermétiquement. Nous ne pouvions pas laisser cette créature prendre le large. Je m'emparai d'un sac en toile épaisse et d'une lanterne, puis je sautai sur la table pour avoir une meilleure vue. Mais le sol était jonché de tant de débris, d'outils et d'ombres que c'était pratiquement sans espoir. J'entendis un grattement à gauche, puis à droite. Le petit monstre se déplaçait à une vitesse surnaturelle. Je vis Henry s'armer d'un râteau. Affligée, Elizabeth regardait autour d'elle, invitait la créature à revenir dans ses bras.

Puis les remuements cessèrent. Elizabeth arrêta d'appeler. Un terrible silence s'abattit sur nous à la façon d'une brume nocturne.

Sur la table, je tournais lentement sur moi-même, promenais sans relâche mon regard dans tous les coins, dans l'espoir d'apercevoir une ombre mouvante. Je souhaitais de tout cœur que la chose se soit endormie, ce qui faciliterait considérablement la terrible tâche qui nous attendait.

Puis une douleur épouvantable vrilla mes orteils et, en baissant les yeux, je vis la créature : sortie de sous la table, elle avait refermé ses mâchoires sur ma botte. J'essayai de m'en défaire d'un coup de pied, mais elle se cramponna et son poids me fit perdre l'équilibre. En criant, je trébuchai et tombai violemment sur la table. La chose monstrueuse, que le choc avait obligée à lâcher prise, se jeta à quatre pattes sur mon visage. Je lançai mon sac sur elle et, empêtrée, elle tomba sur mon ventre en se débattant. Vite, cependant, elle se libéra et se rua de nouveau sur moi. Je tombai alors du haut de la table et, en touchant le sol, j'entendis un fracas de verre suivi d'un cri terrible.

Tant bien que mal, je me remis sur pied et j'observai la scène. La créature avait atterri sur la lanterne, qu'elle avait fracassée. Trempée d'huile, consumée par les flammes, elle gesticulait.

Elizabeth s'empara du sac et le lança sur elle dans l'intention d'éteindre le feu. Mais l'huile, abondante, satura vite la toile et le sac s'enflamma à son tour. Après quelques instants, la créature de boue devint immobile et rigide, telle une poterie cuite dans un four. Mais, au centre de sa poitrine, je vis une vrille de ténèbres en forme de spirale tenter de s'échapper de l'argile. Les flammes la léchèrent avec avidité et la dévorèrent aussi rapidement qu'une mèche de cheveux. Lorsque le corps de boue se fractura en plusieurs morceaux, l'esprit avait été réduit en cendres.

À l'aide du râteau, Henry jeta un peu de terre sur la table pour étouffer les dernières flammes nourries par l'huile.

— Assassins! hurla Elizabeth en se tournant vers moi.

Soudain, un marteau à la main, elle frappa. Je sentis dans ma tête une explosion de douleur et de lumière, puis je m'écroulai en me tenant la tempe. En recouvrant l'usage de mes yeux, je vis Henry tenter de lui arracher le marteau, mais elle fondit de nouveau sur moi, pareille à un lynx. Grâce à l'esprit qui l'habitait, elle possédait une force hors du commun. J'eus beaucoup de mal à parer ses coups.

— Aide-moi à la plaquer au sol, Henry! criai-je. Il faut la débarrasser de cet esprit!

Ensemble, nous réussîmes, au prix d'efforts considérables, à l'étendre par terre.

— Nous lui faisons mal! s'écria-t-il, affligé.

— Tiens-la, Henry! hurlai-je, conscient de ne pouvoir y arriver seul.

Je chevauchai ses jambes qui se débattaient, tandis que Henry essayait d'empêcher ses bras gesticulants de m'atteindre.

— De quel droit osez-vous? hurla-t-elle. Espèces de brutes! Lâchez-moi!

— Le flacon! criai-je à Henry.

Il tendit la main vers la table et me le lança. Comme ces créatures étaient à la fois rapides et rusées, je devais tenter le tout pour le tout.

— Il lui faut un nouveau corps! pleurnicha Elizabeth.

Écartant les cheveux de son oreille, je vis l'esprit, qui faisait une tache plus foncée dans l'ombre. Prestement et avec force, je collai le goulot du flacon contre la chair d'Elizabeth.

L'esprit essaya de se faufiler sous le bord et Elizabeth se débattait si frénétiquement que je craignais de le perdre.

— La lumière! criai-je. Tournons-la vers la lampe!

Nous fîmes rouler Elizabeth sur le côté et l'éclat soudain obligea l'esprit à s'enfoncer dans le flacon. Je fis alors glisser le bouchon et l'emprisonnai.

Dès que l'esprit eut quitté son corps, Elizabeth cessa de se défendre et sembla émerger du sommeil, comme si elle avait été somnambule. Les yeux exorbités, en proie à une incompréhension infantile, elle regarda autour d'elle, puis se tourna vers Henry et moi. Ensuite, elle enfouit son visage dans le bras de Henry et pleura. Pendant qu'il la tenait et lui caressait les cheveux, je l'enviai plus que je ne saurais le dire.

— Là, là, fit-il.

Je savais qu'elle n'était pas amoureuse de Henry, mais, à cet instant, je me demandai si elle pourrait un jour m'aimer, moi.

— Racontez-moi, dit-elle, haletante, au bout de quelques secondes.

En nous relayant, nous lui fîmes notre récit alors qu'elle regardait, incrédule, l'esprit sombre qui tourbillonnait frénétiquement dans le bocal.

— J'étais presque sûr de l'avoir vu hier, dis-je, mais je me demande maintenant s'il n'y en a pas un sur toi depuis le début.

— Je n'arrive pas à le croire, fit-elle.

— C'est peut-être ce qui explique ton dévouement envers la créature et les excuses que tu lui trouvais, poursuivis-je, même si elle m'a mordu et qu'elle a tenté de te violer. Le papillon a dû te pousser à prendre ce fragment d'os dans la chambre funéraire.

— Et, somnambule, je suis venue jusqu'ici, dit-elle en frissonnant, et j'ai créé un nouveau corps pour la chose qu'il y a dans la fosse… Et après…

Elle se leva et fouilla dans la poche de sa chemise de nuit. Elle en sortit la clé de la cabane et, en fronçant les sourcils, un petit flacon brun.

— Qu'est-ce que c'est? demanda Henry.

— L'élixir qui donne accès au monde des esprits, répondis-je. La réserve personnelle d'Elizabeth. Tu avais l'intention de fabriquer le bébé cette nuit et de l'amener tout de suite au dieu de la fosse dans le monde des esprits.

Elle parut sidérée. Puis elle hocha faiblement la tête, comme si elle se souvenait.

Pendant un moment, nous restâmes silencieux, voyant Elizabeth en train d'élever le dieu de la fosse qui, à une vitesse phénoménale, se transformait en géant.

— Tu as dit que tu deviendrais son épouse, laissa tomber Henry, l'air révulsé.

— Doux Jésus, murmura-t-elle. Qu'avons-nous fait?

Les forces que nous avions mises en branle étaient si immenses qu'elles dépassaient presque l'entendement.

— Cette chose, le dieu de la fosse…

— Ne parle pas d'un dieu, je t'en prie, fit Elizabeth avec férocité. C'est de toute évidence un démon.

— Il a puisé dans nos réserves vitales pour se donner des forces, dis-je. Chaque fois qu'un papillon nous touche, il vole un peu de notre énergie et s'en sert pour réveiller le démon. Chacun des papillons que j'ai sortis du monde des esprits débordait de vie au moment d'y retourner – j'ai été témoin du phénomène – et c'est le démon qui en profitait.

— Pourquoi, dans ce cas, n'étais-tu pas possédé comme moi? demanda Elizabeth.

Je frottai ma tête meurtrie.

— Je l'étais, mais autrement. Ton esprit t'a promis le retour de Konrad, et le mien, la connaissance, la puissance et la fin de la douleur. Et il fallait que j'aie envie de revenir sans arrêt pour tirer le démon de sa torpeur.

Je regardai Henry avec prudence.

— Quant à toi, mon ami, tu en as sûrement un sur toi.

Henry haussa les sourcils.

— Moi?

— Comment expliquer, sinon, cette vaillance et cette confiance inédites?

Pendant un moment, il détourna le regard, l'air honteux, mais, quand il me fit face de nouveau, il arborait un air de défi. Avec lassitude, je songeai que j'avais un autre combat sur les bras.

— Dans ce cas, je t'invite à vérifier, dit-il.

Nous approchâmes les lanternes et Elizabeth se détourna pendant qu'il se déshabillait. J'examinai les moindres parcelles de son corps, en proie à une consternation grandissante.

— Incroyable, dis-je. Tu n'as rien sur toi. Rien du tout.

— Ah, fit-il avec ironie.

— Je ne comprends pas.

— Peut-être, Victor, certaines personnes parviennent-elles à changer par elles-mêmes, dit-il en remettant sa chemise.

Je me laissai tomber sur le sol de terre battue, exténué, le cœur soulevé par les vapeurs nauséabondes que dégageaient toujours les restes calcinés de la créature de boue.

— Nous devons aller mettre en garde Konrad et Analiese, dis-je. Et détruire la chose qui vit dans la fosse.

— Tu crois que c'est possible ? demanda Henry.

— Nous devons essayer ! répondis-je en me levant. Et tout de suite !

— Pas si vite, Victor, dit Henry en brandissant la main. Tu as dit toi-même qu'elle n'était pas tout à fait née, qu'elle avait besoin de nos vies pour émerger du sommeil.

Je hochai la tête.

— Oui.

— Eh bien, si tel est le cas, elle ne pourra pas naître sans notre énergie vitale. Et peut-être, à force de crever de faim, redeviendra-t-elle comme avant, c'est-à-dire un vieux bloc de pierre.

— Tu proposes donc que nous ne remettions plus jamais les pieds là-bas ? demanda Elizabeth d'une voix qui trahissait sa souffrance.

— Pouvons-nous courir un tel risque ? nous demanda Henry. Il y a trop de papillons, désormais, et ils sont sournois. Il suffirait peut-être que l'un d'eux se nourrisse de nous pour délivrer le démon de la fosse.

Le raisonnement se tenait, mais sa logique était insoutenable.

— J'ai promis de revenir, dis-je. J'ai promis de trouver une solution.

— Henry a raison. Il n'y a rien que tu puisses faire, déclara doucement Elizabeth. Si seulement nous ne nous étions pas mêlés de ce qui ne nous regarde pas… Au moins, Konrad aurait été cueilli et il aurait trouvé un nouveau chez-lui. Comme le veut l'ordre des choses.

— Je ne l'accepterai pas, dis-je. Il doit y avoir un…

— Accepte-le, Victor, dit Henry.

— Non.

Je l'avais vu en rêve. Il me devançait sur la glace, mais j'allais le rattraper.

Et soudain j'eus ma réponse. Elle sautait aux yeux.

J'ouvris la porte de la cabane et m'enfuis, sourd aux appels de Henry et d'Elizabeth. Je n'aurais su dire d'où me vinrent ma force et ma vitesse, mais je courus éperdument dans la nuit. Ne leur laissant aucune chance de me rattraper, je fonçai vers le château des Frankenstein. Là, je ramènerais mon frère à la vie.

Chapitre 19

LE VOLEUR DE CADAVRES

Pendant une seconde, je reste allongé sur mon lit et je parcours ma chambre des yeux. Nulle trace de papillons noirs tapis dans l'ombre, telles des chauves-souris vampires. Derrière ma fenêtre, le sinistre brouillard blanc se concentre, furieux, et cogne contre la vitre. Soudain, j'ai conscience d'entrer dans le monde des esprits pour la seconde fois de la journée. Selon le mode d'emploi, c'est dangereux. Mais il est trop tard. Vite, je sors de ma chambre et m'engage dans le couloir pour aller jeter un coup d'œil dans la chambre de Konrad. Vide.

Je ne l'appellerai pas. Je ne veux surtout pas attirer l'attention sur moi. Au moment où je pose la main sur la poignée de la porte de la bibliothèque, un cri de frustration strident monte des profondeurs du château et mon cœur s'affole. Au moins, je sais que la chose est toujours prisonnière de sa fosse.

En ouvrant la porte, je m'attends à trouver là Konrad, pointant son arc vers le passage secret. Les armes sont toujours disposées sur la table, mais la bibliothèque est abandonnée, exception faite d'un petit essaim de papillons.

Dans l'espoir de passer inaperçu d'eux, je referme vite. Je descends le grand escalier et suis le couloir jusqu'à la salle d'armes. Le château est silencieux et immobile.

Et si Konrad avait déjà été cueilli ? Cette idée devrait me rendre heureux, mais j'éprouve un pincement de tristesse. Dans ces conditions, je ne le verrais plus jamais. Et nos adieux ont été si amers…

La salle d'armes est déserte, elle aussi. Je passe devant l'ancienne chapelle et je m'arrête pour y jeter un coup d'œil. Mon cœur se desserre, car je vois Konrad assis sur un banc près de l'autel, seul, les mains croisées en prière. Je balaie les environs des yeux avec méfiance et, ne voyant aucun papillon noir, j'entre.

— Konrad, dis-je à voix basse.

Ahuri, il se retourne.

— Victor !

— Chut !

Il se lève, s'avance vers moi, plissant à peine les yeux, son doux visage creusé par le remords.

— Je suis désolé. La dernière fois, j'ai été odieux.

— N'y pense plus. Je comprends parfaitement.

J'inspire à fond.

— La créature de la fosse semble s'être tranquillisée.

— Elle hurle, mais je ne me résous pas à aller jeter un coup d'œil.

Vite, je lui fais le récit de ce qui s'est passé depuis notre départ, y compris les événements de la cabane.

— Le corps que tu as fait pousser était donc vraiment malveillant, dit-il avec un sourire courageux. Ainsi, mon retour est exclu. Tu dois rentrer, Victor. Dis à Elizabeth que je l'aime et à Henry qu'il a été mon ami le plus cher. Quant à toi, *va*.

— Je ne veux pas te dire adieu dans ces conditions.

— Il n'y a pas d'issue pour moi, Victor! Résigne-toi. J'ai renoncé, moi.

— C'était inutile.

Il secoue la tête et, pour un peu, il rirait.

— Quand cesseras-tu enfin de te prendre pour Dieu, Victor?

Derrière les étroits vitraux, le vent spectral hurle, fait trembler les croisées.

— J'ai trouvé un moyen de te ramener. Le plus simple qui soit.

Il écoute, silencieux, le front plissé.

J'ôte de mon doigt la bague qui me sert de talisman et sors de ma poche la montre occulte. Puis je les dépose tous deux sur le banc en reculant d'un pas.

Konrad les fixe.

— Tu comprends? demandé-je.

Il déglutit.

— Ne fais pas ça, Victor.

— Prends-les. Prends mon corps.

Il ne dit rien.

— Allez, dis-je avec un petit rire que je voudrais enjoué, mais qui sonne plutôt enroué. Tu ne fais pas une trop mauvaise affaire. Une main droite avec seulement trois doigts et une personnalité un peu difficile, je te le concède. Mais tu sauras vite y remédier. Ton âme a toujours été supérieure à la mienne.

— Tu ne penses pas ce que tu dis, murmure-t-il.

— Au nom de quoi est-ce que je mériterais de vivre, alors que toi tu es mort ? Elizabeth est à toi et elle n'aimera jamais personne autant que toi. Je t'ai fait toutes sortes de promesses et je n'en ai pas tenu une seule. Cette fois, je m'amende. Prends ces objets et file. *Tout de suite !*

Il ne parvient pas à détacher son regard de ma bague et de la montre, ces objets qui lui permettront de réintégrer le monde réel par l'intermédiaire de mon corps. Je vois l'appétit dans ses yeux.

— Ne me tente pas ainsi, murmure-t-il.

— Pour l'amour du ciel, Konrad, crié-je, arrête de faire l'imbécile. Décide-toi avant que je change d'idée !

Il se rapproche de la bague et de la montre.

— Ne vois-tu pas que ce serait comme un meurtre ? demande-t-il. Je te vole ta vie.

— Mais non, puisque je te la *donne* !

Il détache les yeux des objets et se tourne vers moi.

— Ta lumière est plus pâle que jamais, Victor, et c'est à peine si tu dégages encore un peu de chaleur. En revenant ici, tu t'es affaibli davantage. Dis-moi adieu, Victor, et surtout ne reviens jamais !

Je secoue la tête.

Il sort de la chapelle en coup de vent. Je reste là à attendre. Il reviendra. Comment pourrait-il refuser une offre pareille ? Moi, j'en serais incapable. Mais il ne revient pas. Satanée tête de mule ! Ne sait-il pas ce qu'il m'en a coûté de lui faire une telle proposition ? Pense-t-il que je saurai afficher une telle noblesse pendant encore longtemps ? En jurant à voix basse, j'empoche la bague et la montre occulte et je pars à sa recherche.

Dans le couloir, j'aperçois Analiese au pied du grand escalier.

— Analiese, lancé-je.

Elle sursaute.

— Tu as vu Konrad ?

— Il est monté, visiblement bouleversé. J'allais le suivre pour voir ce qui lui arrive.

— À cause de moi, dis-je.

Son visage est empreint d'une telle compassion que je me surprends à lui rendre compte de la conversation que j'ai eue avec Konrad, de l'offre que je lui ai faite.

Pendant un moment, elle garde le silence. Quand elle prend la parole, sa voix est lourde d'émotion.

— Votre amour pour votre frère m'a sauté aux yeux la première fois que je vous ai vu. Mais jamais je n'ai été témoin d'un geste aussi désintéressé.

Elle n'a jamais été si proche de moi et elle est si belle. En tendant la main, je pourrais la toucher.

— Êtes-vous sincèrement disposé à vous départir de votre vie ? me demande-t-elle.

Je détourne les yeux.

— Je ne le laisserai plus tomber. Si c'est la seule solution, qu'il en soit ainsi.

Je songe à l'angoisse d'Elizabeth, conscient qu'elle ne saura jamais m'aimer pour vrai, conscient que ma nature profonde me rend indigne d'amour. Je songe à mes multiples défauts, à la douleur incessante dans ma main. En ce moment, être affranchi de tout cela serait presque un soulagement.

— Saviez-vous, dit calmement Analiese, que votre lumière est carrément éteinte ?

Stupidement, je tends les bras, comme si la différence risquait d'être apparente. Comment est-ce possible ? Pris de panique, je regarde autour de moi, mais je ne vois aucun signe des papillons colorés. Puis je baisse les yeux. Sur le sol, trois d'entre eux se glissent en silence sous mon pantalon et remontent le long de mes jambes. En me retournant vivement, j'en vois six autres sur mon dos, éclatants de lumière, se nourrissant de moi.

— Tu les as vus venir? crié-je en les chassant frénétiquement.

J'essaie d'en attraper quelques-uns au moment où ils cherchent à s'enfuir avec les ultimes vestiges de ma lumière, mais ils sont aussi rapides que des oiseaux-mouches.

Affligé, je me tourne vers Analiese, qui m'assène un violent coup de poing en plein visage. Rien à voir avec un soufflet aérien, comme la dernière fois que Konrad m'a frappé. Ce contact est réel, sans voile protecteur. Sous la force de l'impact, ma tête, projetée vers l'arrière, produit un craquement horrible et mes jambes se dérobent sous moi. Étourdi, je vois cette petite jeune femme s'avancer vers moi avec un détachement terrifiant et me donner un coup de pied en plein ventre. Une vague de nausée se lève en moi, me coupe le souffle.

— Ton idée n'est pas nouvelle, tu sais, dit-elle en plongeant la main dans ma poche pour en sortir la montre occulte et la bague. Il y a trois cents ans, un homme brillant a eu la même pour me voler mon corps à moi.

Tandis que je tousse, secoué de haut-le-cœur, elle marmotte des mots que je ne saisis pas et agrippe l'encolure de sa robe noire. La robe se déchire vers le bas et explose devant moi. Ses morceaux sont autant de papillons noirs aux ailes percées de trous de suture, traînant derrière eux les fils qui retenaient ce vêtement surnaturel. Lorsque le nuage de papillons se disperse, je vois qu'Analiese a disparu et que devant moi se tient Wilhelm Frankenstein, qu'on dirait tout juste sorti de son portrait.

— Comme toi, je me suis attardé trop longtemps ici, dit-il, séduit par la puissance du lieu. Je ne me suis pas rendu compte que ma présence de vivant avait pour effet de tirer le monstre de son sommeil. À l'époque, il y avait ici d'autres esprits humains et je me suis trop lié avec l'un d'eux. Il a attendu que ma lumière s'éteigne, puis il a volé mon talisman et s'est enfui avec mon corps.

Je tente de me relever, mais, d'un coup féroce et bien placé, il me fait retomber.

— Mais à présent, dit-il, ta vie m'appartient.

Il court déjà. Tant bien que mal, je me redresse et le suis jusqu'au grand escalier.

— Arrêtez! crié-je comme un enfant. Vous ne pouvez pas me laisser ici!

En haut des marches, il se tourne instinctivement vers ma chambre, guidé par ma bague. Conscient de ne pas pouvoir perdre cette course, je m'élance à toute vitesse. À mi-chemin, je me jette dans ses jambes et le fais chuter. Il me reste encore un peu de force. Je le frappe, tente d'arracher la bague de son doigt.

Des profondeurs du château s'élève le hurlement le plus fort et le plus effrayant que j'aie entendu jusque-là, car celui-ci a manifestement des accents de triomphe.

Pendant une fraction de seconde, le regard de Wilhelm croise le mien et je constate qu'il est en proie à une horreur absolue. Puis il m'assène un coup de coude au visage et me propulse contre le mur.

S'étant relevé, il court et franchit la porte de ma chambre.

— Non ! hurlé-je.

J'entre à mon tour, animé d'une rage meurtrière, et je le vois s'allonger sur mon lit en tenant la montre occulte et la bague. Je me jette sur lui, prêt à lui arracher la main avec mes dents s'il le…

Mais il est parti. J'atterris sur le lit, où il n'y a plus personne.

Pressée d'entrer, la panique martèle toutes les portes de mon esprit. Je me touche la poitrine, agrippe mes bras. Les deux doigts de ma main droite sont encore là, mais une douleur cinglante les consume. Je ne peux pas être mort. Aucun mort ne peut souffrir ainsi. Mon corps vit encore, ailleurs, habité par un autre. Je descends du lit, fais les cent pas dans la pièce, comme si, par magie, une autre issue allait se présenter à mon esprit.

C'est impossible. Ce n'est pas vrai. Faites que ce ne soit pas vrai.

Des papillons noirs tourbillonnent dans ma chambre, mais ils me laissent tranquille. Je ne leur suis désormais d'aucune utilité.

— Non, non ! crié-je et je m'écroule par terre.

Et, à l'instant où mes yeux se ferment, je vois...

... par les yeux d'un autre. Je suis dans ma chambre, assis au bord du lit, lorsque Henry et Elizabeth font irruption dans la pièce, le visage crispé par l'effroi.

— Tu es retourné là-bas ? demande Henry.

— Je devais m'assurer que tout allait bien, entends-je dire ma voix, ma propre voix.

Et je me rends compte que je vois par les yeux du voleur, Wilhelm Frankenstein. Être en même temps à l'intérieur et à l'extérieur de soi, s'entendre parler, se sentir bouger, mais n'exercer aucun contrôle... La sensation est indescriptible.

Je mens à Henry et Elizabeth :

— Le monstre de la fosse retombe dans son état végétatif.

— Tu es allé le voir ? demande Henry, incrédule.

— Je devais le faire... Pour en avoir le cœur net. Déjà, il semble plus fermement enseveli dans le cocon et dans la pierre.

Elizabeth laisse échapper un souffle qu'elle retient depuis longtemps.

— C'est une bonne nouvelle, une très bonne nouvelle.

— Konrad sera cueilli, dit ma voix. Je n'en doute pas un seul instant. Son cœur est si pur...

— Il a le cœur pur, confirme Elizabeth, les yeux humides. J'ai tant de choses à me faire pardonner. Nous nous sommes injustement opposés aux desseins de Dieu. Et pourtant…

Elle se mord la lèvre.

— Je tiens à lui dire adieu.

Henry se gratte le menton d'un air incertain.

— N'est-ce pas trop risqué ? Il y a sûrement des papillons partout. N'est-ce pas, Victor ?

— Ils sont nombreux, mais, peut-être parce qu'ils sont privés de nourriture, ils semblent un peu léthargiques, eux aussi.

— N'y va pas, dit Henry à Elizabeth.

— Il le faut, insiste-t-elle.

— Oui, bien sûr, bien sûr, fait la voix de l'imposteur.

Mais Henry résiste.

— Non, Victor. Et si les papillons se nourrissaient d'elle et réveillaient pour de bon le démon de la fosse ?

— Je ferai vite, promet-elle.

Je vois ma main, qui n'est plus la mienne, se tendre vers le flacon d'élixir. Je sens mes doigts se refermer dessus et le lâcher par exprès. Au contact du sol, le flacon se fracasse en mille morceaux. Il ne reste qu'un peu de liquide et, au moment même où je m'agenouille et, avec ostentation, tente furieusement de le récupérer, l'élixir est absorbé par les lattes ou s'infiltre dans les fissures. Il n'en reste plus une seule goutte.

Témoin de cette scène à partir du monde des esprits, je suis conscient d'émettre une plainte basse, à la manière d'un chien battu.

— Je... Je suis navré, dit mon faux moi en levant les yeux sur le visage affligé d'Elizabeth.

— C'est mieux ainsi, dit Henry en posant la main sur l'épaule d'Elizabeth.

Elle s'en défait d'un geste.

— Tu l'as fait exprès, Victor ? demande-t-elle.

— Bien sûr que non, réponds-je, et je suis sidéré par la sincérité de ma voix. Désolé, Elizabeth, je suis encore affaibli par...

... on crie mon nom, non pas dans le monde réel, mais ici, dans celui des esprits. En ouvrant les yeux, je découvre Konrad penché sur moi, le front soucieux.

— Qu'est-ce qui ne va pas ? demande-t-il. J'ai entendu des cris !

Je lève les yeux sur mon frère. Son apparition me procure une joie telle que j'en reste sans voix.

— Que se passe-t-il, Victor ? s'inquiète-t-il.

Puis il fronce les sourcils.

— Ta lumière. Elle a complètement disparu !

— Il a volé mon corps, dis-je d'une voix râpeuse.

— Qui donc ?

— Wilhelm Frankenstein. Il l'a volé. Je suis enfermé ! Enfermé ici !

Tandis que je professe à haute voix cette cruelle vérité, la panique me prend une fois de plus en étau et resserre son emprise. Je me martèle les tempes à poings fermés. Tel un oiseau coincé dans une maison, je promène mon regard à gauche et à droite, incapable de me concentrer.

— Il n'y a plus d'élixir ! dis-je, fulminant. Il a cassé la bouteille. Il n'y a plus d'issue possible ! Aucune !

— Du calme, Victor ! m'ordonne mon jumeau.

Il me prend la main, m'oblige à me relever et, à ce toucher, le premier entre nous depuis des mois, je sens un merveilleux calme m'envahir. Je le regarde, le prends dans mes bras, le serre de toutes mes forces. Ce simple contact physique me procure un réconfort tel que je refuse d'y couper court. Mais, finalement, je me dégage et je le regarde. Nous sommes enfin réunis.

— Raconte-moi tout, fait-il. Et ne dis pas n'importe quoi.

Avec tout l'aplomb dont je suis capable, je lui explique.

— C'était donc lui depuis le début, murmure Konrad. Elizabeth avait vu juste. Analiese gardait bel et bien un secret.

— Quel idiot je suis, dis-je. Quand le brouillard est entré et s'est emparé d'elle, j'ai vu un changement en elle, mais je me suis dit que c'était encore un des mystères du monde des esprits.

— Il a attendu pendant trois cents ans, dit Konrad. Le message de ta planche de spiritisme… C'est lui qui cherchait à t'attirer ici !

— Pourquoi n'a-t-il jamais été cueilli ? demandé-je avec difficulté. Comment expliquer qu'il soit encore coincé ici après toutes ces années ?

— Parce qu'il a été séparé de son corps, peut-être.

Je frissonnai.

— À présent, il est à l'intérieur du mien.

— Et tu vois vraiment à travers ses yeux ?

— Seulement quand les miens sont fermés.

Quel tourment que de voir un autre vivre sa vie ! Et que m'arrivera-t-il quand mon corps mourra ? Serai-je condamné à attendre ici pour l'éternité, comme Wilhelm Frankenstein ?

Sous nos pieds, un autre hurlement retentit. Il ne s'agit pas cette fois d'un cri primal : on reconnaît une forme et un rythme suggérant le langage. Un faible tremblement parcourt l'ossature du château. Les papillons noirs qui tourbillonnaient près du plafond se regroupent en un nuage sombre et filent dans le couloir.

Je me lèche les lèvres et lance un regard nerveux à Konrad. Ensemble, nous les suivons. Je les vois disparaître dans la bibliothèque, où d'autres les rejoignent, formant des torrents. En entrant avec précaution, nous voyons les derniers se glisser dans les interstices de la porte secrète.

— Avant que ta lumière s'éteigne, avais-tu des papillons sur toi?

— Oui, plusieurs.

Il n'ajoute rien. Nous avons compris. Les restes de vie qu'ils ont prélevés ont déjà été transmis au dieu de la fosse qui, tout à fait réveillé, est en mouvement. La terre remue une fois de plus au plus profond du château et un objet dur frappe sur la pierre.

Nous courons jusqu'à la porte secrète, l'ouvrons et jetons un coup d'œil en bas. Les galeries voûtées répercutent ce qui ne peut être que de lourds bruits de pas. Le château tout entier en est ébranlé.

— Doux Jésus, fait Konrad en refermant.

— Attends, attends! dis-je. Il nous faut une cachette!

Je rouvre la porte et descends en courant jusqu'à la Bibliothèque obscure.

— Que fais-tu, Victor? s'écrie mon frère.

— J'ai besoin d'une clé!

Dans la bibliothèque, je parcours des yeux les tablettes qui ploient sous le poids des lourds volumes, cherche, cherche avec obstination jusqu'à ce que je trouve enfin. Le livre en métal rouge que j'ai tiré du feu. Je m'en empare et je remonte en vitesse. Derrière, j'entends des bruits de pas, semblables aux claquements des sabots d'un cheval. Hors d'haleine, je rejoins Konrad et je ferme la porte derrière moi en m'assurant que le verrou secret est bien mis.

— Qu'es-tu donc allé chercher ? veut savoir mon frère, ébahi.

J'ouvre le livre en métal et j'en sors la clé en forme d'étoile.

— Le plafond de la chapelle ? demande-t-il en se souvenant du récit que nous lui avons fait.

— La chose ignore peut-être l'existence de cette cachette.

Ensemble, nous poussons une table contre la porte, posons dessus un petit secrétaire.

— Tu crois que c'est utile ? demande Konrad.

Ma bouche desséchée par la peur laisse entendre un rire grinçant.

— J'en doute.

Je regarde les armes que Konrad a réunies et nous assemblons le plus de matériel possible : arcs, carquois remplis de flèches, épées, poignards. Le simple poids de cet arsenal militaire me procure un certain réconfort, mais mes mains et mes genoux tremblent encore.

— Nous pouvons tenir tête à cette chose, dis-je. Ma lumière est éteinte, mais mon corps vit toujours dans le monde réel. Je peux sûrement en tirer certains avantages.

Konrad hoche la tête avec vigueur.

— Absolument. Cette chose a un jour été détruite. Elle peut donc l'être encore.

Des pas qui résonnent comme des enclumes secouent le sol. Des livres tombent des tablettes.

— Elle arrive, dis-je, haletant.

Nous sortons en vitesse de la bibliothèque, déboulons le grand escalier et courons dans le couloir jusqu'à la chapelle. À l'étage, de lourds pas ébranlent le plafond. Dehors, le vent hurle avec fureur et secoue les fenêtres, si fort que je crains qu'elles n'explosent.

— Dedans et dehors, dit Konrad en m'aidant à descendre le chandelier à la hâte.

Juste avant que nous commencions à nous hisser vers le plafond, au moment où je m'installe sur les bras en bois, je lui demande :

— Trouves-tu parfois que notre chez-nous est un tantinet sinistre ?

Une fois à la hauteur du plafond, nous amarrons le chandelier. Je glisse la clé en forme d'étoile dans la serrure et j'ouvre la trappe. Nous grimpons et refermons derrière nous.

— C'est une bonne idée que tu as eue là, fait Konrad en allumant une chandelle. Si c'est vraiment un démon, il n'osera jamais entrer dans une chapelle.

— Tu crois?

— On se réconforte comme on peut.

— J'étais justement en train de me dire que nous avons commis une erreur. Si nous sommes découverts, nous n'aurons aucune issue.

— Dans ce cas, nous nous défendrons avec encore plus d'acharnement, dit Konrad en tendant la corde de son arc.

Je l'imite et, pendant un moment, nous travaillons en silence, disposons nos armes tandis que, à l'étage, résonnent les bruits de pas.

— « Elle » était Wilhelm Frankenstein depuis le début, murmure Konrad. Je n'arrive pas à croire que je la trouvais... attirante.

— Eh bien, elle était, euh, très belle.

— Je suis indiciblement troublé, dit-il en frissonnant.

Puis il demande :

— Que se passe-t-il dans le monde réel ?

Prenant une profonde inspiration, je ferme les yeux et...

— ... c'est sans importance, dit Elizabeth à l'imposteur. Je peux encore aller dire adieu à Konrad. Il me reste encore ceci. L'aurais-tu oublié ?

De sa poche, elle sort la petite bouteille brune qu'elle a remplie à même le flacon d'élixir. Dans le monde des esprits, mon cœur bat fort. Dans mon état de panique, j'ai oublié la réserve personnelle d'Elizabeth. Et Wilhelm Frankenstein n'est pas au courant. Il ne dit rien, mais, dans le monde réel, je sens mon corps se raidir.

Elizabeth saisit la montre occulte et fait mine de quitter ma chambre.

Mon corps l'agrippe par le bras.

— Attends. Henry a peut-être raison. Le flacon fracassé est vraisemblablement un signe de Dieu, le moyen qu'Il a trouvé de nous dissuader de retourner là-bas.

— Je ne resterai pas longtemps, dit Elizabeth. Le temps de faire mes adieux, pas plus.

Par les yeux de Wilhelm, j'observe Elizabeth et, impuissant, je cherche à évaluer sa réaction. Je la vois lancer un rapide regard à Henry avant de reposer les yeux sur moi. Se doute-t-elle de quelque chose ?

— Non, je me suis montré trop imprudent. C'est trop risqué, dit Wilhelm Frankenstein avec ma voix. La lumière qui émane de toi sera trop tentante pour les papillons. Quand j'y suis allé, j'étais blanc comme un spectre. Toi, en revanche, tu brilles comme un phare. Konrad sait que tu l'aimes. Il me l'a dit avant mon départ. Ce sont ses derniers mots. Il tient par-dessus tout à ta sécurité, Elizabeth. Il m'a fait promettre de ne pas te laisser revenir.

La détermination d'Elizabeth semble fléchir.

— Il a vraiment dit ça ?

Mon corps fait signe que oui.

— C'est trop douloureux pour lui. Et trop dangereux pour toi.

Elle hésite.

Je sens ma main se lever dans le monde réel et caresser le lobe de mon oreille d'un air distrait.

— Donne-moi l'élixir, Elizabeth.

Elle me dévisage d'un air curieux et dit calmement :

— Tu as l'intention de le détruire ou de t'en servir ?

— J'ai l'intention de le détruire tout de suite.

Je vois ma main s'avancer.

— Prouve-le, dit Elizabeth.

Elle débouche la bouteille et la lui tend.

— Vide-la maintenant.

La gorge serrée par l'angoisse, j'observe la scène. À quoi joue-t-elle ? Il va détruire l'élixir ! Et avec lui, mon dernier espoir d'être sauvé !

— Avec plaisir, dit l'imposteur.

Et je sens ma main impatiente se refermer plus fort sur la bouteille et commencer à l'incliner.

Aussitôt, Elizabeth, de ses mains prestes, la lui reprend. Elle bat en retraite d'un air effrayé.

— Tu n'es pas Victor, dit-elle.

— Ne sois pas ridicule, répond mon corps déloyal.

— Non. Le vrai Victor n'aurait pas été aussi empressé de se débarrasser de l'élixir. Et il ne voit jamais de signes de Dieu. Et je connais une seule personne qui se caresse ainsi le lobe de l'oreille !

Elle fait un pas vers lui et le frappe en plein visage.

— Je savais bien qu'il y avait en toi quelque chose de vil, Analiese !

Je sens ma poitrine, dans le monde réel, se gonfler et se vider plus rapidement. Mon corps lève sa main dans l'intention de riposter.

— Tu dis des bêtises. Maintenant, fais ce que je te dis et donne-moi cette bouteille !

— Frappe-le, Henry ! crie Elizabeth. Fort ! *Assomme-le !*

Je pivote pour faire face à Henry, juste à temps pour voir ses poings de pugiliste se fermer et sa main droite remonter vers mon menton et alors…

… que du noir. J'ouvre les yeux, haletant.

— Qu'as-tu vu ? demande Konrad.

— Henry vient de m'assommer d'un coup de poing! dis-je avec jubilation.

— Quoi?

— Elizabeth *sait*! Elle sait que ce n'est pas moi! Elle pense que c'est Analiese! Et elle a encore un peu d'élixir!

Au moment même où mon cœur se gonfle d'espoir, j'éprouve un pincement de tristesse au moins aussi grand, car, même si Elizabeth et Henry reviennent dans le monde des esprits, ils ne pourront sauver que moi, sans Konrad. Et je n'abandonnerai jamais mon jumeau au monstre qui, en ce moment, arpente le château.

— Comment a-t-elle compris que ce n'était pas toi?

— J'ai donné l'impression de croire en Dieu.

Konrad rit et se tait brusquement, les yeux rivés sur nos pieds. Quelque chose tente de se faufiler par une fissure de la trappe. D'abord, des antennes pointent, suivies de la tête noire d'un papillon. Saisissant mon sabre, j'empale l'insecte, l'entraîne à l'intérieur et le tranche en deux. Il gigote brièvement, puis s'immobilise.

— Ils sont mortels, soufflé-je.

Si cette chose, née du démon de la fosse, est vulnérable, peut-être son maître l'est-il aussi. Je reprends espoir.

Soudain, un deuxième papillon investit notre cachette, aussi furieux qu'un frelon, et Konrad le sectionne en deux en plein vol. Puis un troisième fait son entrée. Il évite mes coups et plaque ses ailes sur mon visage, m'aveugle. Avec mes mains, je l'agrippe, le décolle et le projette au sol, où Konrad l'écrase.

Nous nous regardons en souriant, essoufflés. Pendant un délicieux moment, je peux presque imaginer que nous sommes en train de vivre une grande aventure.

Mais je décèle un mouvement et, en baissant les yeux, je vois un papillon foncer vers la trappe. Je tente de le transpercer d'un coup d'épée, mais il disparaît par la fissure.

— Il sait où nous sommes, dit Konrad avec calme.

— Il va prévenir les autres, confirmé-je, et ensuite son maître.

Après avoir échangé un regard, nous vérifions nos armes et nous nous assurons que tout est à portée de main.

Puis une sorte de bruit de sabot ébranle le marbre du grand escalier. La créature descend.

— J'ai une confession à te faire, dis-je. Je projetais de conquérir Elizabeth.

Un deuxième martèlement, suivi d'un troisième.

— Je suis mort, fait-il. C'est humain, après tout.

— Non, dis-je. Après ton retour, j'avais l'intention de la garder pour moi. J'étais… Je suis… un ignoble chenapan.

— Je n'attends rien de moins de la part de mon jumeau maléfique.

Boum… Boum…

— Désolé, dis-je. Pardonne-moi.

— Inutile, répond-il. Si j'étais revenu, elle aurait été à moi, de toute façon.

Je laisse entendre un petit rire sec.

— Ça, je l'ai compris.

Le démon se rapproche et les bruits de pas gagnent en intensité. Je ressens chacun des tremblements jusque dans la racine de mes dents. Lorsque le monstre arrive au bas des marches, il y a un sinistre moment de silence, puis la chose met le cap sur nous en poussant un cri à nous soulever le cœur.

La vigueur que je sentais auparavant dans le monde des esprits s'est depuis longtemps évaporée et une sorte d'engourdissement la remplace. La seule partie de mon corps qui me semble animée, ce sont les deux doigts de ma main droite, ceux qui n'existent plus vraiment. Mais j'accueille presque avec plaisir la douleur cuisante que j'y ressens, car elle me rappelle que mon corps, quelque part, vit toujours.

Les martèlements retentissants s'arrêtent devant la porte de la chapelle. Le vacarme fait place à un silence venimeux.

Est-il debout sur le seuil, incapable d'entrer dans un lieu sacré? Je n'ai jamais cru en Dieu, mais, en ce moment, je me surprends à souhaiter avec ferveur l'existence d'une présence tutélaire toute-puissante.

Un pas lourd et retentissant, suivi d'un autre. Il est entré.

Konrad agrippe mon bras. Nos regards se croisent. Il montre les arcs et je fais oui de la tête. Nous nous armons et, adossés au mur, visons la trappe.

D'autres pas géants résonnent, toujours plus proches. Je sens que le démon se trouve exactement sous nos pieds.

Il sait sûrement que nous sommes là. Sans doute n'est-il pas assez grand pour atteindre le plafond. Comprendra-t-il que le chandelier sert d'élévateur ? Même s'il s'en rendait compte, jamais le chandelier ne supporterait un poids comme le sien, non ?

Dans la chapelle, nous entendons un bruit, celui d'un arrachement ; l'instant d'après, la porte de notre cachette vole en éclats sous l'impact du banc en bois dont la créature s'est servie comme bélier. Le banc recule et les restes de la trappe pendent sur leurs charnières gauchies.

Au milieu des folles oscillations du chandelier déman-tibulé, j'aperçois brièvement une silhouette massive cou-verte de papillons noirs grouillants. Elle ressemble à s'y méprendre à celle du géant grossièrement représenté dans la caverne : deux longues jambes frémissantes, un énorme tronc pourvu de bras agités et un crâne en forme de ruche noire.

— À l'attaque ! crie Konrad.

Nous tirons à l'unisson et deux flèches s'enfoncent dans la masse noire et fourmillante de sa poitrine, où elles dispa-raissent.

Pendant un bref instant, quelques-uns des papillons qui recouvrent sa tête s'éloignent et j'aperçois la longue fente de guingois d'une gueule dépourvue de lèvres ; entrouverte, elle laisse voir des dents tranchantes. La chose crie et une terrible odeur d'abattoir émane de sa gorge. Puis les papillons reviennent sur son visage, comme s'ils ne toléraient pas d'être séparés de sa chair.

Frénétiquement, Konrad et moi armons nos arcs et tirons, encore et encore. Je pousse un cri lorsque le démon bondit, un long bras tendu, ses doigts noirs terminés par des griffes. La chose fait au moins dix pieds de hauteur et elle a sauté avec une force terrifiante. Ses griffes, cependant, s'arrêtent à la hauteur du chandelier, qu'elle arrache de ses fixations en retombant. Une fois de plus, le démon de la fosse bondit, mais en vain.

— Il ne peut pas nous atteindre, s'écrie Konrad avec espoir.

— On continue, crié-je en réarmant mon arc.

Nous criblons son corps de flèches. S'il hurle, le démon ne semble pas faiblir ; sa résolution reste intacte. Après une autre tentative futile, il s'arrête.

— Regarde ! crie Konrad.

Des papillons se détachent du corps du démon, tourbillonnent autour de lui à la façon d'une tornade, forment une ligne qui s'élève vers le plafond et la trappe.

Le démon, accroché à cette corde infernale et ondulante, commence à monter vers nous.

Chapitre 20
LE DÉMON DE LA FOSSE

Konrad et moi frappons, tranchons, embrochons les papillons les plus proches, coupons la corde grouillante qu'ils forment, mais d'autres les remplacent aussitôt.

Le démon de la fosse grimpe. Comme moins de papillons l'encerclent, j'aperçois des morceaux de chair, grêlés de pustules crevées, un genou dont l'articulation semble inversée. Et après je n'ai plus le temps de regarder, car il s'approche de la trappe, malgré les efforts que nous déployons, Konrad et moi, pour couper la corde.

Je laisse tomber mon épée. Reprenant nos arcs, nous tirons nos dernières flèches. Le démon, cependant, donne l'impression de ne rien sentir.

— Nous aurions dû… tuer cette chose… avant qu'elle se réveille, dit Konrad d'une voix haletante.

Le démon s'accroche à la corde d'une main, frappe de l'autre. Je lui échappe de justesse. Konrad lui assène un coup de sabre et de sa gueule invisible monte un cri strident.

La créature continue de monter. Je regarde Konrad dans l'intention de lui dire quelque chose, que je l'aime, que je suis désolé, mais j'ai la bouche si sèche que j'ai peine à avaler. Ma main droite se resserre sur mon sabre, la gauche sur mon poignard.

Un hurlement bas envahit notre cachette et mes oreilles résonnent douloureusement. Au début, je crois qu'il a été poussé par le démon, puis je me rends compte qu'il est venu de l'extérieur du château. J'entends et je sens trembler les vitres de la chapelle.

Sans doute le démon de la fosse a-t-il entendu ce cri, lui aussi, car son crâne noir et grouillant se tourne brusquement vers les fenêtres. Je ne discerne aucune expression sur son visage qui fourmille, mais l'angle de son cou et la cambrure de ses épaules trahissent une émotion.

— Il a peur, dis-je à Konrad, qui hoche la tête.

L'esprit qui règne à l'extérieur serait-il plus puissant que le démon ? L'esprit malin… Et, à ce moment précis, je me rends compte que Wilhelm Frankenstein, dans la peau d'Analiese, nous a peut-être menti sur toute la ligne.

Le démon de la fosse se tourne de nouveau vers nous. Une fois de plus, j'entrevois ses dents tranchantes et, au-dessus d'elles, un bout de crâne sans traits et sans yeux, hormis les orbites d'un énorme papillon noir aux ailes déployées. Le monstre se hisse un peu plus haut et, cette fois, c'est son avant-bras tout entier qui envahit notre minuscule repaire, se dresse et frappe à la manière d'un alligator. Nous nous esquivons à répétition, Konrad et moi, distribuons des coups d'épée.

Malgré sa frénésie, mon esprit remonte dans le temps et je me souviens du jour où, dans une pièce de théâtre, nous avons fait semblant d'affronter un monstre, côte à côte.

Puis la main griffue du démon frôle le bras droit de Konrad, déchire sa chemise et creuse une longue estafilade dans sa chair. Aucun sang ne s'en échappe. Qu'une horrible traînée noire. Mon jumeau pousse un cri et je me rends compte que, pendant sa maladie, jamais il n'a laissé entendre un son aussi déchirant.

Je m'attaque au bras du démon avec une haine telle que mon champ de vision se rétrécit et mon sabre s'enfonce dans la partie la plus charnue du membre, à la façon d'une hache fendant du bois. Des papillons amputés s'éparpillent et je sens la lame mordre profondément dans la chair de la créature. Un cri indigné retentit et le bras se retire.

— Tu as mal? crié-je en direction du monstre. Eh bien, tu n'as encore rien vu!

Je cours vers mon frère.

— Ça va?

Il hoche faiblement la tête en fixant l'étrange entaille sombre sur son bras. Le démon de la fosse peut trancher et blesser. Mon sang se fige dans mes veines.

Une partie de moi s'est accrochée au fol espoir que le monstre ne puisse pas vraiment nous faire de mal. Mais j'ai eu tort. S'il peut nous taillader ainsi, sans doute aussi peut-il nous détruire.

Soudain, la tête du monstre pivote sur son cou four-millant et se tourne vers l'entrée de la chapelle. Les papillons battent des ailes, inquiets.

— Doux Jésus! s'exclame une voix familière.

— Henry? crié-je.

— Victor? Konrad? Où êtes-vous? lance Elizabeth, la gorge serrée par la peur.

— Ici, en haut! hurlé-je.

Le démon de la fosse lâche la corde de papillons et heurte le sol en déclenchant un coup de tonnerre. Il se tourne vers mes amis, les épaules voûtées, les genoux pliés vers l'arrière, dans une curieuse attitude de chasseur.

Je sors la tête de notre cachette et je vois Henry et Elizabeth tels que Konrad nous a vus la première fois: des créatures auréolées de lumière. Avec les épées qu'ils bran-dissent devant eux, on dirait des archanges.

— Henry est en feu, dis-je à Konrad.

Il s'approche en grognant de douleur.

— Mais la lumière d'Elizabeth a beaucoup pâli.

Le démon fait un pas hésitant, puis s'arrête et tend un bras d'une longueur anormale, comme pour éprouver la chaleur qui se dégage du feu.

— Tu es fort! crié-je à Henry. Ne l'oublie pas! Vous êtes tous les deux vibrants de lumière et de chaleur!

— Nous avons ton talisman, Victor! crie Elizabeth. Descends de là!

— Comment?

Le démon de la fosse, en effet, se trouve juste sous nos pieds et son crâne se tourne de nouveau vers nous.

Avec un rugissement, Henry, tel un trait de lumière, fonce vers le démon en brandissant son épée. Retenant mon souffle, paralysé, je vois le démon faire un pas en arrière en hurlant. Il tend un bras devant lui pour se protéger. Au moment où les mains du monstre se tendent vers sa tête, Henry frappe et sectionne deux de ses griffes. Hébété, le monstre pousse un cri et recule en titubant, tandis qu'une vapeur pestilentielle s'élève dans les airs.

Pris de haut-le-cœur, Henry lève les yeux vers nous.

— Maintenant!

La corde infernale se désintègre et les papillons retournent vers leur maître. Puis je vois la corde du chandelier, encore accrochée à la poulie du plafond.

— Allons-y! crié-je à Konrad.

Il hoche la tête en grimaçant.

Nous n'hésitons pas. Je le laisse sauter en premier et attraper la corde. Je le suis au moment où la corde amorce sa chute. Nous descendons rapidement, puis nous lâchons prise et heurtons violemment le sol en culbutant. Lorsqu'il se relève à l'aide de son bras blessé, Konrad pousse un cri de douleur.

Je l'agrippe et nous courons. Du coin de l'œil, je vois le démon replacer sur leurs moignons ses doigts tranchés. Les papillons, en rampant sur eux, sécrètent une substance noire et légère comme de la gaze qui semble les ressouder.

Avec Henry et Elizabeth comme éclaireurs, nous sortons en vitesse de la chapelle.

— Où sont nos corps? demandé-je, haletant, tandis que nous courons dans le couloir.

— Ta chambre! répond Elizabeth.

— Et la montre occulte?

— Je l'ai! s'écrie Henry.

Les sabots du démon claquent derrière nous. Je jette un coup d'œil par-dessus mon épaule et je le vois se pencher pour franchir la porte de la chapelle. Il nous cherche en faisant tourner son crâne à gauche et à droite et des torrents de papillons partent dans tous les sens.

— Il est aveugle, dis-je. Il a besoin des papillons pour voir.

Nous pourrons ainsi gagner un peu de temps. Elizabeth se retourne en brandissant ma bague. Je sais qu'elle ne peut pas me la donner en main propre : sa chaleur fait écran entre nous.

— Tiens, dit-elle avant de me la lancer.

Je l'attrape avec reconnaissance. En la glissant à mon doigt, je sens en moi un courant puissant. Mon esprit renoue avec mon corps. Nous nous ruons sur l'escalier.

— J'ai beaucoup aimé t'envoyer au tapis, dit Henry, même pas essoufflé, malgré les marches que nous gravissons deux à deux. Mais en arrivant ici après avoir déposé une goutte d'élixir sur ta langue, nous avons eu tout un choc en constatant que tu étais Wilhelm Frankenstein.

— Moi qui croyais que c'était Analiese qui habitait ton corps, fait Elizabeth.

— Il n'y a jamais eu d'Analiese, dis-je. Tu avais raison. Où est Wilhelm ?

— Nous l'avons ligoté et traîné dans la bibliothèque, explique Henry. Il était encore sans connaissance.

Au milieu des marches, une nuée de papillons nous attaque et fait demi-tour pour aller prévenir le démon.

— Il va bientôt revenir, dis-je, pantelant.

Presque aussitôt, des bruits de sabots galopants, de plus en plus forts, ébranlent les fondations du château.

— Nous ne pouvons pas laisser Konrad ici avec cette chose ! crié-je.

— Je ne sais pas si nous réussirons à la détruire, s'écrie Henry, mais je suis prêt à la combattre jusqu'au bout.

— Non, fait Konrad en grimaçant de douleur. Elle se guérit toute seule. Nous ne pouvons pas la tuer.

En regardant son bras, je remarque que la sinistre estafilade noire forme désormais une série de lésions semblables à des toiles d'araignée.

— Dans ce cas, il faut ouvrir ! dis-je impulsivement. Une porte ! Une fenêtre !

— Et l'esprit malin qui attend dehors ? demande Henry, surpris.

— Il va peut-être nous aider. J'ignore qui il est, mais il n'est pas l'allié du démon, dis-je.

— Ni de Wilhelm Frankenstein, ajoute Elizabeth. Ce sont peut-être les cueilleurs d'âmes qui, depuis le début, attendent d'entrer.

— Tu en es sûre ? demande Henry.

— Je ne suis sûre de rien, répond Elizabeth. Mais sortir est peut-être la seule chance de salut de Konrad.

— Et je ne partirai d'ici, dis-je, que quand je serai sûr qu'il est à l'abri.

En haut de l'escalier, Henry hésite soudain et porte la main à sa poitrine.

— Qu'est-ce qui ne va pas ? demandé-je.

— La montre occulte, répond-il, sidéré, en sortant l'objet de sa poche. Déjà ?

Je la vois vibrer, le fœtus de moineau tapant avec insistance sur la vitre. Je me retourne pour voir la silhouette puante et tourbillonnante du démon au bas de l'escalier. Ses griffes sont de nouveau intactes. Sur ses pieds terminés par des sabots, il grimpe les marches trois à trois.

Nous fonçons vers ma chambre, au bout du couloir.

— Nous allons ouvrir la porte du balcon, dis-je, et laisser entrer les esprits, quels qu'ils soient.

Nous franchissons la porte. Instantanément, je sais où se situe mon corps dans le monde réel et plus que tout j'ai envie de m'allonger, de rentrer. Mais pas avant d'avoir ouvert la fenêtre. Je m'avance vers elle. Elizabeth pousse un cri de surprise et...

Wilhelm Frankenstein, tapi derrière la porte, s'élance, me renverse. Je laisse échapper mon épée et mon poignard. Nous nous écroulons par terre, lui sur moi. Je multiplie les coups de poing et de pied dans l'espoir de le repousser, mais il est obstiné, affolé par ses trois siècles de captivité. Il agrippe ma main et, à force de tirer, m'enlève ma bague.

— Donne-moi ça! crie Henry en s'avançant vers lui.

Le visage de mon ami est enflammé et il écarte les bras pour irradier la lumière et la chaleur.

Wilhelm recule en chancelant et, au moment où Henry va poser sur lui sa main brûlante et attraper ma bague, Wilhelm la lance. Elle passe au-dessus de nos têtes et sort par la porte de ma chambre. Je l'entends tinter sur la pierre, puis rouler dans le couloir avec un léger bruit métallique.

Sans réfléchir, je m'élance à sa suite et je la vois scintiller et s'immobiliser. Puis le sabot infesté d'insectes du démon se pose à côté. Je lève lentement les yeux. La créature me domine. D'une main griffue, elle ramasse la bague.

Henry pose la main sur mon épaule pour me retenir.

— Henry... commencé-je.

Mais déjà il s'avance vers le démon en criant :

— Arrière ! Arrière !

Seulement, il n'atteint pas sa cible, car un torrent de papillons fonce sur lui. Tandis que Henry avance en distribuant des coups d'épée à gauche et à droite, je vois les papillons se colorer, le vider de sa substance. À chacun de ses pas courageux, Henry faiblit.

Mais Elizabeth intervient à son tour et, sans laisser au démon le temps de battre en retraite, elle le frappe à la jambe en tenant l'épée à deux mains. Le coup est si violent qu'Elizabeth ne parvient pas à dégager la lame de la chair frémissante du démon. Un rugissement monte de sa gueule hérissée de dents tranchantes et la blessure laisse échapper de nouvelles vapeurs nauséabondes.

Soudain, Konrad se matérialise à côté de moi et me rend mon épée. Ensemble, nous frappons à répétition la poitrine de la chose, le plus haut possible, et je vois ma bague luire dans son poing griffu. J'essaie de lui trancher la main, mais il s'esquive, la maintient hors de ma portée.

Je pousse un cri de triomphe lorsque la jambe blessée du démon cède sous son poids et craque à la hauteur de la lésion, les deux moitiés du membre uniquement retenues par leurs horribles tendons et les papillons grouillants.

Une fois de plus, l'espoir monte en moi. Peut-être pourrons-nous détruire cette vile chose, après tout. Je me tourne vers Henry et Elizabeth, aux prises avec les papillons noirs qui les dépouillent de leur substance vitale.

— Ta lumière ! crie Konrad à Elizabeth par-dessus son épaule.

La lumière d'Elizabeth disparaît, en effet, et celle de Henry s'est aussi éteinte. Les papillons, leur œuvre diabolique accompli, sont retournés auprès de leur maître, leur corps gonflé de couleurs éclatantes. Ils volent jusqu'à sa jambe blessée et, tandis qu'ils redeviennent noirs, leur énergie nouvelle se communique au démon. Il se dresse de toute sa hauteur, sa jambe ressoudée comme par un prodige.

D'un coup de griffe, le monstre creuse un sillon noir dans la poitrine de Konrad et, alors que je m'avance, il me repousse d'une taloche comme si je n'étais qu'un vulgaire chien. Je m'envole, heurte le sol.

— Konrad ! crié-je.

Elizabeth et Henry entraînent le corps inerte de Konrad, tandis que le démon, cauchemar dessiné à grands coups d'éclairs noirs, s'avance lentement vers nous.

Nous n'avons plus ni chaleur ni lumière pour le combattre.

Nos vies ne tiennent plus qu'à un fil. Tant bien que mal, si faible que j'en ai le vertige, je me remets sur pied. Je dois aider les autres. J'entends mon pouls, dont le tic-tac rappelle le signal d'alarme hésitant de la montre occulte. Dans le monde réel, nos corps agonisent.

— Nous devons rentrer, halète Henry lorsque j'arrive à sa hauteur.

— Impossible sans mon talisman, sifflé-je. Va dans la chambre! Ouvre la fenêtre!

En rugissant, je fonce vers le démon, les yeux rivés sur la main griffue qui tient ma bague. Je vise le poignet, mais je n'ai même pas le temps de brandir mon épée. Une fois de plus, le monstre me frappe et je pars à la renverse. Mon épée tournoie dans les airs et, avec un bruit métallique, heurte le sol.

À ce moment, Wilhelm Frankenstein jaillit de ma chambre, passe devant Henry et saisit mon épée.

— Où est ton talisman? rugit-il en courant vers moi.

— Je ne l'ai pas! crié-je.

Pendant un moment, je crois qu'il va m'embrocher, mais un torrent de papillons l'intercepte et le cloue au mur, impuissant. Il se tourne vers le démon et, sur le visage de Wilhelm, sur l'élégant profil empreint de suffisance qui me toisait du haut de son portrait, je lis une terreur sans mélange. Il fixe le démon et, à ma grande stupeur, ce dernier, soudain immobile, le fixe aussi.

Je comprends instinctivement qu'ils ont, depuis des siècles, des comptes à régler. Wilhelm a été le premier à tirer le monstre du sommeil, à exploiter ses papillons, à se servir de leur force abondante et à lui promettre, peut-être de façon implicite, une nouvelle vie.

De terribles bruits, le langage brutal que j'ai entendu auparavant, émanent de la gorge du démon. Me tournant vers Wilhelm, je vois un papillon noir entrer dans chacune de ses oreilles. Non pas pour les boucher, mais plutôt pour traduire.

— Je n'avais aucune intention de t'abandonner! crie Wilhelm. J'allais revenir!

Le monstre répond par une violente rafale de borborygmes.

Wilhelm persiste.

— J'avais le projet de te rapporter un corps tout neuf, issu de ta propre chair. On a retrouvé tes os!

Pendant un moment, le démon reste silencieux, le temps, eût-on dit, de réfléchir. Il forme une masse grouillante de pattes d'insectes, d'antennes et de bouts d'ailes pointus. Puis il s'élance. Je m'écarte de son chemin, aussitôt imité par Elizabeth et Henry, qui tirent le corps inanimé de Konrad derrière eux. Le monstre atterrit devant Wilhelm Frankenstein. Le saisissant entre ses mains griffues, il le soulève.

Pour la première fois, les papillons qui entourent la tête du démon se dispersent et je constate qu'il n'a d'autre trait que la fente diagonale qui traverse de part en part son crâne protubérant, au front bas. Cette fente s'ouvre toute grande et les dents de la chose s'enfoncent dans la tête de Wilhelm, la coupent en deux au moment où l'homme pousse un cri.

À une vitesse affolante, le démon enfourne le corps gesti-culant dans son énorme gueule aux dents tranchantes et engloutit Wilhelm, dont il ne reste bientôt plus rien.

Je sens tout mon courage m'abandonner.

Il a avalé Wilhelm. Risque-t-il maintenant de dévorer Konrad ? Et nous, par la même occasion, puisque nous sommes désormais privés de chaleur et de lumière ?

— Vite ! hurlé-je. Les fenêtres !

Aussitôt, le démon tourne la tête vers Elizabeth et Henry qui, visiblement fatigués, traînent Konrad vers ma chambre. Des torrents jumeaux de papillons se détachent alors de son corps et tourbillonnent autour d'Elizabeth et de Henry, les obligeant à battre en retraite.

Le démon se tourne brièvement vers moi, puis il se désintéresse de ma personne et se dirige vers ma chambre d'un pas lourd. Il se penche pour faire passer sa char-pente massive dans l'embrasure de la porte. Apercevant ma bague dans sa main, je me rends compte qu'il n'a désor-mais qu'une envie : s'unir à mon corps dans le monde réel.

Chancelant, je parviens à m'avancer et à me jeter sur lui. De grands tourbillons de brouillard frappent du poing contre les fenêtres. Henry et Elizabeth s'efforcent de les atteindre, mais les papillons forment un contre-courant invincible.

La tête du démon se fixe sur l'endroit où mon corps gît sans doute dans le monde réel. Comme si j'étais déjà en train d'expirer, je sens un terrible engourdissement monter en moi, gagner mes pieds, mes jambes, ma poitrine.

Le démon se laisse tomber par terre, se plie pour former une grotesque réplique de mon corps.

Avec un ultime sursaut d'énergie, je me rue sur la fenêtre, mais, d'un geste du bras, le démon lance sur moi un nœud coulant de papillons qui se resserre, se resserre tellement que je suis presque paralysé. La fenêtre n'est qu'à dix pieds de moi, mais elle pourrait tout aussi bien être à dix milles.

Nous allons tous mourir.

J'entends un cri et je me tourne vers Konrad qui, recroquevillé de douleur, domine le monstre et brandit son épée bien haut. La lame s'abat sur la main du monstre et la coupe net. Ma bague tombe par terre et roule.

Le démon pousse un cri de désarroi et les papillons qui m'encerclent semblent perdre de la vigueur. Me ruant sur les portes du balcon, j'agrippe la poignée et ouvre les fenêtres toutes grandes.

Le brouillard entre en rugissant, transforme la pièce en maelström. Tapi dans un coin, je vois les papillons se faire aspirer et disparaître par l'ouverture en vastes nuées noires, tandis que le brouillard se concentre en une chose énorme et toute-puissante.

Qu'ai-je fait ?

Le brouillard traverse la pièce et se jette sur le démon avec la férocité d'un cobra. Le monstre se remet sur pied et le brouillard le heurte de plein fouet, le dépouille de ses derniers papillons et le met à nu, révélant une créature si horrible que je n'en crois pas mes yeux.

La grande colonne de brouillard s'enroule autour du démon et se fractionne en têtes multiples, semblables à celles d'une hydre. Le démon se débat avec rage, sectionne une tête d'un coup de griffe, enfonce ses dents tranchantes dans une autre jusqu'à ce que, soudain toute molle, elle s'évapore.

Dans les remous qui accompagnent cette tempête spectrale, je remarque à peine Henry, Elizabeth et Konrad qui, comme moi, assistent médusés à l'affrontement entre ces deux créatures surnaturelles qui rugissent, hurlent et se battent. J'ignore laquelle des deux l'emportera.

Le démon écrase une autre des têtes du brouillard et, horrifié, je vois les autres se flétrir. L'unique colonne de brouillard donne l'impression de relâcher son emprise sur le démon, qui se dresse de toute sa hauteur en poussant un cri de triomphe.

À ce moment, le brouillard se raidit et, d'un seul mouvement puissant, s'enfonce dans la gueule ouverte du démon, puis se répand en lui, de plus en plus profondément. Il gesticule, étouffe, griffe vainement le torrent en apparence inépuisable.

Un trou béant se creuse dans le ventre du démon et le brouillard en ressort. Puis sa cuisse explose et c'est ensuite au tour de son épaule. Le monstre se cambre, s'écroule, au moment où une autre colonne de brouillard transperce sa tête hideuse. Tout son corps éclate alors, au milieu de tourbillons de vapeur. Ses restes sont aspirés et disparaissent par la fenêtre.

La tempête se calme, mais le brouillard s'épaissit de nouveau et s'avance vers moi. Il tourne et tourne, comme pour me renifler, et je sens sa redoutable puissance. Se souvient-il que j'ai tranché un de ses tentacules ? Voit-il en moi quelque sombre trait qui mérite l'anéantissement ? À regret, il s'éloigne, tournoie brièvement autour de Henry et d'Elizabeth, puis se dirige vers Konrad.

Pendant un moment, il l'enveloppe tout entier, puis se regroupe et sort en coup de vent par la fenêtre ouverte.

Un silence impossible remplit la pièce.

Je cours vers Konrad. Ses yeux sont fermés.

— Konrad, murmuré-je en le secouant.

Il remue et me regarde, puis il baisse les yeux sur son corps. Les effrayantes entailles noires sur ses bras et sa poitrine sont guéries.

— Vos corps, fait-il avec inquiétude.

Et soudain je me rappelle le tic-tac de la montre occulte.

D'une main tremblante, Henry la sort de sa poche et fronce les sourcils. De petites bouffées de brouillard résiduel s'échappent de l'appareil, dont la vitre est givrée. Henry gratte la glace et porte l'objet à son oreille.

— Le tic-tac s'est complètement arrêté, constate-t-il, mais...

— Je ne ressens aucune faiblesse, dit Elizabeth.

Je m'approche.

— La petite griffe est courbée, sur le point de frapper, mais elle ne pointe pas tout à fait vers le haut.

— Notre temps est sûrement écoulé, affirme Elizabeth.

— Ou arrêté, dis-je.

Car c'est comme si le temps était suspendu, une bouffée d'air inspirée mais pas encore relâchée. Le brouillard semble en avoir suspendu le cours.

Konrad se lève et Elizabeth court se blottir contre lui.

— C'est si bon de pouvoir te serrer dans mes bras, dit-elle en enfouissant son visage dans le cou de Konrad.

Sous mes yeux, ils s'étreignent, se caressent le visage. Il l'embrasse sur la bouche, essuie les larmes qui perlent à ses yeux. Ils se chuchotent des mots que je ne saisis pas.

— Je vais revenir, promet-elle.

Konrad secoue la tête.

— Je vais revenir, répète-t-elle.

— Il ne faut pas, dit-il.

Il me dévisage.

— Surtout toi, Victor. Restons-en là. Il n'y a aucun moyen de me ramener.

Je m'avance et lui tends ma bague. À mes côtés, Elizabeth tressaille.

— Prends-la, dis-je à mon jumeau.

Très lentement, il saisit ma main et referme mes doigts sur la bague.

— Ce n'est pas la fin que j'ai prévue, dis-je. J'ai rêvé que nous partions à l'aventure, toi et moi…

— Des aventures, nous en avons eu à revendre, répond-il. Assez pour nous durer deux vies.

Il agrippe ma main droite.

— Elle te fait mal, même ici? demande-t-il.

Je fais signe que oui.

— Arrête tout, maintenant, dit-il. Tu n'es pas responsable de ma mort.

Je détourne les yeux.

— Tu m'entends, Victor? Tu n'as jamais eu pour rôle de me sauver. Ni de me faire revenir d'entre les morts.

— Possible.

— Henry, poursuit Konrad, je n'avais encore jamais vu un tel courage. Je ne crois pas que j'aurais été capable de charger cette chose comme tu l'as fait dans la chapelle.

Henry esquisse un sourire, son sourire d'avant.

— Mais comment veux-tu que nous t'abandonnions ici? demande Elizabeth, affligée.

— Oh, mais je n'ai pas l'intention de rester ici, dit Konrad. Je sors faire une promenade. C'est ce que je projetais de faire à mon arrivée. Seulement, Analiese… Wilhelm, je veux dire… m'en a empêché.

Il donne à Elizabeth un ultime et très long baiser. Puis il serre Henry dans ses bras avec affection. En dernier lieu, c'est à moi qu'il ouvre les bras. Il n'est plus froid. Il est comme moi.

— Assez de bêtises, chuchote-t-il à mon oreille.

J'essaie de rire.

— Promets-moi de ne plus échafauder de projets déments.

Je m'attarde dans ses bras un instant de plus.

— Je n'espérais pas vraiment arracher une promesse à mon petit frère, dit-il.

Puis il se tourne vers le balcon et sort. Aussitôt, le brouillard l'enveloppe, pas férocement, mais avec douceur, à la façon d'une mante de voyage, et il disparaît.

La maison grouillait d'activité : on emballait des objets, on en dissimulait d'autres sous des housses. Nous partions le lendemain. D'abord Venise, pour un séjour de quelques semaines, puis le sud, où nous attendrait un soleil bien-veillant.

Dans l'intimité de ma chambre, j'entassai dans une valise les affaires que j'entendais prendre avec moi dans la diligence.

Je jetai un coup d'œil au carnet que j'avais tenu pendant que j'avais les papillons sur moi et que je lisais comme un forcené. À présent, je reconnaissais à peine mes pattes de mouche. Certains passages étaient carrément illisibles; quant aux autres, ils n'avaient plus aucun sens à mes yeux. Je trouvai des informations sur la transformation du plomb en or, mais aussi sur quantité d'autres choses, notamment les mystères du corps humain. Des nombres, des notations et des équations qui auraient pu passer pour les hiéroglyphes d'une civilisation perdue.

Je n'avais rien tiré de bon du monde des esprits. Rien du tout.

Que du charabia, depuis le début, un simulacre de connaissances que les papillons avaient tissé autour de moi, tel un cocon.

J'arrachai les pages du cahier et je les approchai de la flamme d'une chandelle.

Et pourtant, je ne pus me résoudre à les brûler.

Et si ces connaissances étaient réelles et que je n'étais tout simplement pas assez intelligent pour les comprendre?

Doucement, comme si je me cachais quelque chose à moi-même, je pliai les pages et je les enfermai à clé dans mon bureau.

Plus tard.

Ce soir-là, un orage se leva. Sous l'auvent du grand balcon, Henry, Elizabeth et moi contemplions le lac martelé par la pluie. Un brouillard voilait les montagnes et je ne pus m'empêcher de me demander si Konrad, d'une certaine façon, en faisait partie.

— Je peux te poser une question ? demandai-je à Henry. Ton talisman… Tu ne nous as jamais dit ce que c'était.

— Ah, fit-il un peu piteusement. Seulement quelques mots inspirants. Je veux bien vous les montrer maintenant.

Il sortit le feuillet de sa poche et me le tendit.

Je le dépliai et lus :

— « Je boirai la vie jusqu'à la lie/Afin de lutter, chercher, trouver et ne pas céder. » C'est de toi ?

Il fit signe que oui.

— C'est très beau, dit Elizabeth.

— Ils te vont bien, ces mots, renchéris-je.

— Tu vas nous manquer pendant ton voyage, lui confia Elizabeth.

— Et vous allez me manquer pendant le vôtre, répondit-il. Dommage que mon père n'ait pas décidé de se rendre en Italie plutôt qu'en Hollande. Il paraît que les hivers y sont abominables.

— J'aimerais bien que tu nous accompagnes, dit Elizabeth.

— Vraiment ? fit-il en rougissant.

— Bien sûr, dis-je en me demandant s'il avait toujours l'ambition de faire sa conquête.

Puis j'ajoutai :

— Tu es presque un frère pour elle.

Je lui assénai une claque sur l'épaule et il me dévisagea avec ironie. Puis nous nous sourîmes, comme deux amis avant un assaut d'escrime.

La pluie redoubla d'intensité, criblant la surface du lac. Le vent s'éleva et je sentis de grosses gouttes fraîches sur ma peau. Derrière les nuages, la lumière clignotait.

— Vous devriez rentrer, dit père en venant nous rejoindre sur le balcon. Vous allez être trempés.

— De quelle matière cet éclair est-il fait ? lui demandai-je.

— D'électricité, répondit-il. Une décharge d'énergie entre particules de polarités opposées. C'est une science relativement nouvelle, mais convaincante et prometteuse.

Soudain, une vaste fourchette empala le lac. Dans le ciel retentit un craquement assourdissant, comme si quelqu'un s'était attaqué aux cieux à coups de ciseau. Puis il y eut un autre éclair et sur le rivage, à environ cent cinquante pieds du château, un chêne énorme explosa dans un déferlement de flammes aveuglantes. Lorsque la lumière s'éteignit, il ne restait plus de l'arbre qu'une souche foudroyée.

— Viens, Victor, fit Elizabeth en me tendant la main devant la porte.

Mais j'hésitai.

— Oui, répondis-je. Dans un moment.

Et je me tournai du côté de l'orage en songeant : *Une force stupéfiante.*

À LIRE ÉGALEMENT

L'Apprentissage de Victor Frankenstein, Tome 1 – Un sombre projet

Âgés de 16 ans, Victor et Konrad sont jumeaux. Dans le château familial, ils découvrent une bibliothèque secrète remplie de livres anciens aux connaissances oubliées. Quand Konrad tombe gravement malade, Victor entreprend d'y trouver la légendaire formule de l'Élixir de Vie pour sauver son frère. Mais un grand sacrifice l'attend.

Demi-Frère

    Quand Ben Tomlin, 13 ans, déménage à Victoria, en Colombie-Britannique, c'est toute sa vie qui est boule-versée. Nouveaux amis, nouvelle école, nouvelles amours et comme si cela ne suffisait pas, un membre singulier s'ajoute à sa famille. En effet, le père de Ben, chercheur universitaire, adopte un chimpanzé devant servir à ses recherches sur la communication.